LA IVe RÉPUBLIQUE

ŒUVRES DE JACQUES FAUVET

LES PARTIS POLITIQUES DANS LA FRANCE ACTUELLE (1947).

LES FORCES POLITIQUES EN FRANCE. Editions « Le Monde » (1951) ; traduit en allemand sous le titre *Von Thorez bis de Gaulle.* (Verlag der Frankfurter Hefte).

LA FRANCE DÉCHIRÉE. Arthème Fayard (1957) ; traduit en anglais sous le titre *The Cockpit of France.* (The Harvill Press).

LA POLITIQUE ET LES PAYSANS, en collaboration. Armand Colin (1958).

LA FRONDE DES GÉNÉRAUX, en collaboration avec Jean Planchais. Arthaud (1961).

HISTOIRE DU PARTI COMMUNISTE FRANÇAIS, tomes I et II. Fayard (1964-65).

JACQUES FAUVET

La IVe République

FAYARD

A M. Hubert Beuve-Méry.

AVANT-PROPOS

La *France a traversé en 1958 l'une des crises les plus graves qu'elle ait connues depuis 1940. Comme à cette époque, son régime, ses libertés, son destin d'outre-mer se sont trouvés brusquement menacés. Mais à dire vrai, cette crise n'a pas tellement surpris. Tôt ou tard, elle devait arriver.*

Comme la IIIe République, la IVe République a souffert dès ses débuts de l'instabilité ministérielle. Depuis 1945 deux gouvernements seulement avaient duré plus d'un an. La cause en était simple. Les crises ministérielles étaient provoquées par la conjonction de deux oppositions extrémistes qui étaient bien capables de renverser un gouvernement mais bien incapables d'en constituer un autre. Les trois cabinets qui se sont succédé de 1956 à 1958 ont tous été mis en minorité par l'addition des communistes et des modérés. Faciles à provoquer, les crises étaient difficiles à résoudre. Les deux dernières de la IVe République ont duré un mois ou plus.

A cette cadence les gouvernements avaient peu à peu perdu toute autorité, surtout dans les territoires d'outre-mer qui, loin de la métropole, avaient pris l'habitude de compter, non plus sur elle, mais sur eux-mêmes. Le Parlement avait achevé, de son côté, de perdre toute popularité. L'opinion elle-même n'était pas préparée à descendre la rude pente de la décolonisation, se refusant à voir qu'elle était inscrite dans les événements et non dans les institutions.

La deuxième raison de la chute de la IVe est justement la désaffection de l'opinion pour le régime. Le mal n'est pas nouveau. Il est chronique. Mais il est périodiquement aggravé et favorisé par des accès de fièvre « bonapartiste ». Ce phénomène courant de l'histoire politique française est fait d'un mélange explosif : il combine l'appel au petit peuple et l'appel au grand soldat. L'homme fort n'est guère aimé de l'opinion publique, sauf s'il est militaire. Mais sa popularité disparaît souvent aussi vite qu'elle apparaît, même si elle reste légendaire [1].

En moins d'un siècle, la France a porté au pinacle et parfois au pouvoir deux empereurs, un maréchal, deux généraux et un colonel. Chefs de gouvernement ou chefs de parti, ils ont bénéficié autant de l'impopularité du régime parlementaire que de la légende créée autour de leur nom. En soixante-dix ans, le général Boulanger en 88-89, le colonel de la Rocque en 34-36, le maréchal Pétain en 40-42, le général de Gaulle en 47-48 ont ainsi groupé autour d'eux des millions de Français...

1. Cf. *La France déchirée.*

pendant quelques mois. Très vite l'opinion s'est détachée d'eux. C'est là toute la différence entre le bonapartisme et le fascisme. Le fascisme a une doctrine, une discipline, et des cadres. Le bonapartisme n'a rien de tout cela ; il n'est fondé que sur une popularité. Or, il y a deux choses très changeantes, très fugaces en France : la mode féminine et la popularité politique.

Après chacune de ses crises nationalistes ou bonapartistes, le pays est revenu à son état normal qui consiste à supporter comme un moindre mal le régime parlementaire. Le citoyen pouvait être mécontent, mais il continuait à s'intéresser beaucoup à la politique, votant plus que l'électeur anglais et américain. Le militaire pouvait souhaiter en secret la chute du gouvernement ou la mort du régime, mais il continuait à obéir au gouvernement et à servir le régime.

Pour la première fois depuis la période révolutionnaire, il n'en a pas été ainsi en 1940. Brutalement les Français, les officiers ont eu un choix à faire, un choix difficile : obéir au devoir national ou au gouvernement légitime, continuer la guerre avec de Gaulle ou accepter la paix avec Pétain. C'est alors que les officiers ont appris à désobéir, à considérer la dissidence comme un devoir. Leur engagement avait d'abord été militaire, national ; il devint assez vite politique. Car si de Gaulle condamnait Pétain, ce n'était pas seulement parce qu'il collaborait avec les Allemands. C'est aussi parce qu'il avait institué un régime autoritaire sous le signe d'une « Révolution nationale ».

La grande aventure de de Gaulle a été celle de nombreux jeunes officiers qui sont devenus par la suite des généraux de la IVe République. C'est en 1940-1942 que les généraux et les colonels de 1958 ont appris la désobéissance et la politique.

Cette raison s'ajoute aux autres pour expliquer le coup du 13 mai à Alger.

Dans la nuit qui a suivi le coup de force, l'éviction des autorités civiles et la prise de pouvoir par l'armée, M. Pflimlin a déclaré devant l'Assemblée : « Il s'est trouvé un chef militaire pour prendre une attitude qui — je le dis à regret — est une attitude d'insurrection contre la loi républicaine. » C'était le 14 mai à une heure du matin. Le 16, il disait au contraire : « Le général Salan entend défendre non seulement la France, mais les institutions de la République. »

En réalité, quatre éléments au moins ont joué. Le premier est celui de l'émotion de la foule qui avait déjà manifesté le 26 avril, bien que la manifestation ait été interdite par M. Lacoste. Le second est l'action d'une minorité agissante d'extrémistes et de gaullistes « dont certains venus de la métropole ont préparé leur coup à des fins politiques », dit M. Pflimlin.

Deux séries de chefs militaires sont en effet intervenues. Leur attitude a été bien différente. Les uns ont poussé à la manifestation, à l'occupation du ministère de l'Algérie qui a été « la prise de la Bastille » de la « révolution d'Alger ». Ces chefs sont les jeunes officiers supérieurs des régiments de parachutistes qui, tous, ont fait la guerre en Afrique et en Europe avec de Gaulle, puis sans lui en Indochine. Ils ont appris deux fois la politique : celle que leur a inculquée le mouvement gaulliste de 1940 à 1945 et celle qu'ils ont tirée des *enseignements de la guerre révolutionnaire du Viet-minh.*

A côté des colonels qui ont joué le rôle d'accélérateurs — ou face à eux —, les généraux ont constitué un quatrième et dernier élément qui, lui, a joué le rôle de frein.

Le premier jour, la foule n'avait pas crié : « Vive de Gaulle ! » mais « Pflimlin démission ! », ou encore « l'armée au pouvoir ! ». C'est le lendemain matin seulement à 5 heures que le général Massu réclamait la constitution d'un gouvernement présidé par le général de Gaulle. Ne pouvant ni prendre le pouvoir pour elle-même, ni le laisser aux extrémistes civils, ni s'incliner devant le gouvernement légal, l'armée n'avait d'autre solution que d'en appeler à de Gaulle. C'était la seule porte de sortie possible. C'était aussi pour elle le seul moyen de préserver son unité.

Faible dans l'opinion métropolitaine, inexistant dans les milieux politiques, le gaullisme n'a pu renaître en France qu'à l'occasion des événements d'Alger.

Entre le pouvoir légal de Paris et le pouvoir de fait d'Alger, un fossé s'est alors creusé. Paris allait-il partir à la reconquête de l'Algérie ? Le gouvernement n'en avait ni les moyens ni même la volonté. L'armée allait-elle au contraire conquérir la métropole ? Elle en avait le désir et le pouvoir. Mais c'eût été la guerre civile.

Le gouvernement Pflimlin n'avait que deux issues : tenir et durer dans l'espoir d'user, de diviser la dissidence algérienne ou s'effacer au profit d'un gouvernement présidé par le général de Gaulle.

Pour tenter de résister, le régime aurait dû accepter le soutien parlementaire et populaire de la seule force ouvrière organisée : celle du parti communiste. Mais ni les partis du centre ni même les dirigeants socialistes ne pouvaient l'admettre. D'où la passivité du gouvernement de Paris face au coup d'Alger, d'où l'abdication du Parlement devant de Gaulle.

La IVe République est née avec la guerre d'Indochine. Elle a succombé avec celle d'Algérie. Entre toutes ces erreurs, la plus mortelle a été cette incapacité d'établir à temps de nouveaux rapports avec les pays d'outre-mer. Au lendemain de Diên Bien Phu l'Assemblée avait trouvé un premier liquidateur de faillite : M. Mendès-France. Elle lui avait confié le pouvoir avec soulagement avant de se retourner contre lui sept mois plus tard. Pour le plus grand nombre, le leader radical restera de ces hommes qui sont tenus pour responsables des malheurs qu'ils se sont bornés à annoncer.

Autre Cassandre, le général de Gaulle a reçu quatre ans plus tard les pleins pouvoirs des mains d'une Assemblée aussi incapable de faire face à l'insurrection d'Alger ou d'Ajaccio qu'elle l'avait été de mettre fin à la guerre d'Algérie. Mais cette fois le régime n'y a pas résisté ; il a été jusqu'au degré ultime de la désagrégation : l'indiscipline de l'armée, la dislocation de l'Etat. On l'a dit : ce n'est pas le dernier gouvernement qui a abandonné le pouvoir. C'est le pouvoir qui l'a abandonné.

L'Assemblée nationale a investi le général de Gaulle le 1er juin 1958 pour une unique raison : il lui est apparu comme le seul homme capable de rétablir dans l'immédiat la discipline dans l'armée, la légalité en Algérie et l'autorité dans l'Etat. Lui aussi a été le liquidateur d'une faillite qu'avant tout autre il avait prévue.

Il n'y a pas un membre des quatre derniers gouvernements de la IVe République qui ait douté que tôt ou tard le conflit algérien mettrait à l'épreuve le régime. Ce fut pour nombre d'entre eux la raison de leur action, pour d'autres celle de leur inaction, et peut-être pour quelques-uns le secret espoir d'une divine surprise.

Bien avant le 13 mai 1958 la IVe République savait qu'elle ne survivrait pas à la guerre d'Algérie.

Il n'y a pas non plus un député qui n'ait constaté qu'à chaque crise ministérielle le régime se dégradait un peu plus, la machine se grippait davantage. Ce fut l'occasion d'inventer des procédures exceptionnelles pour tenter d'arrêter le mal, de dépanner le mécanisme. Bien avant l'inévitable investiture du général, le système parlementaire ne fonctionnait plus normalement.

Les causes s'imbriquent les unes dans les autres : les hommes, les institutions, les événements, les intrigues, ont leur part. Des hommes moyens ont mal utilisé de mauvaises institutions. Ni les uns ni les autres n'ont été à la dimension des événements.

Il est aussi des causes proches, et d'autres plus lointaines. Le complot des colonels a bien existé. Mais aurait-il été concevable si les pouvoirs réels n'avaient pas été peu à peu transférés à l'armée, si le pouvoir politique central, puis local, n'avait abdiqué devant l'autorité militaire ?

Mais rien n'était perdu aussi longtemps que la contagion n'avait pas atteint la métropole. Depuis plusieurs mois il n'y avait plus que des Etats dans l'Etat. De la tête la paralysie avait gagné les membres. Chaque administration s'organisait en féodalité. Derniers remparts ou dernière façade du régime, les préfets eux-mêmes doutaient à la fois de leurs ministres et de leurs services. L'Etat s'est effondré en Algérie, puis en Corse. La pellicule administrative a sauté au premier choc un peu brutal. Tout porte à craindre qu'il n'en eût été de même dans la métropole. Dans les derniers jours, personne n'était sûr de personne.

Des gouvernements faibles et divisés auxquels la durée même ne conférait que l'apparence de la stabilité ; des ministres vite découragés d'entreprendre ou convaincus que le temps arrangerait les choses ; des députés désabusés quand ils étaient anciens ou désespérés quand ils étaient plus jeunes ; des administrations moins soucieuses de prendre des risques que des sûretés : une opinion enfin indifférente ou mal informée : tel était bien l'état du régime.

La IVe République — et c'est là son grand, son immense mais son seul mérite peut-être — a voulu et su renouveler, moderniser l'équipement de base du pays, et rattrapant ainsi le retard dû non seulement aux deux guerres mais aux paresses de la IIIe, en jetant en même temps les fondations économiques de l'Europe unie.

Mais, mal adapté aux tâches et aux rythmes d'un Etat moderne, le régime n'a pas su faire face à des devoirs plus ordinaires, comme ceux qu'imposent l'enseignement ou le logement de millions de jeunes Français. Comment aurait-il pu accomplir l'effort qu'exigeait la construction d'une véritable communauté franco-africaine ?

Lorsqu'il considère l'histoire de ces quatorze années traversées sans cesse d'incidents, de crises et de drames, le regard se lasse de voir revenir constamment les mêmes personnages toujours satisfaits d'eux-mêmes et les mêmes problèmes jamais résolus ou presque ; il discerne mal les frontières, les coupures, les tournants ; il distingue cependant au départ trois paysages, trois phases, trois chapitres.

La IVe République s'est d'abord cherchée, avec, puis sans de Gaulle, de 1944 à 1947. Elle s'est ensuite trouvée, sans et même contre de Gaulle, de 1947 à 1952. Elle s'est perdue enfin lorsqu'elle a dû affronter le soulèvement du Maghreb, s'usant en Tunisie puis au Maroc et s'effondrant en Algérie jusqu'à se rendre à de Gaulle.

Son histoire s'inscrit ainsi entre deux retours du Général à Paris : 1944-1958.

PREMIÈRE PARTIE

LA QUATRIÈME SE CHERCHE

Août 1944-mai 1947

CHAPITRE PREMIER

DE LA GUERRE A LA PAIX

1944 : *25 août : arrivée du général de Gaulle à Paris ; 28 octobre : dissolution des gardes patriotiques ; 1er décembre : arrivée du général de Gaulle à Moscou.*

1945 : *18 janvier : lettre de démission de M. Mendès-France (effective le 5 avril) ; 12 février : fin de la conférence de Yalta ; 22 février : institution des comités d'entreprise ; 29 avril-13 mai : Elections municipales ; 7 mai : reddition inconditionnelle de l'Allemagne ; 2 août : fin de la conférence de Potsdam.*

I. — DE GAULLE ARRIVE

Le 25 août 1944 commence un nouveau chapitre de l'histoire de France : le général de Gaulle arrive à Paris. Peu après sept heures du soir, il est reçu à l'Hôtel de Ville. Une foule immense l'acclame longuement. Un détachement des Forces françaises de l'intérieur lui rend les honneurs. M. Marrane le salue « en termes excellents » au nom du Comité parisien de la Libération. M. Bidault lui adresse ensuite une « allocution de la plus haute tenue » au nom du Conseil National de la Résistance. Puis de Gaulle parle : « La France rentre à Paris, chez elle... » C'est une grande journée pleine de chaleur et de style. Il en conservera la plus heureuse impression. Mais elle ne s'achève pas sans un incident.

Celui qui est « chef du gouvernement provisoire de la République » depuis le 3 juin 1944 s'apprête à quitter l'Hôtel de Ville lorsque, s'approchant, M. Bidault s'écrie : « Mon Général, voici, autour de vous, le Conseil National de la Résistance et le

Comité parisien de la Libération. Nous vous demandons de proclamer solennellement la République... » L'historien a parlé.

« La République n'a jamais cessé d'être. Pourquoi irais-je la proclamer ? » La politique a répondu.

Et comme pour justifier son refus, il va à la fenêtre et simplement salue de ses bras levés la foule « qui prouve par ses acclamations qu'elle ne demande pas autre chose [1] ».

La République n'est pas même baptisée. Elle ne le sera jamais officiellement. Ondoyée si l'on veut depuis un an, jamais elle ne recevra le sacrement qui fut donné à ses aînées du haut du balcon de l'Hôtel de Ville. « Pourquoi irais-je la proclamer ? » Ce mot va loin, et d'abord en arrière.

La IVe République est-elle née, comme on l'a prétendu, dès le 18 juin 1940 ? Pourtant l'appel célèbre, qui fut si peu entendu et moins encore suivi ce jour-là, n'était pas un acte politique. Le général de Gaulle n'invitait pas la France à défendre ou à restaurer la République. Il l'exhortait au combat. Dix-huit mois après, il disait encore : « L'article premier de notre politique consiste à faire la guerre. »

Mais très tôt il s'est proposé de « rendre compte de ses actes aux représentants du peuple français ». Il l'a déclaré solennellement le 27 octobre 1940 dans un message lancé à Brazzaville. Il le répétera souvent. Et plus le conflit se poursuivra, plus son rôle se politisera, plus la promesse se précisera. C'est d'abord l'annonce d'un simple ren-

1. *Mémoires*, t. II, p. 308.

dez-vous avec la représentation nationale, puis l'engagement formel de lui remettre le moment venu ses pouvoirs et même de lui soumettre ses décisions [1].

En dépit de ces propos rassurants, Londres et Washington et plus encore ceux des émigrés français qui n'avaient pas rejoint les rangs de la France libre doutaient sérieusement des sentiment démocratiques du général de Gaulle. Son uniforme, son caractère, son entourage le faisaient soupçonner de visées dictatoriales. Longtemps, il est vrai, le chef de la France libre s'était gardé de parler lui-même de la République. La loi du 16 octobre 1940 avait bien organisé « le Conseil de défense de l'Empire français dans le respect des institutions de la France ». C'était une référence. L'ordonnance du 24 septembre 1941 avait bien admis que la Constitution et les lois de la République française avaient été et demeureraient « violées sur tout le territoire métropolitain et dans l'Empire ». C'était une constatation. Jusqu'en 1942, il n'est trace de la République. Nulle part n'apparaît le principe ni même le mot, et c'est la devise qui, la première, sort de cette clandestinité.

La Trinité républicaine fait en effet son apparition le 15 novembre 1941, sagement encadrée par les deux autres devises de la France libre : « Honneur et Patrie » et « Libération ». En cette compagnie, elle semble moins compromettante : « Nous disons Liberté-Egalité-Fraternité parce que notre volonté est de demeurer fidèle aux principes démo-

1. L'ordonnance du 24 septembre 1941 dispose que les « ordonnances seront obligatoirement et dès que possible soumises à la ratification de la représentation nationale ».

cratiques que nos ancêtres ont tirés du génie de notre race et qui sont l'enjeu de cette guerre pour la vie et pour la mort [1]. »

Cette pudeur républicaine des premières années s'explique. L'homme — c'est l'un de ses paradoxes — est moins souvent celui des surprises, des décisions brutales que des progressions lentes et calculées, des sédimentations. Seul, il doit résoudre des difficultés propres à décourager un véritable gouvernement. Ce géant se démène dans un univers de Lilliput : petite armée, petit comité, petites finances. Il est aux prises avec ses grands alliés. Contre lui, les Américains ont joué le général de la Laurencie comme ils joueront Weygand et Giraud.

Si, très tôt, il dénie toute légitimité au pouvoir de Vichy, il ne s'embarrasse guère de légitimer le sien ni même de le définir. Enfin, la résistance naissante entend rompre avec les méthodes ou même le personnel de la IIIe République.

Vient le grand tournant de 1942. Jean Moulin, préfet de la IIIe, est parachuté en France dans la nuit du 1er au 2 janvier. Il est « convaincu que le gaullisme devait être, non seulement l'instrument du combat, mais encore le moteur de toute une rénovation ». Il est « pénétré du sentiment que l'Etat s'incorporait à la France libre [2] ». Parlant de celui qui devait être son premier délégué général en France et le premier président du conseil national de la Résistance, le général de Gaulle parle en vérité de lui-même ; il est, lui aussi, convaincu qu'il est l'Etat.

1. Discours aux Français de Grande-Bretagne.
2. *Mémoires*, t. I, p. 233.

Contre Vichy, bientôt contre Giraud, et toujours contre ses alliés plus encore que contre ses ennemis, il sera conduit à consolider et à étendre, à justifier et à légitimer son pouvoir politique. Il était déjà la France, il deviendra la République.

Dans le même temps, la Résistance intérieure s'organise et se développe. Elle se politise aussi, surtout en zone sud où il n'y a pas d'Allemands mais où il y a Vichy. Les partis qui s'étaient comme décomposés à l'armistice se reconstituent. Des parlementaires sortent de l'ombre, rejoignent Londres ou les Mouvements de Résistance. Déjà l'on pressent que le régime de demain ne sera pas d'une seule veine.

La référence aux principes démocratiques ne suffit plus. Le général de Gaulle choisit la République, mais non la IIIe. Soupçonné de la vouloir restaurer, il raille : « Une France en révolution préfère toujours écouter Danton plutôt que de s'endormir aux ronrons des formules d'autrefois. » Il avait déjà condamné « les abus anarchiques d'un régime en décadence, ses gouvernements d'apparence, sa justice influencée, ses combinaisons d'affaires, de prévenances et de privilèges » (25 novembre 1941).

Il y revient dans une déclaration capitale qui, publiée dans les journaux clandestins, constituera une sorte de charte entre la Résistance intérieure et la France libre. « Un régime moral, social, politique, économique a abdiqué dans la défaite, après s'être lui-même paralysé dans la licence » (23 juin 1942).

Le régime de demain ne sera pas la IIIe. Mais ce sera la République : « Moi-même et l'immense majorité des Français dont je connais l'opinion, sommes tout à fait résolus à recouvrer intégralement les souverainetés nationales et la forme républicaine du gouvernement » (27 mai 1942). C'est au lendemain des accords conclus par le gouvernement américain avec l'amiral Robert, haut-commissaire de Vichy dans les Antilles, que parle le général de Gaulle. Son souci rejoint alors son intérêt ; il est d'affirmer à la fois le caractère représentatif de la France libre et le caractère républicain du futur régime de la France. Il espère que cette double affirmation sera de nature à renverser le courant qui lui demeure hostile aux Etats-Unis. En vain.

Le 7 novembre, les Américains débarquent en Afrique du Nord. Ils s'entendent avec Giraud, ils traitent avec Darlan. Ils ignorent de Gaulle. Ce tournant de la guerre en sera également un pour la politique française. Devenue officiellement *la France combattante* pour symboliser son unité avec la Résistance intérieure, *la France libre* est conduite, et par moments malgré elle, à jouer la République contre les héritiers, puis les légataires de Vichy. Elle la jouera jusqu'à la Libération, tantôt en utilisant, tantôt en contrariant la Résistance. Elle composera sur les hommes, les décisions et même les institutions. Elle ne cédera pas sur les principes, sur le principe : rien ne prévaudra finalement contre la légitimité tirée du 18 juin.

En novembre 1942, de sa prison de Bourassol, Léon Blum apporte officiellement sa caution au général de Gaulle. Il n'a jamais cessé de penser que le « général sera l'homme nécessaire ou plutôt le seul homme possible », à la Libération. A des amis socialistes qui sont tentés de mettre en doute les sentiments démocratiques du général, il a dit et répété qu'il lui faisait confiance. Cette fois, il fait plus : dans un moment difficile pour la France libre, il se porte garant du général auprès de Roosevelt et de Churchill. « Son autorité est dès à présent reconnue. Il incarne naturellement, spontanément l'unité de la France libérée [1] ». Le leader socialiste en profite pour s'inquiéter malgré tout des intentions du chef du futur gouvernement. « Mais songez-y bien, lui écrit-il, la France redeviendra une démocratie, n'est-ce pas ? Or, il n'y a pas d'Etat démocratique sans partis. On doit les moraliser, les revivifier, non les éliminer [2] »... Que le général de Gaulle en soit convaincu ou non, peu importe. L'événement imposerait ce que la doctrine proposait : l'identité République-Démocratie-Partis. C'est à travers une lutte presque quotidienne, tantôt sourde, tantôt ouverte, toujours habile que va prendre forme la IVe République.

Contre ses rivaux d'Alger — et ses alliés de Washington — le Général s'appuie dès lors sur les partis politiques, y compris le parti communiste. Contre ce dernier, il ressuscite les vieilles formation libérales ou modérées, qui n'avaient guère participé à la Résistance. Contre celle-ci ou du moins contre plusieurs de ses chefs, le Général et son délégué exigeront l'entrée des partis de la IIIe République au C.N.R. et font ainsi échec à Brossolette qui avait prôné à Lon-

1. *L'œuvre de Léon Blum*, t. I (Albin Michel), p. 383.
2. *Id.*, p. 381.

dres le parti travailliste unique, comme à Frenay qui en zone libre n'a cessé d'être hostile à la restauration des partis comme d'ailleurs à la plupart des directives politiques de la France libre.

Au jeu, le Général est dans l'immédiat le seul gagnant. Il demeure le seul principe de légitimité et d'unité. Mais de vainqueur il deviendra victime après la Libération. Valorisés, revalorisés, les anciens partis l'emporteront dans un premier temps sur les Mouvements de Résistance. Remis en place, introduits dans la place, ils en évinceront dans une seconde phase l'ancien chef de la France libre. Déjà l'avenir se dessine, à la fin de 1942. La IVe [1] naissante prend les traits de la IIIe.

Le 21 mars 1943, Jean Moulin, qui vient de multiplier enquêtes et contacts en France, repart de Londres. Il a fait approuver par le Général l'idée d'un Conseil de la Résistance et il emporte ses directives pour le constituer au plus tôt. La première réunion a lieu le 27 mai. Tout de suite les communistes voient le parti qu'ils peuvent tirer de la nouvelle institution. Ils veulent en faire le véritable gouvernement de la France libérée et le dresser au besoin contre le Comité d'Alger, qui devient le 3 juin le Comité Français de la Libération Nationale et qui prendra le 15 mai 1944 le nom de gouvernement provisoire de la République française. Mais outre que le parti communiste est

1. L'expression n'apparaîtra que dans le discours prononcé le 14 juillet 1943 par le général de Gaulle : « La IVe République française voudra qu'on la serve et non pas qu'on se serve d'elle. »

minoritaire au sein du comité [1], les autres membres sont parfaitement conscients de ce risque, et notamment M. Bidault. Le général de Gaulle aurait pu s'appuyer sur eux pour s'opposer à l'extrême-gauche. En prenant le C.N.R. comme un tout, il se refusait à le diviser pour régner. En prêtant au comité tout entier des buts révolutionnaires, il s'interdisait de collaborer sincèrement avec lui. Par surcroît, une connaissance insuffisante et d'ailleurs difficile de la résistance intérieure, une vue des choses faussée en partie par les services de renseignements de Londres, puis d'Alger, étaient venues renforcer l'instinctive prévention que de Gaulle a toujours éprouvée pour tout conseil, fût-il de la Résistance.

Le conflit qui éclatera à la Libération est déjà en germe au niveau non seulement du pouvoir central mais de l'échelon départemental. En septembre 1943, Francis Closon a été parachuté pour créer les C.D.L. (Comités départementaux de la Libération), des C.N.R. en miniature.

La pensée du Général et de ses délégués était claire. Ils voulaient coiffer ou devancer même le mouvement pour mieux le contrôler, le diriger ; mais ils prenaient en même temps le risque de le

1. Le parti est représenté par M. Auguste Gillot, M. Pierre Villon y est au titre du Front National et, contrairement à ce qu'indique M. Robert Aron dans son *Histoire de la Libération* (A. Fayard) pour étayer sa thèse du noyautage du C.N.R. par le parti communiste, M. Louis Saillant n'était alors nullement communisant. Le noyautage était plus réel au niveau du C.O.M.A.C., organe militaire du C.N.R. Mais outre que M. Robert Aron prend le mot *insurrection* comme synonyme de *révolution* alors qu'il signifie *soulèvement* (contre l'occupant), les épisodes locaux de la Libération qu'il décrit prouvent que la volonté révolutionnaire manquait singulièrement chez les véritables responsables du parti.

développer et d'être un jour dépassés. Le 31 juillet 1944, le général de Gaulle donnait à M. Parodi des instructions pour affirmer l'autorité de l'Etat face au C.N.R. et aux C.D.L. [1]. Lui-même allait le signifier de manière symbolique — et effective.

Lorsque le 24 août il arrive à Paris, la foule l'attend tout au long de l'avenue d'Orléans. Au-delà de l'église Saint-Pierre elle sera déçue. Elle ne le verra pas. Arrivé au carrefour, il fait bifurquer sa voiture. Au lieu de suivre l'avenue d'Orléans, qui le conduirait à l'Hôtel de Ville, il prend l'avenue du Maine qui le mène à la gare Montparnasse, où le général Leclerc lui rend compte de la reddition du général von Choltitz, puis rue Saint-Dominique, au ministère de la Guerre. Il y reconnaît des lieux familiers qui n'ont pas changé depuis 1940. « Rien n'y manque, excepté l'Etat. Il m'appartient de l'y remettre. Aussi m'y suis-je d'abord installé [2]. »

Pendant ce temps, le conseil de la Résistance et le comité parisien de la Libération piétinent et s'irritent à l'Hôtel de Ville. Enfin le Général s'y rend, non sans un nouveau détour par la Préfecture de Police. Décidément il se fait attendre. Ce n'était pas qu'il n'eût « hâte de prendre contact avec les chefs de l'insurrection parisienne », avait-il expliqué deux jours auparavant dans un message au Préfet de police. Mais il voulait « qu'il fût établi que l'Etat, après des épreuves qui n'avaient pu ni le détruire ni l'asservir, rentrât, d'abord, tout simplement chez lui ». En vérité, et ses *Mémoires*

1. Cf. *Le Conseil National de la Résistance,* René Hostache. (P.U.F.), p. 200-201.
2. *Memoires,* t. II, p. 306.

en font foi, le Général craignait à tort ou à raison depuis longtemps que, mettant à profit l'insurrection et entraînant le C.N.R., les communistes ne prissent le pouvoir et constituassent, avant son arrivée, une sorte de Commune. D'où son empressement à gagner Paris au prix d'un ultime accrochage avec les Américains. D'où le premier péril évité, son refus de jouer les Lamartine ou les Gambetta et de proclamer la République au balcon de l'Hôtel de Ville. D'où sa certitude qu'il lui suffirait d'apparaître dans la capitale pour y être « consacré par l'acclamation du peuple ». Ce *consensus* n'est-il point finalement le seul fondement de sa légitimité ?

Encore avait-il dû déjouer ou plutôt dédaigner deux autres tentatives plus irréelles de le priver du pouvoir. L'une avait été conçue par Pierre Laval. Encouragée par les Services secrets américains, elle devait finalement échouer par la faute des Allemands. Elle consistait à utiliser M. Edouard Herriot pour convoquer l'Assemblée de 1940. L'autre avait été voulue par le maréchal Pétain. Le 27 août, l'amiral Auphan remet de sa part une lettre et un mémoire au général Juin en le priant de les transmettre au général de Gaulle. Il y est question d'affirmer la légitimité des pouvoirs du Maréchal, de « souder les deux Frances actuelles » et de « trouver une procédure ménageant la dignité respective du maréchal Pétain et du général de Gaulle ». Il n'y sera jamais répondu, sinon douze ans plus tard, dans le deuxième tome des *Mémoires*. Revivant sa prodigieuse histoire il écrit : « C'est moi qui détiens la légitimité. C'est en son nom que je puis appeler la nation à la guerre et à l'unité, imposer l'ordre, la loi, la justice, exiger au-dehors le respect des droits de la France. »

II. — MENDÈS-FRANCE S'EN VA

PARIS libéré, les commissaires y arrivent par échelon et, devenus ministres, tiennent conseil le 2 septembre. Le gouvernement est remanié le 9. Les deux postes les plus importants changent de titulaires. Et le choix du Général surprendrait s'il ne révélait son caractère. Aux Affaires étrangères il nomme un résistant de l'intérieur qui n'est pas sorti de France depuis 1940, M. Georges Bidault, tandis qu'il confie l'Intérieur à un fonctionnaire international qui a vécu pendant toute la guerre aux Etats-Unis, M. Adrien Tixier ! Goût du paradoxe ou du commandement ! Il y a parfois chez lui un humour froid qui est une forme de la pensée. Il y a plus souvent un désir d'imposer ses vues à des ministres peu préparés. Choisi au-dedans, le nouveau responsable de la politique étrangère n'a pas eu de part aux conflits entre alliés. Venant du dehors le nouveau ministre de l'Intérieur est étranger aux querelles de la Résistance. L'un et l'autre seront, au moins au début, d'autant plus acquis à la politique personnelle du chef du gouvernement.

M. Jeanneney, président du Sénat de 1940, entre au gouvernement à la faveur du même remaniement, et avec lui la IIIe République [1]. Nouvelles ou traditionnelles, toutes les familles politiques sont présentes autour de la table du Conseil. M. Louis Jacquinot siège au côté de M. Charles Tillon. La marine est modérée, et l'air communiste.

La silhouette du nouveau régime commence à se dessiner. De Gaulle en sera la tête, la République le corps, et les partis les membres. Mais on ne voit encore ni comment ni quand l'ensemble peut s'agencer. On y pense souvent, on en parle rarement. Le gouvernement a d'autres soucis, d'autres devoirs. La guerre continue. Sur un budget de 390 milliards, 173 sont consacrés aux dépenses militaires alors que les recettes fiscales ne sont que de 154 milliards ! L'anarchie règne. Les comités de la Libération cherchent à supplanter les municipalités et les préfets ; ils créent des tribunaux populaires tandis que les F.F.I. instituent des Cours martiales. Les commissaires de la République eux-mêmes prennent des initiatives sans en référer à Paris. Celui de Marseille, Aubrac, bloque les comptes en banque et entreprend des nationalisations régionales ! Les gardes patriotiques se substituent à la police. Les exécutions

1. La présence de M. Jeanneney sera vivement critiquée à l'Assemblée consultative le 27 décembre 1944. M. Noguères l'accuse d'avoir contribué le 10 juillet 1940 à l'octroi des pouvoirs au maréchal Pétain. Le général de Gaulle répond que la situation n'était pas claire et ajoute : « Oui ou non, existe-t-il ici un homme qui lorsque les choses se furent éclaircies et devinrent nettes — mais cela ne l'était pas alors — n'ait pas servi la Patrie et la République. Vous savez bien que non. »

sommaires se multiplient. Ni la loi ni la justice ne sont partout respectées. Enfin la misère menace dans les villes en ruine où le chaos des communications entrave le ravitaillement au seuil d'un hiver dur.

Dans sa tâche ingrate le gouvernement va trouver un allié inattendu : le parti communiste. Non seulement il prône l'effort de guerre et se fait sergent recruteur, mais il aide au rétablissement de l'ordre. Il approuve même la dissolution des gardes patriotiques décidée le 28 octobre sans même consulter le C.N.R. Le lendemain, Maurice Thorez est amnistié et peut ainsi revenir un mois après en France [1]. Le 9 novembre, le général de Gaulle fixe comme objectif au gouvernement « de restaurer dans tous les domaines la seule autorité légale, celle de l'Etat ». Mais le ministre de l'Intérieur en est encore, le 27 décembre, à souhaiter mettre fin à l'autonomie des pouvoirs locaux ; il se plaint des comités départementaux de la Libération et les invite à n'être que le « levain » des institutions. Et, là encore, il voit arriver en renfort M. Maurice Thorez. En janvier, le leader communiste déclare au comité central apparemment surpris : « Les comités de la Libération locaux ne doivent pas se substituer aux administrations municipales et départementales pas plus que le C.N.R. ne s'est substitué au gouvernement. »

« S'unir, travailler, combattre ! » Tels sont les mots d'ordre du parti pour la période à venir. Les

1. Le Général considère que le « retour de Thorez à la tête du parti communiste peut comporter plus d'avantages que d'inconvénients » et que le leader communiste a rendu « en plusieurs occasions service à l'intérêt public ». *Mémoires*, t. III, p. 101.

dirigeants communistes ne sont pas des anarchistes ; ils savent que leur seule chance de partager ou même de prendre pour eux-mêmes le pouvoir dans la situation où se trouve le pays est de pénétrer et d'agir à l'intérieur des institutions légales : gouvernement et Assemblées qu'ils stimulent, mouvements politiques ou de résistance qu'ils cherchent à entraîner et à unifier, syndicats et entreprises nationalisées dont ils prennent les leviers de commande, nouveaux journaux qu'ils occupent, justice et même armée qu'ils veulent contrôler. Leurs partenaires et leurs obligés ne l'ignorent pas. Ils sont souvent sans expérience ni organisation. Deux forces politiques seulement peuvent alors s'opposer à l'emprise communiste : le parti socialiste et le général de Gaulle.

Des offres d'unité, venant tantôt d'un côté, tantôt de l'autre, aboutissent certes en décembre à la constitution d'un comité d'entente socialo-communiste. Les fiançailles survivent à la rupture entre les Mouvements de Résistance, aux élections municipales de mai qui voient pourtant bien des socialistes flirter avec le jeune et séduisant M.R.P. Fin juin, le P.C. offre encore à la S.F.I.O. de s'unir au sein d'un éventuel « parti ouvrier français ». La démocratie populaire se profile. Mais Léon Blum est rentré de déportation ; le congrès d'août rejettera l'unité organique avec le « parti nationaliste étranger » dénoncé dans *A l'échelle humaine*.

L'unité organique socialo-communiste est rejetée par 10 112 mandats contre 274 et 212 abstentions. Les trois conditions qu'elle suppose « sont loin d'être réalisées du côté du parti communiste », déclare le congrès socialiste, et notamment celle qui veut que l'on se consacre « au service exclusif du monde du travail dont la liberté exige celle de la nation, donc n'être ni lié à un gouvernement étranger ni même influencé par lui et conserver sa pleine liberté de critique et de jugement ».

C'est à une autre sorte d'unité que fait appel le général de Gaulle : « Nous ne voulons pas de divisions, de grèves, de surenchères, de rancunes. » (14 janvier.) Le malaise est grand au cours de l'hiver. Il est social et économique, moral et politique. Le Gouvernement subit à la fois l'opposition des communistes, d'autant moins discrète qu'on approche de la fin des hostilités, et celle des notables de plus en plus ouverte à mesure que s'éloigne la grande peur de la Libération.

Sans cesse réclamée, relancée par la gauche et sans cesse proclamée insuffisante, l'épuration est jugée par d'autres excessive. Elle a en tout cas marqué profondément les premiers mois de la Libération et longtemps entretenu les polémiques. Dans le moment où le régime se plaint de manquer d'hommes, il s'entend reprocher d'en écarter trop. Cent mille personnes sont sous les verrous à la fin de 1944. Cours de justice et chambres civiques fonctionnent à plein, encore qu'un magistrat sur dix ait été épuré. Le jury d'honneur fait en avril le tri des anciens élus en vue des élections municipales.

Le maréchal Pétain est condamné à mort le 15 août 1945 et sa peine est commuée aussitôt en détention à vie par le général de Gaulle. Après un procès bâclé, Pierre Laval est exécuté en octobre ; s'étant empoisonné, il dut être ranimé pour être fusillé. Au total deux mille soixante et onze condamnations à mort sont prononcées et deux fois plus par contumace. Mais les deux tiers ne sont pas suivies d'exécution. Quarante mille peines privatives de liberté — dont deux mille sept cent soixante-dix-sept aux travaux forcés à perpétuité sont infligées, mais en 1947 il n'y aura plus que vingt mille six cent quatre-vingt-cinq personnes en prison et quatre mille sept cent quatre-vingt-onze en 1950, dont cinq cent trente-neuf condamnés à perpétuité parmi lesquels figurent cent onze femmes. Enfin quarante-huit mille deux cent soixante-treize condamnations à l'indignité nationale font autant d'exilés de l'intérieur. Mais des lois d'amnistie les relèveront peu à peu de la plupart des incapacités dont ils ont été frappés.

Ces chiffres ont la sécheresse du couperet ou de l'arrêt de justice. Ils ne permettent pas de faire le départ entre ceux qui avaient effectivement aidé l'effort de guerre ou la répression de l'ennemi et ceux qui avaient collaboré, c'est-à-dire travaillé avec l'occupant. L'inégalité des peines selon les temps et les tribunaux devait achever de donner à beaucoup, secrètement puis plus tard publiquement, le sentiment d'une injustice, et, par là, d'un échec. On n'en trouve guère l'écho à l'époque dans l'opinion et la presse.

Paris avait été privé de journaux le 17 août 1944. Cinq jours après, alors que la capitale n'était pas entièrement libérée, les nouvelles feuilles apparurent et l'on s'aperçut qu'il y avait plus de journaux « clandestins » qu'on en avait connu ou lu sous l'occupation. Les nouveaux titres et les nouveaux maîtres mirent cependant quelque temps à ressembler aux anciens.

Le gouvernement d'Alger avait prévu la disparition de 56 quotidiens en zone Nord et 51 en zone Sud. Tous, dit un peu plus tard un ministre de l'Information, devaient être « enfouis dans la fosse commune des déshonneurs nationaux ». Une loi du 16 mai 1946 confisqua les biens de presse et les mit à la disposition des nouveaux journaux par l'intermédiaire de la S.N.E.P. [1]. Ce fut, dit-on, une « expropriation de droit public pour cause d'utilité privée ». Il y avait cependant quelque injustice à traiter de la même façon tel journal qui s'était révélé « plus hitlérien que Hitler » et tel autre qui avait passé son temps à ruser avec la censure de Vichy et celle des Allemands.

Une ordonnance ayant établi la notion jusqu'alors inédite de la responsabilité pénale de la personne morale des anciens journaux, leurs biens furent confisqués alors même que leurs dirigeants furent acquittés. La seule différence entre les coupables reconnus et les innocents déclarés était que seuls les seconds devaient être indemnisés.

Titres interdits, biens sous séquestre, journalistes poursuivis — les hommes de plume ayant été plus durement châtiés que les hommes de robe ou d'épée qui avaient collaboré —, la place était rase pour les journaux de la Libération. Les équipes plus ou moins improvisées s'étaient partagé les imprimeries comme elles l'avaient pu et plus d'un épicier se découvrit alors vocation de journaliste. Bien vite on s'aperçut qu'il était plus facile de libérer la presse de l'occupant que de la libérer de l'argent. « Il n'y a pas de liberté de la

1. Ce régime, qualifié à l'époque de « provisoire », dura jusqu'en 1954.

presse même si une loi la consacre, dans un régime où une entreprise de presse honnête et propre est nécessairement déficitaire. » Munis au départ d'un faible viatique et bien souvent d'une compétence non moins faible, les dirigeants de la presse de la Résistance durent progressivement sacrifier aux exigences de la comptabilité industrielle et commerciale. Les titres même changèrent avec les mœurs. *Le Parisien Libéré* devint de moins en moins libéré jusqu'à ressembler à l'œil nu au *Petit Parisien.* Les croix de Lorraine s'amenuisèrent vite sur les manchettes. Les nouvelles feuilles tombèrent une à une avant même que fût venu l'automne de la Résistance. En huit ans, quarante-sept quotidiens devaient disparaître dans l'ensemble du pays et la presse d'opinion céda de plus en plus la place à la presse d'information. Ni politiquement ni moralement la Libération n'a été une révolution durable en ce domaine comme en d'autres, sauf à appliquer le principe révolutionnaire de « l'ôte-toi de là que je m'y mette ». La presse n'est jamais que le reflet d'une société à un moment donné et, là comme ailleurs, la restauration a succédé à la Résistance.

Manquée ou non, l'épuration met en cause dès l'origine le contenu, le sens même de la Résistance. Etait-elle un refus ou une Révolution ? Si la Résistance consistait à dire non à Vichy ou aux Allemands, alors l'épuration devait se limiter aux « douze douzaines de traîtres, douze centaines de lâches et douze milliers d'imbéciles » que dénonçait le chef de la France libre dans son message du 31 janvier 1941. Si la Résistance consistait à dire non tant au régime politique et économique de

« l'Etat Français » qu'à celui de la IIIe responsable de la défaite de 1940, alors elle était une révolution. Elle devait amener un renouvellement complet des cadres de la nation. Parce qu'il concevait l'épuration uniquement comme un châtiment, mais aussi parce qu'il dut composer dès Londres avec les hommes de la IIIe, puis à Alger avec les milieux ralliés au général Giraud, parce qu'enfin dans les rangs de la Résistance, clairsemés par la répression, il y avait plus de courage que de compétence, le général de Gaulle et les gouvernements qui l'ont suivi n'ont pu renouveler profondément les cadres de la France. C'est ainsi qu'insensiblement la libération politique aboutit finalement, non à une Révolution, mais à une Restauration. La nouvelle classe dirigeante emboîta de plus en plus le pas à l'ancienne et adopta de plus en plus ses règles de jeu et ses mœurs.

« La Résistance a été avant tout un état d'esprit, un état d'âme. D'où la sublimation, d'où aussi sa faiblesse politique, d'où les échecs politiques, constitutionnels de la Libération [1]. »

Il est un autre trait qui modèle à ses débuts le visage de la IVe. Si la Résistance n'a pas été une révolution politique, elle a été et voulu être une Révolution économique. Son programme, adopté le 15 mars 1944 par le C.N.R., est d'une rare pauvreté idéologique. Il ne propose aucune pensée ni même aucune ligne d'action politique, en dehors du rétablissement des libertés. Cette charte qui, en fait, devait devenir celle des gouvernements constitue en revanche un véritable programme social et

1. Cf. H. Michel et Mirkine Guetzevitch : *Les idées politiques et sociales de la Résistance*, p. 73.

économique. Elle est celle d'une sorte de « République socialiste et productiviste ».

« Les réformes indispensables » ne sont pas celles de l'administration, de l'enseignement ou des institutions. C'est « l'instauration d'une véritable démocratie économique et sociale impliquant l'éviction des grandes féodalités économiques et financières de la direction de l'économie..., l'intensification de la production nationale selon les lignes d'un plan arrêté par l'Etat..., le retour à la nation des grands moyens de production monopolisés, fruit du travail commun, des sources d'énergie, des richesses des sous-sols, des compagnies d'assurances et des grandes banques... »

Ce programme ne fut nullement imposé par les communistes qui ne tenaient même pas à y faire figurer les nationalisations, et il fut approuvé, non sans hésitation il est vrai, par les modérés, MM. Joseph Laniel et Mutter.

Dès le 13 décembre 1944, une ordonnance nationalise les Houillères du Nord et du Pas-de-Calais ; le 22 février 1945 sont créés les comités d'entreprise. Le 2 mars 1945 le général de Gaulle annonce la nationalisation de toutes les sources d'énergie et celles du crédit : « Production plus large et plus rationnelle ; il faut voir grand et viser haut. » Et, dans le même discours, le chef du gouvernement appelle à la vie « les douze millions de beaux bébés qu'il faut à la France dans les dix ans à venir ». Production là aussi.

Alors qu'ils sont encore au combat, les hommes de la Libération ont eu parfaitement conscience — et c'est là leur mérite — du retard que deux guerres et les paresses de l'entre-deux ont infligé à la croissance du pays. Ils sont habités d'une sorte de messianisme économique et démographique et ils l'entretiennent d'autant plus qu'ils se savent divisés sur tout le reste. Les Résistants se promettent de « rester unis après la Libération ». Ils ne peuvent le demeurer qu'en s'attachant ensemble au rajeunissement du pays, mais ils oublient — et c'est là leur erreur — qu'une économie nationalisée n'est solide que si elle repose sur une monnaie et un Etat.

L'inflation atteint le régime dès sa naissance. En septembre 1944, le gouvernement augmente de moitié les salaires. La pénurie est telle qu'inévitablement les prix montent. En novembre, il les bloque. Mais ils ont déjà pris l'habitude de ne pas obéir. En avril, nouvelle augmentation des salaires. Le 5, le ministre de l'Economie nationale donne sa démission. Il s'appelle M. Mendès-France.

La question s'était posée dès Alger : quelle politique financière appliquerait-on une fois la France libérée ? Commissaire aux Finances, M. Mendès-France était également responsable de l'Economie nationale. Résolument hostile à l'inflation, il préconisa une politique de stabilité des salaires et des prix et une ponction monétaire pour éponger le pouvoir d'achat excédentaire [1]. Deux ministres socialistes l'appuyèrent : M. André Philip et M. Adrien Tixier, alors ministre du Travail. Au

1. Une note de mai 1944 exposait les raisons et les modalités de ce qu'elle appelait « la résorption de la pléthore monétaire » : échange des billets en laissant aux porteurs une somme uniforme de 5 000 F ; blocage de 75 % des comptes en banque et possibilité d'employer par virement les 25 % restants ; dépôt des titres au porteur ; estampillage des bons du Trésor et mesures spéciales pour les chèques postaux et les caisses d'épargne.

dernier il concéda que les disparités entre les salaires devraient au moins être corrigées. Les Allemands avaient avantagé certaines professions plus utiles que d'autres à leur économie de guerre. Le ministre des Finances admit aisément que les rémunérations devaient être majorées dans un certain nombre de secteurs sans pour autant entraîner une augmentation générale et massive.

Arrive la libération. Le général de Gaulle donne une satisfaction de principe à M. Mendès-France : la création d'un ministère de l'Economie nationale qui, dans son esprit, doit couvrir et contrôler l'ensemble des activités vitales pour la Nation. Mais les Finances lui échappent. Elles sont confiées à un banquier loyal, mais bien-pensant, M. Lepercq. Cette dualité se révélera fatale. L'augmentation générale des salaires puis celle du blé sont décidées. M. Mendès-France s'y est opposé et s'est trouvé en conflit avec le ministre du Travail, M. Parodi, et le ministre socialiste de l'Agriculture, M. Tanguy-Prigent. L'inflation s'aggrave.

M. Mendès-France propose en novembre une ponction monétaire avec échange des billets et blocage des comptes, ainsi qu'il a été procédé en Belgique et en Corse. M. Lepercq s'en tient à l'opération plus classique d'un grand emprunt avec appel à la confiance de l'épargne. Le 6 novembre, le ministre des Finances justifie son choix : « Le gouvernement pouvait recourir à des méthodes autoritaires. C'était, et c'est encore son droit... Mais il appartient aux épargnants et aux possédants français de montrer aujourd'hui qu'ils sont dignes d'être traités comme des citoyens libres dans un pays libre. » Trois jours après

M. Lepercq est tué dans un accident d'automobile.

M. Mendès-France va-t-il lui succéder ? Sa politique est connue ; elle inquiète. Le ministre de l'Economie nationale conseille plutôt au chef du Gouvernement de confier les Finances à M. Giacobbi. C'est un ami, un radical, qui, par surcroît, n'a pas échoué au Ravitaillement. Le général de Gaulle songe à M. René Mayer puis, à son retour d'Alsace avec M. Churchill, choisit M. Pleven. Le ministre des Colonies n'a pas désiré ce cadeau empoisonné ; il l'accepte et, reprenant la politique de M. Lepercq, se heurte lui aussi à M. Mendès-France. L'inflation continue.

Le 18 janvier, M. Mendès-France adresse une lettre de démission de dix-huit pages au chef du gouvernement ; il est aussitôt convié avec M. Pleven à la résidence du Général au Bois de Boulogne. C'est un dimanche. Et c'est bien la première fois que de Gaulle consacre une journée entière aux questions économiques et financières. Non point qu'il n'y porte pas intérêt. Mais ce n'est pas son problème. Le chef du gouvernement consacre son énergie et son temps à la politique étrangère, aux revendications françaises sur l'Allemagne, aux difficultés, à l'hostilité même qu'il rencontre à leur sujet auprès des Anglais et des Américains. La querelle monétaire lui paraît disproportionnée, en tout cas inopportune. Peut-il au moins l'arbitrer ? D'instinct il penche vers M. Mendès-France. La rigueur lui convient. Par raison, il incline vers M. Pleven. Il désire le moins de trouble à l'intérieur alors qu'il a tant de mal à l'extérieur. Lorsque la journée s'achève, il a réussi à obtenir du ministre de l'Economie nationale qu'il reprenne sa démission et du ministre des Finances qu'il lui fasse quelques concessions.

En mars, la course des salaires et des prix n'a pas cessé. M. Mendès-France réclame de nouveau une saignée monétaire et un impôt sur le capital. Il propose que les billets soient échangés et les comptes bloqués. Chaque citoyen recevrait une même somme d'argent, le complément lui étant progressivement remis au fur et à mesure que les produits et marchandises arriveraient sur le marché. Ainsi l'inflation serait jugulée, l'égalité respectée, l'enrichissement dépisté.

M. Pleven objecte que l'opération serait longue et créerait les plus grands troubles dans l'économie du pays. Il passerait outre si la ponction pouvait être efficace. Mais il en doute car dans l'excès de circulation monétaire, il voit moins la cause que l'effet ou le symptôme d'un déséquilibre : celui de l'offre et de la demande. Il est donc préférable d'agir sur le premier terme, d'augmenter la production et les importations. Puis il a ce mot : « A tous les rationnements je n'en ajouterai pas un autre, celui de la monnaie. » A la politique de déflation, il oppose la politique anti-inflationniste.

Le 5 avril, M. Mendès-France donne sa démission et, cette fois, ne la reprend pas ; il confime simplement les termes — prophétiques — de sa lettre du 18 janvier [1]. Le ministre a compté en vain sur l'appui de la S.F.I.O. qui avait soutenu ses thèses à l'Assemblée consultative par la voix de MM. Jules Moch et André Philip. Des cinq ministres socialistes, trois se déclarent nettement hostiles à la ponction monétaire : MM. Lacoste, Rama-

1. On en trouvera en annexe de larges extraits.

dier, inflationniste de tempérament, et Tanguy-Prigent, défenseur des paysans. Deux sont moins éloignés du ministre de l'Economie nationale : M. Augustin Laurent et M. Tixier devenu ministre de l'Intérieur. Après que M. Pleven ait exposé son programme, c'est-à-dire son emprunt dit de péréquation, le général de Gaulle constate qu'il n'y a pas d'opposition déclarée à la politique du ministre des Finances. On va en rester là lorsque, jouant les terre-neuve, M. Tixier suggère une transaction, un blocage de 20 %. Sa proposition recueille deux voix : la sienne et celle de M. Augustin Laurent.

M. Mendès-France a eu contre lui tous les autres ministres : des modérés aux communistes, ces derniers n'étant pas les moins ardents à combattre ses thèses, et l'accusant jusque sur le mur des villes de vouloir amputer le billet d'une partie de sa valeur. M. Pleven n'a de son côté rien à se reprocher ; il a pour lui le gouvernement tout entier, l'opinion et le général de Gaulle. Le pays souffre trop après un hiver terrible pour supporter autre chose que l'espoir d'une douce mais illusoire guérison et croire que sa santé et plus encore son moral seraient meilleurs après une douloureuse amputation. Cette scène est celle du chirurgien et du médecin. Elle a servi de lever de rideau au régime et ne se jouera plus. Le chirurgien s'en va ; le médecin l'emporte. L'inflation aussi qui sera pendant sept ans la maladie de langueur de la IVe République.

Le 7 mai, à 2 h 41, l'acte de reddition inconditionnelle de l'Allemagne est signé. La France est présente en la personne du général Sevez. Pour qu'elle soit à ce rendez-vous de la victoire, il a suffi, mais il a fallu que depuis cinq ans un homme longtemps seul, et toujours solitaire, s'impose jour après jour, heure après heure, à un monde hostile, sceptique ou méfiant. Jamais plus qu'en cet instant il n'a paru plus unique et plus grand.

Les hostilités cessent ; les difficultés commencent ou du moins continuent. Elles sont d'ordre extérieur et intérieur. Le gouvernement bataille sur deux fronts : avec les alliés anglo-saxons au-dehors et ses alliés politiques au-dedans. Son chef y confirme son caractère, d'aucuns diront son mauvais caractère.

Les Trois Grands ont commencé par attendre le 23 octobre 1944 pour reconnaître le gouvernement provisoire de la République [1]. Encore le Secrétaire d'Etat américain avait-il éprouvé le besoin d'émettre une restriction : « Tant que n'aura pu s'exprimer la volonté du peuple français par l'intermédiaire de ses représentants dûment élus. » A cette reconnaissance la France a gagné un siège au futur Conseil de sécurité et à la provisoire Commission consultative européenne mais non aux conférences que les Trois Grands tiendront à Yalta et Potsdam. Elle y a gagné aussi la promesse d'une zone d'occupation en Allemagne.

Mais le gouvernement s'apprêtait à revendiquer la rive gauche du Rhin. Sachant qu'il ne la trou-

1. Le 18 août Churchill déconseille « très fortement » à M. Eden de prendre quelque engagement que ce soit en vue de reconnaître le comité national, le gouvernement provisoire. « Il faut, écrit-il, qu'une base plus large lui soit assurée. » Pour convaincre Roosevelt toujours réticent, il lui télégraphie le 22 octobre : « De Gaulle n'est plus seul maître, mais il est mieux en selle qu'il ne l'a jamais été. »

verait pas à l'Ouest, il s'en allait la chercher à l'Est. Le 24 novembre 1944, le général de Gaulle et M. Bidault partaient pour Moscou. Le pacte franco-soviétique était signé le 10 décembre. En vain. La France n'obtiendra pas de Staline ce que les Anglais et les Américains sont bien résolus à lui refuser, comme ils l'ont fait vingt-six ans auparavant à Versailles.

Le 23 janvier 1945, le général de Gaulle affirmait encore : « Le Rhin, c'est la sécurité française... La France veut donc être solidement établie d'un bout à l'autre de cette frontière naturelle. » C'est Foch qui parle, mais la France de 1944 n'est même pas celle de 1918. Le 2 mai, quelques jours avant la reddition allemande, M. Bidault réclame officiellement l'internationalisation de la Ruhr et le contrôle français de la Rhénanie.

Les Trois se réunissent du 18 juillet au 2 août à Potsdam. La France est absente alors qu'on y parle avant tout de l'Allemagne. Elle proteste. Elle s'oppose à la création d'administrations centrales en Allemagne. Elle s'obstine à vouloir « détacher une fois pour toutes la Rhénanie du reste de l'Allemagne » qui « si elle doit avoir du charbon pour subsister n'a pas besoin de toute la production de la Ruhr [1] ».

La diplomatie française raye un peu vite l'Allemagne de la carte de l'Europe. Elle la traite moins avec dureté qu'avec commisération. Elle veut aussi du bien à l'Italie à laquelle le général de

1. Déclaration du général de Gaulle le 10 août à la veille de la conférence de Londres.

Gaulle ne voit pas pourquoi on enlèverait la Cyrénaïque et la Tripolitaine.

La France n'est, une fois de plus, en difficulté qu'avec ses alliés. Elle n'a pas plus à se féliciter de chacun d'eux séparément que de tous ensemble. Elle est aux prises en mai avec les Anglais en Syrie et au Liban [1], en juin avec les Américains à propos du maintien d'unités françaises dans le Val d'Aoste [2]. En septembre, les Soviétiques veulent l'évincer des décisions sur Europe centrale. Elle n'a qu'une consolation : en août, le général Leclerc est admis à négocier et à signer le traité de paix avec le Japon. Partout ailleurs elle est tenue en lisière. La politique de grandeur n'est plus à sa mesure. Le temps viendra bientôt de l'humilité qui la conduira à l'assistance américaine, puis à la coopération européenne. Elle ne lancera plus d'offensive diplomatique et ne livrera plus que des combats d'arrière-garde. Ses exigences se feront de plus en plus procédu-

1. Les incidents qui suivent l'arrivée des renforts français aboutissent le 30 à un bombardement d'artillerie qui fait de nombreuses victimes à Damas. Le lendemain les troupes britanniques interviennent « pour rétablir le calme ». M. Eden en avertit les Communes trois quarts d'heure environ avant que M. Churchill n'en informe le général de Gaulle. S'ajoutant à ce qu'il doit appeler « un coup de force », cette incorrection bien propre à blesser le chef du gouvernement français fut commise « par suite d'une erreur de transmission et sans la moindre intention désobligeante », affirme Sir Winston Churchill dans ses *Mémoires* (t. VI, L. II, p. 222).

2. Cet épisode dérisoire et significatif révèle les véritables sentiments du président Truman et de Churchill à l'égard du général de Gaulle. Le président des Etats-Unis notifie à de Gaulle « qu'aucune fourniture ne serait plus faite à l'armée française tant qu'elle ne se serait pas retirée du Val d'Aoste ». Et Churchill câble à Truman : « De Gaulle est le pire ennemi de la France dans son malheur. » (*Mémoires de Churchill*, t. I.).

rières. Fondamentalement elle n'aura plus de politique étrangère vraiment autonome. Aux causes naturelles de sa dépendance, devait bientôt s'en ajouter une autre : la faiblesse de son régime.

CHAPITRE II

D'UN DÉPART A L'AUTRE

1945 : *9 juillet : Le Gouvernement se prononce pour un référendum constitutionnel ; 21 octobre : Les « oui » l'emportent au référendum ; 13 novembre : Le général de Gaulle, chef du Gouvernement provisoire ; 21 novembre : le Général constitue son Gouvernement.*

1946 : *20 janvier : démission du général de Gaulle.*

I. — MENDÈS-FRANCE...

AVANT même que les hostilités aient cessé, le pays a déjà élu ses conseils municipaux. La capitulation allemande va le faire entrer dans un cycle électoral sans fin : sept consultations en quatorze mois [1]. Le citoyen est comme l'écureuil dans sa cage : il se déplace beaucoup mais n'avance pas. Il s'en lassera.

« Le peuple français décidera souverainement de ses futures institutions. A cet effet, une Assemblée Constituante sera convoquée dès que les circonstances permettront des élections régulières, au plus tard dans le délai d'un an après la libération complète du territoire. » Cette ordonnance du 21 avril 1944 portait organisation de l'ensemble des pouvoirs publics en France. Elle semblait apparemment avoir « tout prévu, tout décidé, tout réglé ». Convoquer une Constituante, c'était notamment renoncer à la Constitution de 1875.

1. En y comprenant les élections cantonales de septembre 1945.

Pourtant les discussions qui avaient précédé l'ordonnance rebondissent.

Convenait-il d'exhumer la loi Treveneuc [1] dont le général Giraud avait parlé dans une lettre au général de Gaulle le 17 mai 1943 ? Elle ne prévoyait pas le problème à régler.

Pouvait-on confier la révision à une commission de juristes et de parlementaires et la soumettre à un référendum ? MM. André Philip et de Menthon l'avaient proposé au C.F.L.N. en 1943 [2] ; ils n'avaient pas été suivis.

Fallait-il ressusciter le Parlement de 1940, c'est-à-dire rétablir puis réviser aussitôt la Constitution de 1875. Des radicaux inconsolables ou oublieux le réclament, tels MM. Rucart, Plaisant, Giacobbi. Le général de Gaulle l'avait exclu avant son retour en France. Puis il l'envisage un moment. De sérieux scrupules juridiques « ont milité dans son esprit en faveur d'une remise en place du système de juin 1940 », avoue-t-il. Mais ils se sont effacés « devant les certitudes politiques, morales et nationales ». Enfin, il l'écarte : « Je sais, dit-il à Brest, le 21 juillet, que des hommes éminents par le talent et l'expérience recommandent cette solution. Mais je dois dire qu'elle n'est pas satisfaisante, compte tenu de certains événements qu'on ne peut, hélas ! oublier et parce qu'un tel retour ne semblerait pas, par nature, la bonne voie vers un renouveau [3]. »

1. Datant de 1872, elle prévoyait, au cas où le Parlement serait empêché de siéger, la réunion d'une assemblée composée de deux délégués par Conseil général.
2. Cf. Jules Laferrière, *Manuel de droit constitutionnel*, p. 887.
3. Discours de Brest du 21 juillet 1945.

C'est un radical qui — ô sacrilège — achève de convaincre le Général de ne pas rappeler le Parlement de 1940, ni de revenir à la Constitution de 1875. M. Jeanneney lui fait en effet observer que les deux chambres réunies à Versailles seraient plus souveraines qu'une véritable Constituante [1].

Pouvait-on enfin faire à la fois du vieux et du neuf, élire deux assemblées, une législative et une constituante. Bien qu'il s'en défende en Conseil des ministres, le Général semble un moment séduit. Mais il ne s'y arrête pas.

Ne restait qu'une solution : élire une Constituante. Etait-ce fini ? Non point. L'ordonnance de 1944 n'avait défini ni le mode d'élection ni les limites de cette Assemblée. Serait-elle souveraine ou non ? La querelle va opposer le gouvernement et son chef au parti communiste et à l'Assemblée Consultative. Elle en préfigure d'autres.

En s'installant à Paris en novembre 1944, l'Assemblée Consultative avait été naturellement portée à jouer au petit Parlement. Ses membres étaient encouragés dès la première séance « à se dire les mandataires de la Nation [2] ». D'aucuns voudraient que le gouvernement fût responsable devant eux alors qu'ils sont nommés par lui ! Le Général ne l'entend pas de cette oreille : « Vos avis, dit-il, auront du poids dans la mesure où ils seront constructifs. » On lui reproche de n'en tenir aucun compte. Il s'en défend, mais refuse

1. C'est également la thèse que soutient Léon Blum (*Œuvres*, t. II, p. 18).
2. Discours du doyen d'âge, M. Cuttoli, le 7 novembre 1944.

de se considérer comme lié par un vote « même unanime » de l'Assemblée. En juillet, il lui lance un dernier avertissement, un de ces appels qui ont toujours, chez lui, le son et le sort d'une prophétie : « Dans le concert des cinq grandes puissances... faudra-t-il que la France soit encore une fois la seule dont les représentants se trouvent constamment à la merci d'un mouvement d'une Assemblée ? »

En juin, le congrès communiste s'était prononcé pour la souveraineté totale de la future assemblée qu'il veut à la fois constituante et législative. Quelques jours après, le parti socialiste suivait sa trace. Et le 14 juillet « les Etats généraux de la Renaissance Française [1] », devant lesquels étaient déposés des cahiers de doléances, réclamaient à leur tour une constituante souveraine. Cette imagerie révolutionnaire ne réussit pas à sauver la vocation politique de la Résistance.

Le 31 mai, le gouvernement n'avait pris qu'une décision : celle de consulter le pays avant la fin de l'année, et tout le mois de juin avait été occupé à d'innombrables colloques. Au début de juillet les ministres socialistes sont sur le point de quitter le gouvernement, le Général menace lui aussi de s'en aller. Est-ce la crise ? Comme à son habitude, en pareil cas, le Général fait retraite ; il s'écarte pendant trois jours. Et comme en d'autres circonstances à la même époque, ce sont les communistes qui s'opposent à la crise gouvernementale dont l'éventualité est caressée par les socialistes.

1. Organisés par le C.N.R. et les C.D.L.

Enfin, le 9 juillet, après six heures de délibération, le Conseil des ministres décide de s'en remettre au peuple. Le général de Gaulle l'avait donné à entendre, dès le 2 juin 1945, au cours d'une conférence de presse et en réponse à une question de M. François Mauriac : « Lorsque les Français seront tous rentrés, le *pays sera consulté* pour savoir quelle sera sa constitution. » Néanmoins, selon sa méthode, il laisse s'engager et se poursuivre la controverse pour finalement revenir à son idée première au prix de quelques concessions de forme. C'est donc au peuple qu'il appartiendra de décider s'il veut que la Constituante soit souveraine. Rien de plus démocratique, ni de plus habile. Le pays est laissé libre de choisir. En réalité le Général va jeter tout son prestige dans la balance en faveur d'une Constituante limitée dans sa souveraineté et sa durée : sept mois.

Socialistes et communistes ont satisfaction : l'Assemblée sera unique ; le Général a gain de cause : elle ne sera pas omnipotente. Est-ce une nouvelle journée des dupes ? Il reste en tout cas à régler deux difficultés que, divisé, le gouvernement n'a pu trancher : celui du mode d'élection de la Constituante et celui du degré de responsabilité du gouvernement devant l'Assemblée. Là encore le Général va se heurter aux partis socialiste et communiste et à la Consultative ; il fait déjà l'ingrate expérience du régime représentatif.

Le gouvernement, ou plus exactement le Général, avait commis deux crimes de lèse-assemblée. Il avait fait décider qu'elle voterait la loi mais ne pourrait la proposer, jugeant qu'elle aurait déjà assez à faire avec ce qu'elle avait à faire, c'est-à-dire la Constitution. Il avait également fait admettre que les pouvoirs du gouvernement dureraient autant que ceux de la Constituante. C'était une manière élégante et plus sûre de dire qu'il ne serait pas responsable devant elle. Ni initiative des lois ni liberté de renverser le gouvernement. C'en était trop.

Socialistes et communistes avaient approuvé le projet en Conseil des ministres, ils le combattent à l'Assemblée. Ils se considèrent déjà à la fois au pouvoir et dans l'opposition ; ils ne seront pas les seuls. Et cette loi non écrite de la IVe République sera plus respectée que la Constitution. Les mauvaises habitudes se prennent dès l'enfance.

L'Assemblée la discute les 27 et 28 juillet. Le Général défend son projet qui est censé être aussi celui du gouvernement. On le harcèle. Il s'impatiente. On l'accuse d'organiser un plébiscite. Il se récrie. Ce gouvernement, comment le soupçonner alors qu'il « a ramassé la République, son drapeau, ses lois et jusqu'à son nom ». Le délégué qui a réussi à le piquer répond au nom de Plaisant. Longuement, il a évoqué comme à plaisir avant que le Général l'interrompe « les plébiscites du prince-président, de l'empereur... qui hantent l'âme des républicains de tradition... ». Il vient de la IIIe et longtemps y retournera comme président de la commission sénatoriale des Affaires étrangères de la IVe.

Finalement la Consultative rejette tout : et la seconde chambre, proposée par M. Steeg et et M. Anxionnaz, un ancien et un nouveau du testament radical, et massivement le projet du gouvernement, et unanimement le principe de son irresponsabilité devant l'Assemblée, et même un contre-projet de deux hommes qui se sont entremis dont l'un devait devenir le premier président de la République, et l'autre la première bête noire de la IVe : M. Vincent Auriol et M. Claude Bourdet.

Ces entremetteurs n'ont pas travaillé en vain. Le gouvernement reprend leur honnête proposition ; il ouvre la porte au principe revendiqué : « Le gouvernement est responsable devant l'Assemblée. » Il l'assortit d'un verrou ; le gouvernement n'est obligé de se démettre que s'il est l'objet d'une motion de censure votée à « la majorité absolue des membres composant l'Assemblée ». Autre concession : « l'Assemblée a l'initiative des lois concurremment avec le Gouvernement ». Autre restriction : une seconde lecture peut être demandée et la majorité absolue est alors exigée.

La Consultative mourra avant de savourer son triomphe, mais non sans livrer une ultime bataille sur le régime électoral les 2 et 3 août 1945. Là encore elle s'oppose. Dans l'esprit du Général le régime représentatif se résume en trois lettres : « non ». C'est un mot qui lui est familier. Ecartant le scrutin d'arrondissement et la représentation proportionnelle intégrale, le Général s'arrête à un scrutin de liste proportionnel et départemental. Le tollé, lui aussi, est général.

Le 1er septembre, de Gaulle refuse « par devoir d'Etat » de recevoir M. Jouhaux qui, au nom de la délégation des gauches, lui avait demandé audience. « Je ne puis vous cacher. lui écrit-il, que j'ai été surpris de cette démarche de la part du secrétaire général de la C.G.T. que sa nature d'association professionnelle constituée en vertu et sous les garanties de la loi de 1884 ne saurait, aux yeux du gouvernement, placer sur le même plan que les partis politiques... » En bref, il lui dénie le droit de s'occuper de la loi électorale et aux syndicats de se mêler de politique. Cette délégation des « gauches » est une miraculée de la IIIe. Elle s'est réunie par deux fois au siège de la C.G.T. Il y avait là autour d'un autre « général » — c'est ainsi qu'on appelle le secrétaire général de la Confédération — les communistes, les socialistes, les syndicalistes et les radicaux, et bien entendu la Ligue des Droits de l'Homme. Le M.R.P. qui veut faire « la révolution par la loi » n'a pas été invité. Le parti radical, qui préfère la restauration, est représenté par M. Paul Bastid et M. Bernard Lafay. Ces délégués du centre ne sont pas dupes. Leur avenir en répondra. Avec leur accord, la délégation des gauches se déclare néanmoins hostile à la loi électorale choisie par le gouvernement. Elle réclame la représentation proportionnelle intégrale.

Comme le Général et le secrétaire général ne peuvent se parler, ils s'écrivent. La délégation envoie un mémorandum au chef du gouvernement, lequel lui adresse une réponse qu'elle juge « blessante dans la forme et le fond ». Le conflit porte sur une recette électorale, celle de l'accommodement des restes, c'est-à-dire de l'utilisation des voix après la première attribution des sièges au quotient [1]. La délégation veut les répartir sur le plan national. Chaque parti aurait alors strictement son dû. Le gouvernement s'en tient à une

1. Le quotient est égal au nombre des suffrages exprimés dans la circonscription divisé par le nombre de sièges à pourvoir.

représentation proportionnelle dans le cadre départemental. Il pressent le torrent communiste ; il veut l'endiguer, le fractionner. Il appelle la technique au secours de la politique. Il concède quelques sièges supplémentaires aux départements les plus peuplés. Mais il s'en tient à son cadre, le département. Les Républiques naissent ou renaissent toujours à Paris. Elles se réfugient non moins régulièrement en province.

II. — LE GÉNÉRAL ET LES NAINS

A peine sorti de la nuit de l'occupation le pays est donc appelé, pour la première fois depuis plus d'un siècle, à se prononcer directement sur son régime. Le référendum a simplement remplacé le plébiscite. Mais il lui ressemble. Comme en 1852, il s'agit moins de juger un texte que d'approuver un homme.

Deux questions ont été posées : « Voulez-vous que l'Assemblée élue ce jour soit constituante ? » et « Si le corps électoral a répondu « oui » à la première question, approuvez-vous que les pouvoirs publics soient — jusqu'à la mise en vigueur de la nouvelle constitution — organisés conformément aux dispositions du projet de loi dont le texte figure au verso de ce bulletin ? »

Répondre « non » à la première question, c'est vouloir rétablir la Constitution de 1875. Cette éventualité écartée, dire « non » une seconde fois, c'est vouloir élire une Assemblée Constituante souveraine.

De « toute son âme » le général de Gaulle demande au pays de répondre « oui, oui », c'est-à-dire de ne pas revenir à la IIIe République et de limiter les pouvoirs et la durée de l'Assemblée chargée de donner une Constitution à la IVe.

Les communistes crient au plébiscite[1] ; la plupart des radicaux leur font écho. Seuls ils voteront « non » à la seconde question. C'est le plébiscite à rebours. Puisque de Gaulle invite à dire « oui, oui », il sera désavoué si l'un des deux « non » l'emporte et ce ne peut être que le second, les communistes ne pouvant acquiescer au retour à la Constitution de 1875.

Tous les partis, à l'exception de certains radicaux, se déclarent pour le premier « oui ». Est-ce à dire qu'ils ne se combattent pas ? Les élections ont lieu le même jour que le référendum ; les deux campagnes se confondent. Les communistes la mènent rondement, durement. Leur but est simple, ou plutôt double : évincer le M.R.P. de la majorité et le général de Gaulle du gouvernement. Ainsi pourront-ils réaliser cet accord, cette solitude à deux, cette unité avec les socialistes qui doit conduire à la démocratie populaire.

1. Pour ne pas donner prise à la campagne, le Général renonce aux voyages qu'il voulait entreprendre à travers la France. Treize ans après, le même scénario se répétera. Le référendum prendra figure de plébiscite. Les communistes prendront la tête de l'opposition ; le Général abrégera son tour de France.

Ce coin entre la gauche et le centre ils l'enfoncent à coups de slogans : le M.R.P., que dirige le président du Conseil National de la Résistance, s'entend qualifier de « Machine à ramasser les Pétainistes ». Il se voit clouer sur les murs aux initiales « Mensonge, Réaction, Perfidie ». L'imagination est sans limites lorsqu'il s'agit de combattre ceux avec qui l'on s'apprête à gouverner. Dans les coalitions, les difficultés sont plus grandes entre alliés qu'entre ennemis.

La bataille du premier « oui » est gagnée massivement le 21 octobre 1945 : 17 957 868 contre 670 672 non. 96 % des Français ont rejeté les lois de 1875 dans la fosse commune des Constitutions. Une bonne moitié des électeurs radicaux [1] ont participé à l'enterrement. Le second « oui » l'emporte aussi, moins nettement : 12 317 882 contre 6 271 512 non, soit 66 %. Les électeurs communistes ont suivi fidèlement les consignes de leur parti. Un seul département donne la majorité au « non » : le Gers. C'est aussi le seul où les socialistes ont fait campagne dans ce sens. Dix départements ont apporté plus de 80 % de voix au « oui ». Huit sont situés dans l'Ouest. Les deux autres constituent l'Alsace. C'est la France conservatrice.

L'Assemblée sera donc constituante. Sa souveraineté ne sera pas absolue. La volonté populaire ne l'a pas voulu. Les communistes déclarent eux-mêmes s'y soumettre puisqu'ils n'ont pu démettre le Général. Mais s'ils ont perdu une bataille, la guerre — ou la guerilla — continue. Le destin

1. Le même jour les radicaux obtiennent en effet 1 306 350 voix aux élections.

de la Constituante va d'ailleurs dépendre moins de sa nature juridique que de sa composition politique. Et plus que le référendum, les élections qui ont lieu le même jour vont nouer le régime dès sa naissance.

Le 21 octobre 1945 est une date unique dans l'histoire politique de la France. Pour la première et la dernière fois, communistes et socialistes ont ensemble la majorité absolue des suffrages. S'ils le veulent, ils peuvent à eux seuls gouverner. Ils ont 302 députés sur 586.

La France semble alors mûre pour le Front Populaire, peut-être même pour la démocratie populaire. La seule présence d'un homme — de Gaulle — et avec lui, et après lui, celle d'un parti — le M.R.P. — vont l'en préserver. Ni les radicaux ni les modérés ne constituent le moindre barrage ; ils se sont effondrés. Les premiers sauvent à grand-peine quelques positions locales ou personnelles ; les seconds refluent partout devant le raz de marée des démocrates-chrétiens. Seuls les chouans résistent.

La droite classique disparaît pour un temps de l'arène politique. Elle paie Vichy comme le radicalisme paie Munich. Combien qui acclamaient Daladier à son retour et Pétain dans ses tournées vont-ils à Léon Blum, de Gaulle ou Bidault ? Il faudra, dix-huit mois plus tard, l'éviction des communistes pour que, conservatrice ou libérale, la droite retrouve son crédit et son utilité. Le jeu pour l'heure et pour longtemps est à quatre, puis à trois.

Les communistes s'obstinent à vouloir le jouer à deux avec les socialistes. Ils réclament la constitution d'un gouvernement de gauche. Ce serait écarter à la fois de Gaulle et le M.R.P. Les socialistes n'ont aucune envie de se trouver en tête à tête avec le parti frère. Ils s'en tiennent à la « formule tripartite » comprenant le M.R.P. Les communistes reculent leur pion et en poussent un autre ; ils réclament « la place qui leur revient à des postes importants dans un gouvernement qui, pour refléter l'image de la nation et de l'Assemblée Constituante, devra être forcément à jorité communiste ». Ce serait évincer de Gaulle.

Dix délégués de chacun des trois partis tiennent alors un conclave. Le désaccord porte sur le gouvernement, sa composition, son programme. Prévue pour le 8 novembre, l'élection du chef du gouvernement doit être renvoyée au 13. Ce chiffre porte bonheur : le général de Gaulle est élu à l'unanimité des 555 votants. Les communistes ont simplement déclaré qu'ils voteraient « comme les autres », et comme eux ils se lèvent et chantent *La Marseillaise*. Puis l'Assemblée proclame : « Les Combattants du front, ceux qui ont lutté et souffert pour la Résistance, les armées de la Libération, le général de Gaulle ont bien mérité de la Patrie. »

Ce dernier souffle ne remue, hélas ! que de la cendre.

C'est l'ultime instant et le faible sursaut d'une flamme qui vacille, d'une unité qui s'évanouit.

« La mystique laisse la place à la politique ; chaque jour les hommes se font plus humains », écrivait nostalgique le Général dès 1944. Que sont ces hommes, quel est cet homme ?

Partout des figures nouvelles apparaissent ; partout les anciens les éclipsent. La troupe se renouvelle après une longue relâche ; les premiers rôles n'ont pas changé.

Au parti socialiste, un jeune et un vétéran entourent un homme dont le destin veut qu'il soit le plus estimé après avoir été le plus haï. Dans ses prisons Léon Blum a écrit : *A l'échelle humaine.* Ce sera le livre de chevet de plus d'un adversaire qui l'eût envoyé « au poteau » dix ans plus tôt. De tous il est lu, écouté, consulté. Cinq ans de captivité l'ont comme spiritualisé, pour un peu transfiguré. Sa pensée et sa langue ont la vibrante clarté du cristal. Chaque jour ses oracles paraissent dans *Le Populaire.* Homme de doctrine, plus que d'action, il inspire le régime à sa naissance. Juge lucide de la IIIe dont il a vécu l'agonie, il est de ceux qui ne conçoivent pas que la IVe lui ressemble, et cependant la modèlera à son image. Il n'a jamais eu qu'horreur pour le communisme et que mépris pour le radicalisme. Il exhorte le socialisme à demeurer fidèle à sa « finalité spirituelle et morale ». D'une indulgence extrême pour les siens, il aura des faiblesses, notamment pour M. Félix Gouin. Mais ses préférences vont à ses deux disciples : Vincent et Daniel.

M. Vincent Auriol a, lui aussi, condamné la IIIe [1]. Son expérience et sa bonhomie le désignent pour en être le restaurateur sous les dehors de la IVe. Tandis que le futur président de la République est le délégué du prophète aux affaires temporelles,

1. « C'est en vain qu'on aurait cherché la France de la souveraineté nationale à travers cette machinerie tournant à vide, où l'on n'entendait de plus en plus que les halètements d'ambition, les craquements de majorités, les chutes de ministères », écrit-il en 1942, sous le titre malgré lui prophétique : *Hier... Demain* (p. 131).

M. Daniel Mayer frémit à la moindre pensée d'un maître affectionné. Empli d'un zèle courageux, il confond la politique et la générosité. Il a trop de cœur, et pas assez de ruse. Il sera vite évincé.

Une nouvelle génération, sortie de la clandestinité, semble également rajeunir le visage du parti communiste. Pierre Hervé passe pour l'un de ses penseurs. Il apprendra plus tard que, s'il n'est pas interdit d'avoir de l'esprit, il vaut mieux le cacher. Auguste Lecœur est le bras de Maurice Thorez ; il comprendra plus tard que s'il est conseillé d'avoir de l'ambition, il convient de n'être pas trop pressé. L'ardeur de la jeune classe communiste ne sera pas vaincue par la ruse, mais par la discipline. Le parti est d'abord une organisation dont les maîtres restent MM. Maurice Thorez et Jacques Duclos. Tout paraît opposer l'homme du Nord et le Pyrénéen. L'intelligence un peu lente de l'un et la profonde malice de l'autre concourent au même but : à la domination de l'appareil, au maintien d'une ligne assortie à l'inconditionnelle fidélité à la politique soviétique. Au pouvoir, comme dans l'opposition, dans le pays comme au Parlement, ces anciens de la IIIe pèseront de toute leur autorité sur le destin de la IVe.

« Infanterie de la République », le parti radical a été sérieusement éprouvé par la défaite de 1940. Les jeunes recrues ne sont pas encore incorporées. La génération moyenne n'a pas survécu au désastre. Ce sont les patriarches qui réapparaissent : Steeg, Justin Godard, Jeanneney et le « Pape », Edouard Herriot. Revenu de captivité un peu après Léon Blum, il n'a pas été reçu comme le Messie, accueilli, comme lui, dans un Palais National. Il en concevra du dépit. Ce grand homme a sa coquetterie. N'ayant pas eu droit aux honneurs, il refuse les responsabilités que lui propose le général de Gaulle. En fait, sourdement, puis ouvertement, il le combattra. Il prépare sa revanche.

D'hommes nouveaux, inconnus ou presque la veille, ministres d'aujourd'hui et bientôt de toujours, il n'en est qu'au M.R.P. Lorsqu'il est né, ce parti avait déjà un siècle. C'était l'héritier d'une longue tradition, le dernier rejeton d'une grande famille. Ses ancêtres avaient pensé pour lui, longtemps ignorés, souvent bafoués. Aux descendants il n'était demandé que d'agir en demeurant bien sûr fidèles à leurs idéaux. C'est à quoi ils étaient le moins préparés.

Professeurs, juristes et journalistes, ils ne manquent ni d'intelligence ni de talent. Mais l'expérience leur fait défaut. Georges Bidault est encore ce bohème qui vit dans l'histoire et les nuées. Pour lui la politique n'est pas une action, tandis que Maurice Schumann la confond avec l'éloquence et André Colin avec l'apostolat. Les syndicalistes qui les suivent ont plus de sens pratique. Mais ils sont les hommes d'un seul problème. Les professeurs de droit, qui sont nombreux aussi, ont plus d'idées générales. Mais ce sont des théoriciens, des légistes, plus attentifs aux textes qu'aux hommes. Tous sont généreux, mais inconstants. Tous manqueront de cette volonté continue au service d'une idée claire qui fait la force d'une politique. Profitant du vide creusé par l'absence d'une droite abasourdie par sa défaite, ils oublieront de le combler en s'implantant dans les bourgs et les provinces. Ils seront ministres avant d'être notables. A défaut d'une doctrine, ils présentent leur parti comme celui de la fidélité et de l'espérance. Ces beaux sentiments ne résistent pas aux événements. Le premier perdra son objet avec le départ brutal du général de Gaulle, le second avec le retour progressif à la IIIe.

Dans ce personnel nouveau, on ne voit pas de premiers rôles, peu d'hommes dont le caractère, la culture ou le talent en impose. Sans doute ce que l'on appellera plus tard le régime des partis exclut-il par définition les fortes personnalités. Il ne les attire pas, les écarte ou les étouffe. A défaut de la qualité, il offre la quantité. Les trois partis ne produiront pas un seul grand président du Conseil. Mais ils comptent nombre de serviteurs dévoués qui feront d'honnêtes ministres.

C'est pourtant cette troupe de nains qui va avoir raison d'un géant.

Le général de Gaulle n'a laissé ni aux contemporains ni aux historiens le soin de faire son portrait. Prophète de lui-même, il l'a tracé huit ans avant son 18 juin. Il s'est décrit non seulement tel qu'il était mais tel qu'il allait être.

L'homme de caractère, c'est bien lui : « Les personnalités puissantes, organisées pour la lutte, l'épreuve, les grands événements ne présentent pas toujours ces avantages faciles, cette séduction de surface qui plaisent dans le cours de la vie ordinaire. Les caractères accusés sont d'habitude âpres, incommodes, voire farouches. Il est rare qu'on les aime et, par suite, qu'on les favorise. » Cette forteresse imprenable qu'il a toujours été n'impose pas seulement le respect. Elle suscite cette crainte révérentielle que les croyants ont pour leur Dieu.

« La passion d'agir par soi-même s'accompagne évidemment de quelque rudesse dans les procédés. L'homme de caractère incorpore à sa personne la rigueur propre à l'effort. Les subordonnés l'éprouvent et parfois ils en gémissent. D'ailleurs un tel chef est distant, car l'autorité ne va pas sans prestige, ni le prestige sans éloignement. » De ce monarque [1] combien de vieux généraux ou de jeunes ministres ont ressenti durement le noble orgueil, d'autant plus redoutable qu'il est pur de tout égoïsme et n'est pas au service d'un homme mais d'un Etat et d'un pays auxquels il s'identifie et qui l'inspirent.

« L'empire sur les âmes exige qu'on les observe et que chacune puisse croire qu'on l'a distinguée. Mais à la condition qu'on joigne à cette recherche un système de ne point livrer un parti pris de garder par devers soi quelque secret de surprise qui risque à toute heure d'intervenir. » Dédaigneux et séduisant à la fois, écoutant avec soin, mais décidant seul, ce maître a fait du mystère l'une de ses armes les moins secrètes.

« Puissent être hantés d'une telle ardeur les ambitieux de premier rang, artistes de l'effort et levain de la pâte, qui ne voient à la vie d'autres raisons que d'imprimer leur marque aux événements et qui, de la rive où les fixent les jours ordinaires, ne rêvent qu'à la houle de l'histoire. » Prémonition qui le fait vivre en 1932 dans l'attente de 1940 et dès le 18 juin prévoir la victoire de 1945.

1. « A la mentalité d'un roi en exil » notaient déjà ses professeurs de l'Ecole de guerre.

« Réserve, caractère, grandeur, ces conditions du prestige imposent à ceux qui veulent les remplir un effort qui rebute le plus grand nombre. On touche là le motif de retraites mal appliquées : des hommes à qui tout réussit et que l'on acclame rejettent soudain le fardeau... » Cette prophétie de 1932 [1] fut accomplie le 20 janvier 1946. Mais plus d'une fois, il s'était déjà abandonné à ce « sentiment de solitude qui est, suivant Faguet, la misère des hommes supérieurs ».

III. — DE GAULLE S'EN VA

Elu à l'unanimité président du gouvernement provisoire le 13 novembre 1945, le général de Gaulle remet, le 16, son mandat à la disposition de l'Assemblée Nationale. Le nouveau régime n'a pas un mois d'existence légale qu'il est déjà en crise.

Le parti communiste avait réclamé « l'un des trois grands ministères : Intérieur, Affaires étrangères, Guerre » [2]. Recevant M. Maurice Thorez

1. *Au Fil de l'épée.*

2. Déjà les communistes avaient réclamé la Guerre lorsqu'à Alger il s'était agi de nommer les secrétaires généraux qui devraient prendre en charge les ministères à la Libération. S'étant heurtés à un refus du Comité français de Libération nationale ils s'étaient rabattus sur l'Education nationale (M. Wallon) tandis que la Justice avait été attribuée, malgré l'opposition d'Alger, à l'un de leurs avocats, Mᵉ Willard.

le 15 au matin, le général de Gaulle l'informe qu'il refuse de lui donner satisfaction. Le soir même à 19 heures, le leader communiste lui apporte une lettre courroucée ; il reproche au Général d'avoir usé d'arguments mettant en cause « le caractère national » du parti et de sa politique et il ajoute : « Nous ne pouvons accepter les raisons que vous avez évoquées et que nous estimons blessantes pour notre honneur de Français. Ce serait faire outrage à la mémoire des 75 000 communistes morts pour la France et pour la liberté. »

Le général de Gaulle lui répond à 22 h 30 : « Je ne saurais admettre en aucune façon que la conversation d'ordre d'ailleurs très élevé que nous avons eue ce matin au sujet de la politique extérieure de la France et de l'attitude du parti communiste à cet égard puisse comporter en quoi que ce soit un outrage pour la mémoire d'aucun Français mort pour la France. » Et de solliciter d'urgence une « réponse définitive ».

Elle arrive une demi-heure après. Les communistes maintiennent leurs exigences. Le lendemain le Général prend sa décision : il ne donne pas sa démission ; il remet à l'Assemblée Nationale le mandat qu'elle lui a confié, ce qui lui permettra de le reprendre. Son ton va *crescendo.* Dans sa dernière lettre à M. Thorez, il s'était fondé sur le droit naturel qu'un chef de gouvernement a d'attribuer lui-même les départements ministériels. Dans celle qu'il adresse à M. Félix Gouin, il s'engage davantage : l'unité nationale exige la participation de trois grands partis : l'indépendance, la cohésion, l'autorité du gouvernement lui

interdisent de céder aux exigences de l'un d'eux.
Dans son allocution radiodiffusée du lendemain, il croise le fer : « Autant j'étais disposé à associer largement à l'œuvre économique et sociale du gouvernement les hommes provenant du parti dont il s'agit et à leur attribuer des ministères en conséquence, *autant je ne croyais pas pouvoir leur confier aucun des trois leviers qui commandent la politique étrangère, savoir la diplomatie qui l'exprime, l'armée qui la soutient, la police qui la couvre*[1] ». Cette sentence fameuse, du plus pur style et de la plus pure pensée gaullistes, frappe en plein cœur les communistes qui crient à l'injure et à la dictature. Mais trois jours après, ils ne votent pourtant pas contre la motion invitant le Général à reprendre ses négociations en vue de constituer un gouvernement tripartite ; ils s'abstiennent. Deux jours après le gouvernement est constitué. Ne pas en faire partie pour les communistes, c'eût été perdre toute influence sur la politique française, tout espoir de parvenir légalement à l'avènement d'un front populaire baptisé front national. Ils doivent se résigner à n'avoir aucun des grands portefeuilles qu'ils avaient réclamés. Mais ils recueillent la moitié de l'un d'eux, la Guerre, scindée en deux ministères jumeaux : celui des armées et celui de l'armement qui est confié à M. Tillon. Ils ont en outre une satisfaction d'ordre pratique : la responsabilité de l'ensemble du secteur économique et social, et une

1. Treize ans après, revenant au pouvoir, il affectera ces trois ministères non à des hommes politiques mais à des hauts fonctionnaires. Les circonstances sont différentes, le parti communiste est absent, l'intention est la même.

autre d'ordre moral : l'entrée de M. Maurice Thorez qui devient ministre d'Etat.

Ce gouvernement est le premier dont la légitimité soit certaine depuis 1940. « Par l'élection et la réunion de l'Assemblée Nationale Constituante, la démocratie a repris ses droits souverains », dit son chef. Le 23 novembre 1945, il obtient la confiance de l'Assemblée. La « crise » a duré dix-sept jours. C'est un mauvais signe. La confiance est votée à l'unanimité. C'est un signe trompeur. Cette « victoire de la solidarité française » est une victoire à la Pyrrhus.

Tout de suite les difficultés, c'est-à-dire les divisions commencent ou continuent ; *internationales :* la France s'entête à vouloir soustraire la Rhénanie et la Westphalie à la future administration centrale de l'Allemagne, et les socialistes commencent à dénigrer « la politique de grandeur » ; *constitutionnelles :* tantôt les communistes, tantôt le M.R.P. se prononcent en commission contre les projets d'inspiration socialiste dont la clef de voûte est la création d'une Assemblée unique ; *parlementaires :* le gouvernement a quelque peine à limiter son projet de nationalisation du crédit et des grands établissements que la gauche aurait voulu étendre aux banques d'affaires [1] ; *sociales :* les fonctionnaires réclament mille francs par mois et font grève le 12 décembre ; ils sont soutenus par les socialistes qui inter-

1. M. Pineau fait alors le procès des grandes banques que défend M. Pleven. Pour le premier, qui a de mauvais souvenirs personnels, elles n'ont pas rempli leur rôle économique en évitant de prendre des risques ; pour le second, elles ont au contraire résisté aux crises en faisant preuve de prudence.

pellent le gouvernement auquel ils appartiennent mais non par les communistes qui, au contraire, le soutiennent ; *économiques et financières :* le pays a faim et froid. Supprimée avant les élections, la carte de pain est rétablie après le scrutin ; la production est exsangue ; le franc est dévalué le 26 décembre : « Il s'agit, dit le ministre des Finances, de constater une situation de fait. » *Budgétaires enfin et donc politiques :* la IVe République approche de son premier grand tournant, de son second grand départ.

« Ce sera sans doute la dernière fois que je parlerai dans cette enceinte », dit le général de Gaulle le 1er janvier à l'Assemblée. Personne ne paraît prêter d'attention à ce propos comme si son auteur avait l'habitude de parler en l'air. Il ajoute : « Je tiens donc à vous dire : si vous ne tenez pas compte des conditions de responsabilité, de dignité du gouvernement, vous irez vers des temps où vous regretterez amèrement la voie que vous avez prise... » Personne non plus ne prêtera d'intérêt à cet avertissement qui est une nouvelle prophétie...

« Ce sera sans doute la dernière fois... » Le Général a donc pris sa décision [1]. Ne l'a-t-il pas même arrêtée dès son premier contact avec l'Assemblée Constituante ? N'a-t-il pas senti dès cet instant se refermer sur lui, derrière lui comme un cercle de haine, un carcan. La présence invisible — il leur tourne le dos — la pression presque

1. Il le confirme dans ses *Mémoires* (t. III, p. 280) : « En quittant le Palais-Bourbon dans la soirée du 1er janvier, mon départ se trouvait formellement décidé dans mon esprit. »

physique de cinq cents députés lui est insupportable. N'a-t-il pas eu l'impression, la certitude qu'il était pour eux comme le trouble-fête, l'usurpateur ou même l'ennemi ?

Fin décembre, il s'agit du budget. C'est une discussion comme tant d'autres. Mais le gouvernement veut aller vite : il demande le vote global par ministère. Les députés protestent et réclament le vote par chapitre. M. Herriot cite Royer-Collard. Il ne manque jamais une occasion d'évoquer le Second Empire. M. Pleven lui oppose l'exemple de la Grande-Bretagne, mère des Parlements. Le maire de Lyon attaque un peu plus tard le ministre de l'Intérieur. Il ne cesse pas non plus de tempêter contre l'autorisation préalable de la presse et le mot fameux du ministre de l'Information de l'époque, M. André Malraux, l'excite au plus haut degré : « La liberté existe pour et par ceux qui l'ont conquise. »

Mais si Edouard Herriot peut se flatter d'avoir porté quinze jours plus tard l'estoc au général de Gaulle, c'est M. André Philip qui lui pique la banderille de la Saint-Sylvestre. Il demande une réduction de 20 % des crédits militaires. Le Général est en même temps ministre de la Défense nationale ; il est personnellement, directement visé ; il est atteint. Le 4 janvier 1946, il part se reposer à Eden-Roc.

Deux Conseils des ministres se tiennent en son absence. On s'y dispute. Il revient le 14. Le lendemain, il est à l'Assemblée. On y discute de la politique étrangère. Le 16 éclate l'incident des décorations. M. Edouard Herriot est à la tribune ; il évoque des souvenirs, parle de diplomatie puis, tout à coup, il fait état d'un décret qui entérine une promotion de Légions d'honneur pour des officiers ayant combattu contre les alliés lors du débarquement en Afrique du Nord. Il lit deux citations, s'en étonne, sollicite une explication et conclut : « Je demanderai une fois encore que l'on supprime notre Ordre national ou qu'on le respecte ! » On applaudit à gauche et à l'extrême gauche. « Démosthène enchaîné », l'ancien président de la Chambre a bien choisi son moment, et bien mal son terrain. Le Général attend la fin de son discours et lui lance : « Je tiens à m'expliquer. M. Edouard Herriot m'excusera de le faire avec d'autant plus de clarté et de simplicité qu'avec Vichy, depuis 1940, je ne me suis pas borné à échanger des lettres et des messages, mais que, tout de suite, j'ai procédé à coups de canon. » On applaudit au centre et à droite. Et le Général ajoute : « Le gouvernement de la République n'a pas jugé en conscience devoir arracher des cercueils des morts, des poitrines des estropiés, des décorations obtenues dans des conditions affreuses, mais dont ils n'étaient pas responsables. »

Trois jours après, c'est un samedi soir, les ministres sont convoqués pour le lendemain 20 janvier à 12 heures, rue Saint-Dominique. Un dimanche, à midi, au ministère de la Défense Nationale, alors que les conseils se tiennent habituellement à l'Hôtel Matignon, les ministres n'ont jamais vu cela. Quelques-uns sont cependant dans la confidence. Quatre sont absents, dont M. Vincent Auriol et M. Bidault qui sont à Londres.

A l'heure dite, le Général, pour qui tout acte est chargé de sens et de symbole, arrive en uniforme, comme le jour où en ce même lieu, voilà dix-huit mois, il avait « réinstallé l'Etat ». Aujourd'hui il considère sa mission comme terminée, sa tâche accomplie : « Le régime exclusif des partis a reparu. Je le réprouve... J'ai donc résolu d'abandonner ma fonction », dit-il à ses ministres médusés. Sa décision est irrévocable. Elle prend effet immédiatement et n'est pas sujette à discussion. Ayant dit, il s'en va. « Ce départ ne manque pas de grandeur », observe simplement M. Maurice Thorez.

« Un homme à qui tout réussit et que l'on acclame rejette soudain le fardeau ! » Fin août, l'idée lui en était déjà venue. Peu avant les élections d'octobre, il en avertit Léon Blum [1]. En novembre, il y songea plus sérieusement encore. « Le Général affectait dernièrement de vouloir se retirer, et, disait-il à sa femme, d'aller au Canada : « Je pêcherai des poissons et vous les ferez cuire », note Jacques Dumaine dans son journal à la date du 14 [2]. Le surlendemain on l'a vu, le Général se retirait pour de bon, puis revenait sur sa décision. En décembre, il y était de nouveau résolu et le donnait à entendre à l'Assemblée. Seule, la presse y prête attention. « Après tout les travaillistes anglais nous ont donné l'exemple à propos de Churchill », écrit alors, toujours aimable, M. Philip. Lui n'attendait plus que le moment, le motif.

1. Le Général ne voyait alors à lui-même d'autre successeur que Léon Blum. Mais celui-ci, se récusant à l'avance, ajoute : « Je ne vois que Gouin. » (*Mémoires du général de Gaulle*, t. III, p. 260).
2. *Quai d'Orsay*, p. 13.

Les disputes de ses ministres, les chamailleries des partis, le flirt des communistes et des socialistes achèvent de créer l'ambiance du divorce. Edouard Herriot ajoute la goutte d'acide qui fait déborder l'amertume[1]. Ce jour-là, M. Bidault passe au banc des ministres un billet à M. Francisque Gay : « Ce que vous prévoyez aisément peut se produire d'un jour à l'autre. »

Ce jour devait en effet arriver. Mais il reste à l'expliquer. Tout va très bien, écrit en substance le Général dans sa lettre de démission au Président de l'Assemblée. Tout allait très mal, dira-t-il quatre ans plus tard à une réunion du R.P.F. La contradiction n'est qu'apparente. Elle est aussi révélatrice. En 1946, il parle de la France : « L'activité économique se relève. Nos territoires sont entre nos mains. Nous avons repris pied en Indochine. La paix publique n'est pas troublée... Nous tenons le Rhin. » Cet optimisme lui a été souvent reproché. Mais comment à la fois être pessimiste et justifier son départ. En 1950, il parle de l'essentiel qu'il avait passé sous silence à l'époque : la Constitution. « Tout ce qui dans la nation se trouvait organisé, m'était, en réalité, hostile, dès lors qu'il s'agissait de bâtir des institutions... » Est-ce une reconstitution, une explication après coup ? Non point. En annonçant sa décision à ses ministres, le jour de sa démission, il s'était plaint que sa présence à la tête du gouvernement était « susceptible de fausser l'œu-

1. D'après ses *Mémoires*, le Général a pris sa décision dès son retour du Midi et l'incident Herriot n'aurait donc pas compté.

vre entreprise par l'Assemblée Constituante [1] ».

La fatigue d'un homme qui a intensément vécu depuis six ans, le sentiment que sa mission patriotique est achevée [2], la certitude que son pouvoir ira en diminuant et celui des partis en grandissant, la hargne vindicative de ceux qui n'ont cessé de le détester en secret, le refus de ceux qui l'ont soutenu dans la guerre, mais ne le suivent plus dans la paix, enfin la préparation d'institutions jugées mauvaises, à tous ces motifs connus ne s'est-il pas ajouté une intention cachée ? Car s'il est des retraites soudaines chez l'homme de caractère, il est aussi des ruses.

Ceux qui l'ont alors approché ont bien eu le sentiment que sa décision n'était pas aussi irrévocable qu'il l'avait dit. Ne pensait-il pas, comme en novembre, être rappelé par ceux-là même qui l'avaient amené à se retirer ? N'aurait-il pu alors briser les résistances, imposer ses conditions, plus dures et plus décisives : l'exclusion des communistes non plus cette fois des grands ministères, mais du gouvernement lui-même et la mise en œuvre d'un projet constitutionnel répondant enfin à

1. Le lendemain, 21 janvier, le bruit courut que le Général se proposait de prononcer une allocution radiodiffusée mais qu'il y avait renoncé sur le conseil, dit-on à l'époque, de M. Vincent Auriol. Un texte circula peu après que l'on présenta comme étant celui de ce projet d'allocution et qui comprenait un sévère procès des partis politiques. Mais à la suite de la première édition de ce livre, où ce texte était publié en annexe, le général de Gaulle nous a écrit qu'il était « entièrement apocryphe » et que lui-même « n'avait rien voulu dire ou écrire d'autre » que sa lettre au président de l'Assemblée.

2. Si l'on croit Robert Aron *(Histoire de la Libération)* le général de Gaulle aurait dit dès septembre 1944 : « Moi je me retire... il faut disparaître. La France peut avoir encore besoin d'une image pure. Cette image, il faut la lui laisser. Jeanne d'Arc, si elle s'était mariée, ce ne serait plus Jeanne d'Arc, il faut disparaître. »

ses vues ? Sa fausse sortie de l'automne vient renforcer cette thèse. Mais qui, autre que lui-même, peut en avoir la certitude ? L'une des vertus de l'homme d'action n'est-elle pas aussi le secret ? La noble explication d'une longue retraite méditée et la raison subalterne d'une petite manœuvre ne sont pas contradictoires, car l'une des forces du général de Gaulle est de n'avoir jamais qu'un objectif, mais de suivre toujours deux voies, il parie souvent mais il répartit judicieusement sa mise. Là où d'autres seraient pris au dépourvu, lui ne l'est pas. Depuis la Libération la retraite le tentait autant que l'action ; la politique l'intéressait autant qu'elle le rebutait.

Reclus à Marly, après son départ il assiste de près, de bien près, au jeu fourré des trois grands partis. Qu'ils s'entendent sur un nom, ils ne penseront plus à lui. Un groupe peut l'empêcher, le M.R.P. ; un seul homme, M. Bidault. L'un et l'autre vont se rallier à M. Félix Gouin, rendre vain le recours à de Gaulle. Longtemps il leur en tiendra une rigueur extrême. A ses yeux, le parti de la fidélité l'a trahi [1].

1. A la mi-décembre, après la fausse sortie de novembre, n'avait-il pas déclaré par la voix de M. Maurice Schumann : « Si le M.R.P. n'avait pas existé... la IVe République de la France libérée serait, il faut le dire, privée de la présidence de Charles de Gaulle. »

CHAPITRE III

D'UN SOCIALISTE A UN AUTRE

1946 : *26 janvier : constitution du ministère Félix Gouin ; 6 mars : accord entre M. Sainteny et Ho Chi-minh sur la reconnaissance de l'Etat libre du Viet-nam ; 19 avril : adoption du projet de Constitution par l'Assemblée ; 5 mai : rejet du projet par le pays ; 2 juin : élections législatives ; 24 juin : Gouvernement Georges Bidault ; 4-22 juillet : conférence du Palais-Royal sur les salaires et les prix ; 29 juillet - 15 octobre : conférence des Quatre à Paris ; 6 septembre : discours de M. Byrnes sur la création d'un Gouvernement allemand ; 29 septembre : adoption du second projet de Constitution par l'Assemblée Constituante ; 13 octobre : le projet est approuvé par voie de référendum ; 10 novembre : élections législatives ; 23 novembre : bombardement de Haïphong ; 16 décembre : Gouvernement Léon Blum ; 19 décembre : insurrection Viet-minh à Hanoï.*

I. — NAISSANCE DU TRIPARTISME

UN seul être nous manque et tout est dépeuplé : le pays et les partis font mentir le poète. Le départ du Général ne provoque aucune émotion populaire, aucun trouble politique. « Comment une décision aussi soudaine, aussi brusque ne provoquerait-elle pas la stupeur et l'émoi ? » s'étonne cependant Léon Blum. D'autres sont moins surpris : les communistes qui, depuis les élections, envisagent ce départ et ses suites. Beaucoup sont moins émus que le leader socialiste. Ses propres amis s'intéressent peu à la retraite du Général ; ils en sont déjà à peser les mérites comparés de MM. Vincent Auriol et Félix Gouin [1]. Le M.R.P. en

1. M. Vincent Auriol affirme que sa candidature se heurtera au refus des communistes ; il plaide en faveur de M. Gouin. Ce dernier confesse que n'ayant jamais été ministre, il n'est pas qualifié pour diriger le gouvernement, et il plaide pour M. Auriol. La décision du groupe est capitale : celui des deux qui sera chef du gouvernement laissera à l'autre la présidence de l'Assemblée, antichambre — nul n'en doute — de la présidence de la République. On vote. M. Auriol obtient vingt voix de plus que M. Gouin. Celui-ci se retirant, il est affirmé que son concurrent est désigné à l'unanimité. Auparavant M. Léon Blum s'était récusé, tandis que nul n'avait retenu un autre nom lancé par M. Le Troquer : celui de M. André Philip (22 janvier).

discute également, car lui aussi s'est vite résigné. Si M. Michelet ne cache pas son émotion et M. Maurice Schumann son désarroi — on lui reproche d'être « plus gaulliste que de Gaulle » — M. Bidault n'a rien à dissimuler, il est serein et comme satisfait. C'est lui qui emportera la décision de son parti en faveur de la participation et non de l'opposition comme le souhaitent plusieurs. « Il y a un grand homme impossible, dit-il, et plusieurs hommes moyens possibles. » Comme la S.F.I.O., le M.R.P. penche plutôt vers M. Vincent Auriol. Les communistes opposent leur *veto.* A leurs yeux, le ministre d'État a le double tort d'avoir fidèlement servi deux maîtres qu'ils n'aiment point : de Gaulle et Léon Blum. Déjà, en novembre, lors de la fausse sortie du Général, ils avaient lancé un autre nom : celui de Félix Gouin. Ils le relancent après avoir avancé, pour la forme, celui de M. Maurice Thorez. Ils ont une raison, en tout cas un argument. M. Félix Gouin est président de l'Assemblée Constituante. Bien que socialiste, il est au-dessus des partis. C'est un « arbitre ». En se ralliant à lui les communistes qui avaient revendiqué la présidence « en tant que plus fort parti » sont satisfaits, ils camouflent leur reculade. Mais la trouvaille plaît aussi au M.R.P. Elle lui fait espérer cette « trêve des partis » dont il a fait une condition de sa participation.

Le tripartisme va naître. Il est le fruit de trois refus : les socialistes n'ont pas voulu que soit écarté le M.R.P. ; ce dernier n'a pas accepté que le gouvernement soit présidé par M. Maurice Thorez ; enfin, en déclinant la responsabilité du ministère des Finances, M. Mendès-France entraîne les radicaux dans l'opposition.

L'ancien ministre n'a pas changé, il entend lutter contre l'inflation. S'il renonce au blocage des comptes et à l'estampillage des billets — « c'est trop tard, il fallait le faire lorsque je l'ai proposé à la Libération » —, il propose un programme d'une extrême rigueur : cent vingt milliards d'économies, arrêt pendant un an du recrutement et de l'avancement des fonctionnaires ; suppression avant la fin de l'année des subventions économiques ; majoration du taux de l'impôt sur le capital. Pour avoir les moyens de sa politique, il demande des pleins pouvoirs. Là les socialistes ne le suivent plus. Ils se donneront bonne conscience en pensant que leur refus porte non sur le programme, mais sur la doctrine. Ils se consoleront en espérant que l'un d'eux fera la même politique. M. André Philip est en effet d'accord avec M. Mendès-France depuis Alger ; il obtient ce que son collègue avait tant souhaité : la réunion dans ses mains des Finances et des Affaires économiques. Mais faute de pouvoirs il ne pourra réussir ; l'inflation continuera.

Le tripartisme est né à l'état pur. Le pouvoir est partagé entre les communistes, les socialistes, le M.R.P. Ni les radicaux ni les modérés n'y participent. Ce ménage à trois repose sur un contrat, un protocole d'accord signé le 24 janvier. On s'y promet « d'éviter dans les controverses orales ou écrites toute polémique de caractère offensant ou injurieux ». On s'engage encore à développer « au gouvernement, dans l'Assemblée, la presse et le pays, un esprit de solidarité loyal pour la défense des décisions prises en commun ». Bref, de Gaulle n'étant plus là pour maintenir et manifester, au moins extérieurement, l'unité du gouvernement et de la majorité, les Trois prennent des précautions, établissent des règles du jeu et soignent la politesse autant que le programme. Ces bonnes résolutions tiendront déjà difficilement lorsqu'il faudra nationaliser le gaz et l'électricité, les houillères et les grandes compagnies d'assurances. La délégation des gauches avait également demandé celle des mines de fer et de la sidérurgie, de la marine marchande, des industries de métaux légers et encore de l'air liquide, du ciment, des explosifs et enfin de la soude. Socialistes et communistes ont le bon goût de ne pas l'exiger du M.R.P. La solidarité tripartite se relâchera davantage lorsqu'il s'agira de diminuer les dépenses militaires [1], d'adopter des projets fiscaux. Elle se resserrera pour rétablir la loi de quarante heures et faire adopter celle des comités d'entreprise. Ayant un contenu social avant tout, économique en seconde ligne, moins sûrement financier, le tripartisme va éclater dès qu'il abordera l'épreuve constitutionnelle. Le contrat ne contient d'ailleurs rien à ce sujet. La Constitution est du ressort exclusif de l'Assemblée. Le gouvernement n'a pas à s'en occuper ; il pourra donc survivre au désaccord de ses membres et de sa majorité.

1. Il y a encore un million d'hommes sous les drapeaux au 1er janvier 1946. « Une France ruinée ne peut se payer le luxe d'une grande armée », déclare M. Defferre, secrétaire d'Etat à la présidence du Conseil. Ministre des Armées, M. Michelet s'oppose à une réduction massive des crédits et des effectifs : « Veut-on faire de la France un Monténégro ou une République d'Andorre ? » M. Philip demande un abattement de 40 milliards.

C'est le 3 avril 1946 que la rupture intervient. M. de Menthon donne sa démission de rapporteur général de la Constitution ; il est remplacé par M. Pierre Cot. Depuis décembre, socialistes et communistes, qui disposent à eux seuls de la majorité à la commission, ont voté article par article un projet qui institue un véritable régime d'Assemblée [1]. Les communistes n'ont même pas à aller de l'avant ; les socialistes les précèdent. MM. André Philip et Guy Mollet qui les stimulent vont plus loin que MM. Léon Blum et Vincent Auriol. Ils proclament « la dépendance nécessaire de l'exécutif et du législatif » alors que le vétéran socialiste et son fidèle second souhaitent des pouvoirs mieux équilibrés. Lorsque approche le débat public prévu pour le 9 avril, la France est menacée d'une Assemblée unique omnipotente et d'un Président de la République sans pouvoir, élu par l'unique Assemblée. « Greffier et facteur », dit Edouard Herriot. C'en est vraiment trop pour le M.R.P. Et d'autant plus que la majorité socialo-communiste s'est refusée en mars à inscrire la liberté de l'enseignement et le droit de propriété dans la Déclaration des droits.

Un noble discours du bâtonnier Teitgen a eu beau appeler de ses vœux « la réconciliation des deux spiritualismes qui ont mené la France : celui du Christianisme et celui de la Révolution », les socialistes et les communistes lui ont répondu en prétendant étendre la législation scolaire en Alsace. Une proclamation des cardinaux et arche-

1. « Dites ce que vous voulez, nous ferons ce que nous voudrons : nous avons la majorité absolue », déclare M. Jacques Duclos aux adversaires du projet.

vêques de France aurait dû sonner comme un avertissement aux oreilles de la S.F.I.O. Les démocrates-chrétiens sont courageux ; ils ne sont pas téméraires : ils n'iraient pas soutenir un projet contre la hiérarchie. Les socialistes et les communistes oublient que, s'ils ont la majorité absolue à l'Assemblée, ils l'ont à peine dans le pays. L'imprudence des socialistes est d'autant plus grande qu'ils ont rompu leur alliance avec les libéraux de l'U.D.S.R.

M. Vincent Auriol s'entremet en qualité de président de la Constituante. Il organise des cinq à sept en l'Hôtel de Lassay. Entre deux tasses de thé, il obtient que le Président de la République soit élu à la majorité des trois cinquièmes, que la publicité soit donnée aux séances du Conseil purement consultatif de l'Union Française. Des miettes. Le M.R.P. reste sur sa faim d'un véritable régime parlementaire qu'il oppose au régime d'Assemblée. Lorsque, le débat venu, il propose que le Parlement soit composé de l'Assemblée Nationale et du Conseil de l'Union Française, il est battu. Lorsque M. Gouin intervient, il se fait rabrouer par M. de Menthon. Lorsque, pour ramener le M.R.P., M. Auriol tente de faire élire le chef de l'Etat par un collège plus large que l'Assemblée, les communistes s'y opposent.

La Constitution est finalement adoptée à l'Assemblée par 309 voix contre 249, le 19 avril 1946. Quinze jours après, le 5 mai, elle est repoussée par le pays : 10 584 359 non, contre 9 454 034 oui. Sans peut-être s'en rendre compte, la France vient de rejeter le régime d'Assemblée qui aurait pu conduire à la démocratie populaire pour peu que les Américains se fussent désintéressés de l'Europe occidentale.

Les décisions négatives sont rarement historiques. C'est pourtant la première fois que dans un grand pays un référendum échoue. Le plus souvent, un régime ne pose une question directe au peuple que lorsqu'il est sûr de la réponse. Le chef du gouvernement en est d'ailleurs convaincu. « Dimanche, nous aurons cause gagnée », dit-il à la veille du scrutin. Sa carrière politique ne se relèvera pas de cet échec politique... et de quelques réussites d'un autre ordre.

Les modérés et les radicaux ont dit non à un projet pouvant conduire à la dictature de la majorité, sinon du prolétariat. Les paysans ont dit non à un texte qui ne garantit pas le droit de propriété. Les catholiques ont dit non pour toutes ces raisons et parce qu'ils suivent le M.R.P. à défaut d'entendre la voix de l'Eglise et, pour cause, celle de De Gaulle. Car le Général se tait en cette circonstance pourtant historique.

La IVe République ne s'est pas encore trouvée. Elle va continuer à se chercher. Depuis deux ans le film d'une histoire discontinue, chargée d'événements, d'incidents, d'accidents se déroule sous le regard indifférent d'une population en proie aux difficultés matérielles et morales. Mais un temps d'arrêt, de réflexion doit être ici marqué. Que serait-il arrivé si la nouvelle république avait trouvé sa forme définitive le 5 mai 1946 ? La Constitution instituait une seule Assemblée, un gouvernement d'Assemblée. Socialistes et communistes l'auraient appliquée dans l'esprit qui l'avait inspirée et les avait animés. Considérant la séparation des pouvoirs comme une survivance historique ne correspondant plus à l'évolution de la démocratie, ils auraient abouti à un régime très différent de celui de 1875. De l'indivisibilité de la souveraineté, ils concluaient à l'unité, à l'unicité du pouvoir. Ils auraient donc admis, au moins pour commencer, que l'exécutif n'était pas un pouvoir mais un instrument du pouvoir législatif, un commis, un agent chargé précisément d'exécuter les décisions de la volonté nationale. Est-ce là seulement la thèse de l'extrême gauche dont l'interprète était Pierre Cot ? Non ; la doctrine est également diffuse au parti socialiste qui veut faire élire le Président du Conseil par l'Assemblée, sa désignation échappant complètement au Président de la République qui n'est plus que le « pâle reflet » du roi des monarchies constitutionnelles. « Un décor et un symbole », écrit Léon Blum le 13 décembre 1945.

Si le référendum avait été positif, la France aurait donc eu un gouvernement d'Assemblée à un moment, le seul de son histoire d'avant et d'après guerre, où les socialistes et les communistes disposaient de la majorité absolue des élus et approchaient de celle des électeurs.

Comme après le départ du général de Gaulle, le M.R.P se prévaut d'avoir empêché une seconde fois un « coup de Prague » avant la lettre en faisant d'abord repousser la Constitution, en évitant ensuite le tête-à-tête de MM. Maurice Thorez et Léon Blum. Son mérite historique n'est pas contestable. Mais il revient également aux socialistes eux-mêmes. Si, par sa seule présence —

mais aussi et surtout par ses positions sociales et économiques —, le M.R.P. offre un concours acceptable pour la S.F.I.O., un point d'appui contre l'offensive répétée des communistes en faveur de l'unité d'action, il n'est pas moins vrai que ce concours est souhaité, recherché par les socialistes. Jamais ils n'ont sérieusement envisagé de gouverner avec les seuls communistes. Si elles avaient vu le jour, des institutions de type conventionnel auraient aidé et même poussé à la constitution d'une démocratie populaire ; le rapport des forces politiques l'aurait freiné et probablement empêché.

Or, ce rapport va justement évoluer aux élections qui suivent ; il a même déjà changé. Les résultats du référendum l'ont démontré. De nombreux électeurs du parti socialiste ne l'ont pas suivi ; ils ont voté contre la Constitution. Plus exactement, le parti a trop vite oublié que beaucoup de ceux qui avaient voté pour lui en octobre n'étaient que des radicaux ou des résistants qui ne pouvaient approuver un projet défendu par les communistes et condamné par les libéraux et le M.R.P. Plus précisément, encore bien des sièges socialistes avaient été acquis grâce à l'alliance avec l'U.D.S.R. qui a fait voter non.

Ainsi prend fin le rapprochement entre les deux partis marxistes qui s'était esquissé peu avant le départ du général de Gaulle, puis s'était accentué après sa retraite pour aboutir à l'échec commun du 5 mai. Dans le même temps, M. Léon Blum a été chargé d'une mission aux Etats-Unis qu'il accomplit en compagnie de Jean Monnet. La France obtient des remises de dettes, des surplus, des bateaux, enfin un crédit de 650 millions de dollars qui doit permettre le démarrage du plan d'équipement. Le négociateur précise qu'aucune condition politique n'est posée à cette aide économique. Mais la France contracte au moins une obligation morale : la IVe République est en voie d'aliéner une part de sa liberté. Déjà, en janvier, après le départ du général de Gaulle, M. P.-H. Teitgen avançait cet argument en faveur de la participation du M.R.P. : « Ce n'est pas à un gouvernement socialo-communiste que les Etats-Unis consentiront le prêt dont nous avons besoin. » Dans sa déclaration ministérielle, M. Félix Gouin n'avait vu d'autres soulagements à la grande pénitence que les réparations allemandes et l'assistance américaine. Le 15 mars, il conseillait de « ne rien entreprendre avant les élections qui soit de nature à compromettre la trêve des partis surtout à un moment où la France doit faire appel à l'aide de ses alliés ». Ainsi les facilités de la politique financière et les impératifs de politique intérieure vont-ils faire de la IVe une République assistée dont les fréquentations seront surveillées.

Les socialistes changent au même moment de tactique ; ils rompent avec les communistes. D'alliés, ils deviennent adversaires, M. Daniel Mayer annonçant sans plus tarder qu'ils s'opposeront à un gouvernement Thorez. M. Le Troquer traite publiquement de déserteur le secrétaire général du Parti communiste. « Un chef ne doit pas s'en aller quand ses hommes sont en danger », dit-il. Et d'ajouter : « Thorez au pouvoir, c'est servir la cause de la Russie ».

Trop tardivement ou trop maladroitement engagée, la campagne anticommuniste manque son but. Elle aboutit même au résultat contraire. Aux élections du 2 juin 1946, les communistes gagnent des voix et les socialistes — et cela ne fait que commencer — en perdent près de cinq cent mille. L'anticommunisme n'a pas compensé l'effet produit par le référendum. Le recul du parti socialiste est général, sauf en Bretagne et en Normandie. Partout des électeurs qui, à l'automne précédent, avaient voté pour lui, reportent leurs voix sur les radicaux, qui en perdent par ailleurs, et sur le M.R.P. Grand vainqueur du scrutin, le M.R.P. enlève aux communistes le titre de premier parti de France [1]. Il revendique sans plus tarder le pouvoir pour son président, M. Georges Bidault.

Un ballet à trois se joue de nouveau. Les figures ne sont pas tout à fait les mêmes qu'en janvier. Les communistes demandent qu'à défaut d'être dirigé par l'un des leurs, le ministère le soit par un socialiste et de préférence Félix Gouin ; ils réclament en même temps, sait-on jamais ? l'un des trois grands ministères que leur a refusés le général de Gaulle. De leur côté, les socialistes ne veulent gouverner qu'avec les communistes et le M.R.P. mais, croyant que la présidence du gouvernement leur a coûté des voix le 2 juin, ils la déclinent. Orné par surcroît du fleuron de sa victoire électorale, le M.R.P. se trouve ainsi naturellement porté à la direction

1. Avec 5 589 059 voix contre 5 199 111 au parti communiste et 4 187 818 au parti socialiste.

des affaires publiques [1]. Le nouveau cabinet ressemble comme un frère au précédent. Cependant le ministère des Finances n'a pas le même titulaire. M. Robert Schuman remplace M. André Philip. Comme lui, il laissera filer doucement l'inflation après avoir proclamé que la monnaie serait maintenue. Le responsable du ravitaillement change aussi. A un professeur de sciences succède un journaliste qui, à l'heure où il devient ministre, assiste à l'explosion atomique de Bikini. Lui aussi voudra pendre les trafiquants et les fraudeurs. Il voudra même faire des photographies aériennes des prés pour y dénombrer les vaches.

Les finances et le ravitaillement étant les deux échecs de la IVe République, il ne surprend pas qu'à chaque nouveau gouvernement un nouveau titulaire de ces deux ministères apparaisse. Ces postes, le premier surtout, qui exigent de l'autorité et de l'expérience, c'est-à-dire de la continuité, battront les records d'instabilité. Autant de ministères, autant de ministres des Finances. Le régime mourra de mort brutale pour n'avoir pas su résoudre le problème colonial ; il sera en état de moindre résistance pour n'avoir pas guéri l'anémie pernicieuse de l'inflation. Pas plus que le précédent, le nouveau gouvernement n'arrêtera la course épuisante des salaires et des prix.

M. Bidault est élu président du gouvernement provisoire le 19 juin 1946. Le 16, le général

1. Préférant encore à toute autre la responsabilité du Quai d'Orsay, le M.R.P. et M. Bidault eussent volontiers laissé la présidence du Conseil à M. Vincent Auriol, M. Francisque Gay aurait alors remplacé le leader socialiste à la présidence de l'Assemblée constituante.

de Gaulle a prononcé son fameux discours de Bayeux [1]. Si les communistes crient de nouveau à la dictature, le gouvernement ne s'en émeut pas. La Constitution n'est pas son affaire ; c'est celle de l'Assemblée. La fiction politique s'accorde ici avec la réalité juridique. Ce régime de légiste pourra faillir ; il aura jusqu'au bout le droit pour lui.

L'été se passe en conférences et les conférences se passent en compromis qui préparent de futurs conflits en prétendant concilier les inconciliables : la stabilité des prix et l'augmentation des salaires (conférence du Palais-Royal) ; le partage du monde en deux camps et l'unité des quatre grands (conférence de Paris) ; le maintien de l'autorité française et l'indépendance de l'Indochine (conférences de Fontainebleau et de Dalat), enfin le régime parlementaire et le régime d'Assemblée. Si les communistes ne sont pas les maîtres du jeu, ils agissent par personnes interposées, poussent la C.G.T. qui réclame 25 % d'augmentation des salaires, encouragent M. Ho Chi-minh [2], soutiennent M. Bidault qui s'évertue en toute occasion à maintenir la balance égale entre l'U.R.S.S. et les Anglo-Saxons. Les socialistes n'éprouvent de leur côté qu'une sympathie modérée pour le leader M.R.P. En séance secrète, les deux cinquièmes du groupe s'étaient opposés à sa candidature, et ils lui ont fait

1. Ce discours définit une Constitution proche de celle qui devait être établie en 1958.

2. Ils s'opposent au Conseil des ministres du 11 juillet à ce que la cinquième étoile soit donnée au général Leclerc de crainte que le geste soit incompris du Viet-nam.

depuis longtemps savoir qu'ils n'approuvaient pas sa politique allemande à leurs yeux trop fidèle au nationalisme suranné du général de Gaulle.

Le 30 septembre 1946, l'Assemblée adopte un nouveau projet de Constitution. N'ayant plus la majorité absolue, communistes et socialistes ont été conduits à se ménager les bonnes grâces du M.R.P., sans aller jusqu'à lui accorder la reconnaissance de la liberté de l'enseignement écartée à deux voix. Ils ont été d'autant plus condamnés aux concessions que le général de Gaulle a proposé dans son discours de Bayeux un régime dont la clef de voûte est le chef de l'Etat. Du coup, le M.R.P. a réclamé avec plus de vigueur un peu plus d'indépendance et de pouvoirs pour le président de la République. Il a obtenu que le chef de l'Etat soit élu au scrutin secret, et non public, par les deux Chambres et non la seule Assemblée Nationale, et que le président du Conseil soit désigné par celui de la République avant d'être investi par l'Assemblée. M. Vincent Auriol s'est dépensé tout l'été pour concilier socialistes, communistes et M.R.P., et il lui arrive certain jour de leur écrire une lettre de quinze pages sur la Constitution. Avant tout soucieux de préserver l'alliance des trois partis, les communistes ont habilement battu en retraite et s'ils se sont abstenus sur l'ensemble du projet en commission, ils ont usé d'élus d'outre-mer pour éviter son rejet par l'Assemblée. On a même vu M. Ferhat Abbas et ses amis s'abstenir sur un signe trop visible du P.C. « Ce sont les Malgaches qui font la loi », s'écrie une autre fois M. Legendre alors qu'un amendement est rejeté à deux voix de majorité grâce aux élus de Madagascar.

Le M.R.P., lui, n'a pensé qu'à se couvrir à l'égard du général de Gaulle. MM. Maurice Schumann et Pierre-Henri Teitgen ont fait le pèlerinage de Colombey. Ils ont plaidé. Un projet socialo-M.R.P. n'a-t-il pas succédé au projet socialo-communiste ? Mais en vain. Le Général n'a pas cédé. « Votre constitution, dit-il, ressemble comme une sœur à celle du 5 mai [1]. » M. François Mauriac s'en est mêlé et l'a mis en garde contre « la recherche de l'absolu en politique ». Rien n'y a fait. Ni les arguments de la droite ni les raisons d'opportunité n'ont prévalu. « Le Général, observe M. Paul Reynaud, est le seul homme en France à avoir une colonne vertébrale. » C'est « Non ». M. Coste-Floret n'en conclut pas moins que si le vote était secret, le Général voterait « oui ». Le 22 septembre, éclate le discours d'Epinal : le projet est durement condamné avec les attendus de Bayeux. Mais le Général n'empêche pas son adoption par 540 voix contre 106 à l'Assemblée. En élevant le ton, il n'a réussi qu'à y rallier les communistes.

Le 13 octobre 1946, le pays approuve à la minorité de faveur la Constitution : 9 039 032 voix contre 7 830 369. Il y a 7 880 119 abstentions. Paris et de nombreux départements modérés ou radi-

1. Le général leur déclare notamment que le Président de la République doit pouvoir, dans certaines circonstances, constituer lui-même le gouvernement. C'est encore le discours de Bayeux et c'est déjà l'article 16 de la Constitution de 1958. Rarement plus de continuité n'aura été mise au service d'une idée fixe que le Général justifie par le précédent de 1940. Ce prophète est aussi prisonnier de son passé.

caux dans l'Est, conservateurs dans l'Ouest normand ou « chouan » et le sud du Massif Central ont voté « Non ». L'Eglise est partagée [1]. Les électeurs du M.R.P. ne l'ont pas suivi, sauf précisément dans les régions les plus anciennement démocrates-chrétiennes où ses positions sont les plus solides : le Finistère, la Haute-Savoie, où ses leaders sont plus écoutés : en Loire et en Ille-et-Vilaine. Les chefs du mouvement se rendent bien compte que la clientèle traditionnellement modérée les a abandonnés. Tout de suite, ils demandent la révision du projet qui vient d'être adopté et que le Général qualifie et qualifiera pendant douze ans « d'absurde et de périmé ».

Depuis plus d'un an ou même six bonnes années, la République était à la recherche d'une Constitution. Elle l'a... Avec l'âge, plus encore à l'autopsie, elle se révélera fort défectueuse. A sa naissance elle a d'abord un mérite, celui d'exister. Fallait-il aller au-devant d'un nouveau refus du pays, puis d'un nouveau référendum sur un autre projet fort peu différent ? « Au plus tôt, donnez un statut à la République », avait dit M. Vincent Auriol en ouvrant la première séance de la Constituante... Le temps presse. Le salut de la République ne nous permet pas un échec. » Ou bien fallait-il rappeler le général de Gaulle et faire vraiment une autre Constitution ? Le M.R.P. ne l'a pas cru. Sourd aux enseignements du Général, il ne l'est pas aux leçons de la IIIe. Il espère lui donner tort en instituant vraiment une nouvelle République. Il se trompe et le pays avec lui.

1. L'archevêque de Toulouse recommande le oui, son suffragant de Montauban le non tandis que l'évêque d'Auch ne se prononce pas.

Mais si la République a trouvé non sans peine une Constitution, elle ne s'est pas encore trouvée elle-même, il lui faut deux jambes puis une tête, deux assemblées qui éliront un président.

II. — BIDAULT SANS THOREZ = BLUM

Les élections ont lieu le 10 novembre 1946. Elles sont précédées d'une campagne virulente des « gaullistes » contre le parti qui est, à leurs yeux, celui de l'infidélité, le M.R.P. Déjà en août, M. Capitant l'a attaqué, il est le fondateur de l'Union gaulliste et s'entend reprocher de « se livrer à une entreprise de politique alimentaire » en exploitant le nom du Général. En octobre, M. Vendroux, qui vient de quitter le M.R.P., rend publique une lettre de son beau-frère, le général de Gaulle, qui le félicite de ne pas avoir voté une Constitution « foncièrement mauvaise » et s'en prend au passage, sans les nommer, mais chacun les reconnaît, aux leaders M.R.P. qui font « croire qu'en disant oui quand je dis non, on est au fond d'accord avec moi ». En novembre, M. Chaban-Delmas confie à deux mille personnes et en présence de M. Bidault : « Me recevant à Colombey-les-deux-Eglises, le Général m'a dit : « Quand j'ai vu se créer le M.R.P., j'ai eu l'espoir que ce parti nouveau, constitué d'hommes honnêtes et patriotes, allait purifier la vie politique. Après six mois de leur direction, aux affaires publiques, j'ai toujours la conviction que ce parti est dirigé par des hommes scrupuleux. Mais ces hommes, parce qu'ils sont incapables, sont dangereux. » Le colonel Passy s'en prend à M. Maurice Schumann. Les communistes attaquent de leur côté d'autres leaders M.R.P., notamment MM. P.-H. Teitgen et de Menthon. Pour achever de créer le climat de cette bataille d'idées, le scandale du vin est lancé, en octobre. M. Yves Farges joue les procureurs et M. Félix Gouin a beaucoup de peine à feindre les innocents [1]. Les socialistes ripostent en qualifiant le ministre du Ravitaillement de « calamité agricole ». C'est un fait que, le 2 octobre, il arrive 50 bœufs à Paris contre 8 000 dix jours plus tôt.

Cependant, le bon peuple se rend aux urnes pour la cinquième fois depuis un an ; il s'en fatigue un peu et le pourcentage des abstentions bat un record [2]. Mais le pays ne tient nulle rigueur à ceux qui, sous ses yeux, étalent les scandales dont le plus sûr est fait de leurs propres divisions. Les trois partis au pouvoir continuent donc de se partager les faveurs des trois quarts des électeurs. L'opposition — modérée, radicale ou gaulliste — ne marque toujours aucun progrès. Il semble que la vague de fond de la Libération ait définitivement bouleversé les grands courants d'opinion.

1. Il reçoit sur le moment l'absolution du Conseil des ministres qui, après des heures de discussion, réussit à se mettre d'accord sur un communiqué (9 octobre).

2. Le plus élevé depuis 1919 : 21, 9 %.

Les socialistes ont bien perdu un million de voix depuis un an, mais les communistes en ont gagné un demi-million. Si l'ensemble « marxiste » qui approchait de la majorité absolue est en léger recul, la poussée communiste reste le phénomène le plus frappant. Ses raisons sont multiples. La Résistance a donné une sorte de baptême national à l'extrême gauche. Ses cadres, éprouvés par la répression, ont néanmoins assuré la continuité de l'action du parti avant, pendant et après l'occupation, alors que ceux du parti socialiste ont été décimés par l'épuration. Enfin tout porte à croire qu'à la veille de la guerre le parti communiste était en voie de prendre largement le pas sur la S.F.I.O. L'unité syndicale lui avait ouvert bien des milieux ouvriers qui lui étaient jusqu'alors fermés, tandis que le Front populaire l'avait fait pénétrer dans les campagnes traditionnellement « républicaines » du Centre et du Midi. Seul un mode de scrutin qui lui était défavorable pouvait camoufler son implantation aux yeux mi-clos de ses adversaires. En 1936, il n'avait que 11,8 % des sièges. Mais il avait déjà 15,5 % des voix.

Dans le même temps, repoussé sur sa gauche, le parti socialiste glissait sur sa droite et profitant du désarroi des radicaux occupait nombre de leurs positions. Là encore il y eut moins révolution que prolongement d'un phénomène amorcé avant guerre et moins conversion des électeurs que transfert des voix. La France était socialiste en 1945 comme elle était radicale avant 1914. Mais la S.F.I.O. commet l'imprudence de rompre avec les éléments qui voyaient en elle une formation à la fois humaniste et travailliste, renouvelée par la Résistance, et qui aurait été à la gauche du général de Gaulle ce que le M.R.P. était à sa droite. L'esprit de parti ne le veut pas. Du 21 octobre 1945 au 10 novembre 1946, les socialistes perdent ce million de voix qui se disperse, se retrouve en partie en juin au M.R.P., l'année suivante au R.P.F.

La démocratie chrétienne connaît, elle aussi, une résurgence inespérée et provisoire. Elle profite comme les deux autres partis de circonstances exceptionnelles : l'avènement politique de la Résistance et l'effacement électoral, le plus souvent involontaire, des modérés et des radicaux victimes de 1940 ou de Vichy. Quelques signes avant-coureurs de son déclin apparaissent néanmoins là où la droite s'unifie, s'organise ou parfois se présente à son tour comme le parti de la fidélité gaulliste, notamment en Lorraine. Le M.R.P. se proposait de faire une politique de gauche, avec des électeurs de droite, tout en siégeant au centre. Cet équilibre instable est d'autant plus difficile à maintenir que, dans le même temps, il gouverne avec l'extrême gauche. L'avertissement du 13 octobre a été vite oublié. De Gaulle n'intervient pas le 10 novembre. Quand il disparaît ou se tait, le M.R.P. l'emporte. Quand il parle ou réapparaît, la démocratie chrétienne est réduite à ses propres dimensions, et M. Francisque Gay manifeste ses inquiétudes dans de longues épîtres à M. Georges Bidault.

La logique des élections et celle du régime voudraient que le tripartisme se perpétue au gouvernement. Mais le M.R.P. est prisonnier du slogan qu'il a lancé pendant la campagne electorale : « Bidault sans Thorez. » Il entend donc substituer « l'union des vrais démocrates » à l'alliance des trois grands partis, ce qui lui vaut cette réplique instantanée du *Populaire* : « Le M.R.P. croit-il au Père Noël ? » Les socialistes n'entendent pas en effet se passer du concours de l'extrême gauche. M. Guy Mollet rêve même « d'un rassemblement comprenant les communistes, les socialistes, les syndicalistes, les radicaux de gauche et les éléments progressistes du M.R.P. ». Il ne conçoit pas en tout cas que « son parti puisse gouverner sans le parti communiste qui, à lui seul, représente une grande partie de la classe ouvrière ». Il « n'aime d'ailleurs pas le mot d'anticommunisme ». Ce qui lui fait peur en revanche, c'est que le M.R.P. lui fait penser au centre catholique allemand « qui n'a pu, ou su, mettre en échec les trusts et les fascistes allemands [1] ». Léon Blum, lui, ne croit pas que la S.F.I.O. doive refuser le concours du M.R.P., de tout le M.R.P. Enfin le parti communiste revendique pour lui « l'honneur de la responsabilité de la présidence du gouvernement ». « Bidault sans Thorez » ou « Thorez sans Bidault ». Ce ne sera ni l'un ni l'autre. Non sans crise ni drame de conscience.

Le 4 décembre, l'Assemblée Nationale refuse son investiture à Maurice Thorez qui, à la même heure, fête la Sainte-Barbe avec les mineurs de Bruay-en-Artois ; celle-ci lui donne 259 voix alors qu'il en faut 310. Les socialistes avaient décidé

1. Et comme il lui est objecté qu'il en a été de même de la social-démocratie, il répond : « Ce n'est pas la même chose. La social-démocratie a été battue mais le centre, lui, n'a pas combattu. »

de voter pour lui [1]. Vingt-trois se sont abstenus, dont MM. Philip et Edouard Depreux. « Douloureusement disciplinés », selon M. Le Troquer, les autres se sont inclinés et les déchirements de sa conscience conduit l'un d'eux au bord de la crise de nerfs, M. Max Lejeune.

Le lendemain, c'est au tour de M. Bidault. Les radicaux lui font la farce de ne pas voter pour lui et le leader M.R.P. obtient moins de suffrages que M. Thorez. Interrompant ce jeu de massacre qui augure mal du régime, les députés se renvoient à la semaine suivante.

M. Vincent Auriol s'entremet de nouveau et supplée l'absence du président de la République. Il sort de sa poche deux ou trois formules de gouvernement. Aucune ne convient. Le M.R.P. ne veut plus du tripartisme. Les communistes ne veulent pas du quadripartisme ni les socialistes du bipartisme. Le Président de l'Assemblée jette alors sur le papier les bases d'un programme commun. Elles semblent bien fragiles. Rien n'est dit de l'Union française. M. Pleven et le M.R.P. s'en étonnent. Ho Chi-minh ne vient-il pas de déclarer : « Si on nous impose la guerre, nous la ferons [2]. »

1. Le 26 octobre, M. Duclos avait dit, en comptant sur ses doigts : « Il y a quatre présidences à pourvoir, entendons-nous. » Le 30, au cours d'un entretien avec les socialistes, les communistes avaient conclu ce marché : « Votez pour Thorez à la présidence du gouvernement, nous voterons pour Auriol à la présidence de l'Assemblée. » C'est ce qu'on avait appelé l'interdépendance des présidences !

2. M. Ho Chi-minh avait envoyé un télégramme le 28 novembre au doyen d'âge M. Marcel Cachin ; après avoir félicité l'Assemblée, il déplorait la rupture du *modus vivendi* et l'état de guerre régnant entre le Viet-nam et la France. Ni le Parlement ni l'opinion n'en ont rien su : les communistes souhaitaient que le doyen lût le télégramme. M. E. Herriot, en qualité de président des radicaux, s'y oppose, de même que MM. G. Bidault, et Marius Moutet, ministre des Colonies.

Et les finances ! M. Robert Schumann attend depuis des semaines le moment de faire adopter le budget de 1947 : 600 milliards dont 176 de dépenses militaires. Les socialistes demandent que le service militaire soit réduit à six mois. M. Jules Moch propose que tous les bateaux de guerre restent à quai pendant un an. « Programme d'abord » lance la S.F.I.O. Mais personne n'est d'accord.

Adieu formule, programme et majorité. M. Vincent Auriol supplie qu'on lui indique au moins un nom, un homme. On lui en présente plusieurs. M. Gouin ? Nul n'y tient sauf les communistes qui, à chaque crise, n'ont que deux idées fixes : M. Gouin et la défense nationale. M. Schuman ? Les communistes s'y opposent et le M.R.P. préfère M. Bidault. M. Herriot ? C'est trop tôt, disent les radicaux qui ne veulent pas être « les syndics de faillite du tripartisme ». MM. Delbos, Varenne, Queuille, Ramadier ? On épuise déjà l'*Annuaire parlementaire.* M. Vincent Auriol ? Mais il se réserve pour une autre présidence. « Si je réussis on voudra me conserver. »

La crise, puisque c'est bien une crise, est dans l'impasse et pourtant « l'inflation menace et le fascisme pourrait menacer », confie M. Guy Mollet. C'est alors que pour défendre le franc et la liberté, une idée germe dans l'esprit et le cœur des socialistes. M. Vincent Auriol, M. Le Troquer, M. Gouin, M. Daniel Mayer, d'autres encore s'en vont en ambassade à Jouy-en-Josas, cette Rome où réside le pape de la S.F.I.O., un vieil homme, lucide et fébrile, présent à l'événement mais au-delà de la politique ; ils le pressentent et le pressent. Il ne s'agit pas tant de constituer un gouvernement que de sauver les institutions républicaines, lui dit-on, et puis il s'agit d'un ministère de transition jusqu'à l'élection du président de la République. Quelques semaines tout au plus et pendant lesquelles, ministre sans portefeuille, il sera aidé, soutenu, entouré. Quatre jours après, Léon Blum est investi par 575 voix sur 590. La majorité est trop belle.

Le 16 décembre 1946, Léon Blum constitue un gouvernement aussi restreint que sa majorité avait été large à l'Assemblée. C'est un cabinet socialiste homogène, le premier et le dernier du genre. Le gouvernement de concentration républicaine et démocratique a en effet avorté au cours de la nuit. Les radicaux n'ont pas accepté que les communistes aient le ministère de la Défense nationale, ce qu'avait proposé Léon Blum et admis M. Herriot. « Il ne faudrait tout de même pas créer une aristocratie des ministères à laquelle nous n'aurions pas accès », s'était exclamé M. Jacques Duclos. Plutôt que l'Intérieur et les Affaires étrangères, le leader socialiste avait donc offert la Défense nationale aux communistes, qui la destinaient à M. Tillon. Il était cependant convenu que trois secrétaires d'Etat ou même trois ministres d'armes l'auraient entouré : un modéré, un M.R.P. et un radical.

Est-ce parce qu'elle s'étendait jusqu'aux radicaux que la formule du gouvernement quadripartite avait échoué ? Le M.R.P. lui-même n'était guère enchanté à l'idée de confier la Défense nationale à un communiste non plus qu'à celle de retirer au ministre des Finances, c'est-à-dire à

M. Robert Schuman, le crédit pour le remettre à un ministre du « Plan » qui devait être M. Gouin. Enfin, M. Bidault avait provoqué un nouvel incident sur l'Indochine. Avant d'être appelé malgré lui à solliciter l'investiture de l'Assemblée, Léon Blum avait parlé dans *Le Populaire* « de l'indépendance de l'Indochine ». M. Herriot s'en était également ému. Le leader socialiste s'en était expliqué : dans son esprit, l'expression signifiait « indépendance dans le cadre de l'Union française », et il avait ajouté : « de toute manière nous demeurerons fidèles à l'accord du 6 mars [1] ». A quoi M. Bidault répliqua que cet accord « ne comprenait ni le mot ni la notion d'indépendance ». Il avait déjà pris pour devise celle de la maison d'Orange : « Je maintiendrai. »

1. La France y reconnaissait le Viet-nam comme « un Etat libre ayant son gouvernement, son Parlement, son armée et ses finances faisant partie de la Fédération Indochinoise et de l'Union Française ».

CHAPITRE IV

NAISSANCE D'UNE GUERRE

1945 : *9 mars : coup de force japonais contre les troupes françaises ; 11 mars : proclamation de l'indépendance du Viet-nam par Bao-Daï ; 2 septembre : proclamation du Viet-nam indépendant par Ho Chi-minh.*

1946 : *6 mars : Accord franco-vietnamien reconnaissant la République du Viet-nam ; 18 mars : arrivée du général Leclerc à Hanoï ; 10 juin : proclamation de la République de Cochinchine ; 6 juillet : ouverture de la conférence de Fontainebleau ; 14 septembre : signature d'un* modus vivendi *à l'issue de la conférence de Fontainebleau ; 10 novembre : établissement d'un contrôle douanier à Haïphong ; 23 novembre : bombardement français à Haïphong ; 19 décembre : massacre de Français à Hanoï.*

Le 23 novembre 1946, à la demande du commandant d'armes de la place, le colonel Dèbes, et à l'insu du général Morlière [1], le *Suffren* tire de tous ses feux sur le quartier viet-namien de Haïphong. Ce bombardement qui fait des milliers d'innocentes victimes suit toute une série d'incidents douaniers et policiers qui se sont produits les jours précédents dans la zone du port. Il restera très longtemps ignoré du pays, de la presse et bien entendu du Parlement [2]. Pourtant il marque le commencement ou, plus précisément, la reprise des hostilités en Indochine. Le 19 décembre, les troupes et les milices viet-namiennes passent soudainement à l'attaque à Hanoï en massacrant sauvagement quarante Français avant que nos troupes nettoient la ville. L'événement qui, lui, est aussitôt connu, provoque une grande émotion à Paris. Le 23, Léon Blum déclare à l'Assemblée Nationale que l'ordre pacifique doit être rétabli

1. Le général Morlière assure l'intérim de M. Sainteny, commissaire de la République pour le Tonkin et le Nord-Annam depuis le 2 octobre 1945.

2. Des nouvelles « non confirmées » ne font état que d'un bombardement des environs de Haïphong par l'aviation française.

« avant de reprendre avec loyauté l'œuvre interrompue, c'est-à-dire l'organisation d'un Viet-nam libre ». Sept ans plus tard, ce sera le désastre de Dien-bien-phu. La IVe République n'aura su ni éviter, ni arrêter, ni gagner la guerre d'Indochine. Elle en souffrira comme d'un cancer rongeant ses finances, sa politique étrangère, les cadres de son armée. Elle en périra.

Cette guerre est née dans l'ignorance, l'équivoque, et le mensonge, au moins par omission. Le gouvernement, qu'il ait siégé à Alger ou à Paris, n'a jamais connu la véritable situation de l'Indochine. Qui sait même que dès cette époque dix Français, civils ou militaires, y meurent chaque jour ? Qui se souvient des événements qui ont précédé la capitulation du Japon ? Dès le 11 mars 1945, au lendemain du coup de force japonais contre les troupes françaises, l'indépendance du Viet-nam avait été sans plus tarder proclamée par Bao-Daï lui-même. Le 2 septembre suivant, elle l'était de nouveau avec éclat à Hanoï par le gouvernement de Ho Chi-minh, dont le « Conseiller suprême » était le même Bao-Daï. La séparation s'était faite sans violence la première fois ; elle déchaîna la seconde fois la fureur de la foule qui massacra cent cinquante Français à Saïgon.

A cette date le gouvernement a envoyé deux hommes, d'une égale fidélité gaulliste, mais hélas ! d'une inégale clairvoyance. Commandant des forces terrestres, le général Leclerc voyait la situation dans son ensemble, ne doutait pas de la volonté de libération du peuple viet-namien, croyait l'entente possible et nécessaire avec le gouvernement de Hanoï. Il conseilla d'aller jusqu'au mot « d'indépendance » dans son rapport du 14 février 1946. Haut-commissaire, l'amiral Thierry d'Argenlieu avait les yeux fixés sur la Cochinchine, voulait y rétablir comme ailleurs la souveraineté française et les autorités traditionnelles et se refusait à traiter avec Ho Chi-minh qu'il consentira néanmoins à rencontrer le 24 mars. Est-ce parce qu'ils se ressemblent que le moine-soldat et le révolutionnaire-apôtre sont condamnés à ne pas s'entendre ? Leur intelligence, leur culture, leur ascétisme et leur désintéressement sont comparables. Mais l'un met tous ses dons et toute sa volonté au service de l'indépendance de son pays et l'autre les voue à la grandeur du sien.

Au début de 1946, le général Leclerc avait pacifié la Cochinchine et le Sud-Annam. Restait le Tonkin. A la reconquête militaire, jugée impossible avec les moyens dont il disposait, il préféra la solution politique. Le 6 mars 1946, M. Sainteny et Ho Chi-minh signaient enfin un accord laborieusement préparé depuis plusieurs semaines et par lequel le gouvernement français « reconnaît la République du Viet-nam comme un Etat libre ayant son Gouvernement, son Parlement, son armée et ses finances, faisant partie de la Fédération indochinoise et de l'Union Française ». Il était ajouté : « En ce qui concerne la réunion des trois Ky — Cochinchine, Annam, Tonkin — le gouvernement français s'engage à entériner les décisions prises par la population par référendum. » Le gouvernement viet-namien avait fait deux concessions : le mot d'indépendance ne figurait pas dans l'accord et l'unité des trois Ky n'y était pas consacrée. « J'ai de la peine, dit Ho Chi-minh à M. Sainteny, car au fond c'est vous qui avez gagné ; vous savez très bien que je voulais plus que cela [1] », et de fait le chef du gouvernement viet-namien devra s'en défendre à l'égard des nationalistes extrémistes. A Saïgon, l'amiral compara néanmoins cet accord à celui de Munich et commença à succomber à cette perpétuelle tentation des proconsuls civils ou militaires : la politique du fait accompli.

Un gouvernement provisoire de la République de Cochinchine avait été constitué le 26 mars. En contradiction avec les accords du 6 mars, une « République autonome de Cochinchine » y était proclamée le 10 juin et le haut-commissaire qui n'y était évidemment pas étranger s'empressa de la reconnaître. Ho Chi-minh l'apprit dans l'avion qui le conduisait en France où devaient avoir lieu les négociations prévues par l'accord du 6 mars. Il songea un moment à repartir et, pour l'en dissuader, M. Sainteny dut longuement lui expliquer que la décision n'était que provisoire et n'engageait pas l'avenir de la Cochinchine. La conférence de Fontainebleau s'ouvrit par un violent discours de Pham Van Dong. On s'aperçut vite que les Viet-namiens soupçonnaient la France de vouloir revenir sur ses engagements du 6 mars alors que la délégation française accusait les Viet-namiens de vouloir aller au-delà de cet accord. Déjà les incidents renaissaient au Tonkin. La conférence piétinait. Elle n'était même pas terminée que l'Amiral convoquait pour le 1er août à Dalat une

1. Cf. *Histoire d'une paix manquée*, de Jean Sainteny (Amiot-Dumont).

réunion en vue de constituer une Fédération Indochinoise. Or, c'était précisément l'un des points en discussion depuis six mois. « Ne me laissez pas repartir ainsi (les mains vides), armez mon bras contre ceux qui cherchent à me dépasser. Vous n'aurez pas à le regretter », dit Ho Chi-minh à Sainteny. Et prophétique, il ajoutait : « S'il faut nous battre, nous nous battrons. Vous nous tuerez dix hommes, mais nous vous en tuerons un et c'est vous qui finirez par vous lasser. » Enfin le « pauvre modus vivendi » du 14 septembre, qui corrigeait ou camouflait en partie l'échec de la conférence et réservait l'avenir, n'était pas signé que le haut-commissaire instituait unilatéralement, le 10 septembre, un contrôle douanier à Haïphong.

Il y a bien alors deux politiques : celle du gouvernement et celle du haut-commissariat ou plutôt il n'y en a qu'une : la seconde. Noyés depuis un an dans la cascade des consultations électorales, les hommes politiques français n'ont ni le temps ni même la volonté de s'occuper de ce conflit lointain et compliqué. Ils ne se rendent compte ni des changements profonds qui se sont produits tant dans les esprits que dans les structures en Indochine, ni de la force révolutionnaire du Viet-minh, ni des difficultés du gouvernement viet-namien débordé par les nationalistes extrémistes soutenus par les Japonais puis les Chinois [1], ni des procédés dont les autorités de Saïgon

1. Qui en vertu des accords de Potsdam occupent l'Indochine au nord du 16e parallèle et dont les derniers éléments ne quittent Haïphong que le 18 septembre 1946. Pendant tout leur séjour, ils ne cessent d'encourager les plus francophobes des Viet-namiens.

usent tant à l'égard de leurs subordonnés de Hanoï que du gouvernement de Paris. Le 11 novembre, Ho Chi-minh remet, pour être transmise à Paris, une protestation contre la création du bureau de douane de Haïphong. Son message n'est transmis par le haut-commissaire que le 26 ! Trop tard. Le bombardement a eu lieu. Un nouvel appel adressé le 15 décembre à Léon Blum ne lui est communiqué que le 26 ! Trop tard. L'insurrection a commencé. Il y a plus grave que ces télégrammes retardés en transmission. Lorsque, revenu en hâte, M. Sainteny touche Saïgon avant d'aller à Hanoï, le général Valluy, qui assume l'intérim de l'Amiral, ne lui dit mot de l'ultimatum qu'il a envoyé le 23 novembre à Ho Chi-minh. Le colonel Dèbes correspond d'ailleurs directement avec le général et l'incident est sur le point d'être réglé sur place lorsqu'il reçoit l'ordre de se rendre complètement maître de Haïphong, alors que « le diplomate prenant le pas sur le soldat », le général Morlière avait cherché à éviter l'irréparable malgré la mauvaise volonté viet-namienne et la surenchère des extrémistes qui, rangés derrière Giap, avaient profité de la trop longue absence d'Ho Chi-minh.

L'incident de Haïphong pouvait être évité ; un autre se serait produit. L'insurrection de Hanoï était préméditée ; elle aurait eu lieu de toute manière plus tard. Dans les deux camps, les extrémistes poussaient trop à la rupture pour ne pas précipiter la guerre. Le haut-commissariat pensait écarter une poignée d'agitateurs et « trouver d'autres nationalistes » comme devait le dire un peu plus tard l'Amiral, tandis que les Viet-namiens vivaient dans la crainte de voir l'armée française partir à la reconquête militaire. Si dans l'affaire de Hanoï l'attitude de M. Sainteny et du général Morlière a été impeccable, la responsabilité immédiate du colonel Dèbes et du général Valluy, et celle plus politique de l'amiral Thierry d'Argenlieu apparaissent non moins clairement dans les semaines qui ont précédé le bombardement de Haïphong.

Leurs initiatives, politiques et militaires, sont venues chaque fois anéantir les faibles chances d'une entente avec le gouvernement Ho Chi-minh, alors même que son chef était reçu avec pompe à Paris ou était menacé d'être débordé à Hanoï. Mais la cause du conflit est plus profonde. Le Viet-minh et ses alliés n'ont jamais eu d'autre but que l'indépendance du Viet-nam. Dans leur esprit, l'accord du 6 mars devait y conduire. « Ce n'est qu'une étape sur la voie de l'autonomie ou de l'indépendance », disait Giap au lendemain de sa signature. Or, pour M. Bidault, alors chef du gouvernement français, comme pour le M.R.P. et la droite de l'Assemblée, l'accord était un point d'arrivée et non de départ et si socialistes et communistes admettaient, eux, l'indépendance, c'était moins par une conviction profonde ancrée sur une connaissance certaine de la situation que par un vague sentimentalisme anticolonialiste qui volerait en éclats au premier coup de canon. A cette équivoque sur le statut du Viet-nam s'en ajoutait une autre sur ses liens avec la France, sur la conception même de l'Union Française. Ho Chi-minh avait depuis toujours admis et dit que l'indépendance de son pays serait réalisée « dans le cadre de cette union ». Dans son esprit il s'agissait d'égalité, non de subordination. Il parlait indépendance et alliance. On lui répondait liberté et communauté.

Enfin Saïgon et Hanoï regardaient Paris [1]. L'Amiral espérait le retour du général de Gaulle et s'envolait vers la France chaque fois qu'il voulait contrarier la politique de M. Sainteny et du général Leclerc. Lorsqu'il fit de son côté échouer la conférence de Fontainebleau, le Viet-minh espérait sans doute que le gouvernement suivant serait plus conciliant que celui de M. Bidault.

Pour éviter la guerre, il eût fallu du côté français une équipe résolue, imaginative ; un pouvoir fort ; une opinion vigilante. Les ministres n'envisageaient déjà qu'avec beaucoup d'hésitation des solutions qui eussent été bonnes dix ans plus tôt. Le pouvoir était faible, changeant tous les six mois, incapable de définir clairement une politique et de veiller à son exécution. L'opinion était indifférente, plus préoccupée du pain quotidien que d'un conflit lointain.

Lorsqu'il offre ses vœux au pays, le président du Conseil ne dit mot de la guerre ; il lui offre en revanche des étrennes qu'il n'attendait plus : une baisse générale de 5 %. Tous les prix, toutes les étiquettes, toutes les factures doivent être diminués d'autant. L'effet psychologique de cette

1. Le 8 décembre 1946, entre le bombardement de Haïphong et l'insurrection de Hanoï, à un moment où l'irréparable est sur le point de s'accomplir, M. Sainteny écrit à M. Albert Sarrault : « Une fois encore, nous attendons que la lumière nous vienne de Saïgon qui, je le présume, doit la chercher vainement du côté de Paris. Quoi qu'il en soit nous sommes ici pour exécuter des ordres ; mais ces ordres, il faut que nous les recevions », *op. cit.*

mesure spectaculaire est certain : le public espère enfin pouvoir échapper au cycle infernal des hausses. Sa portée pratique est beaucoup plus réduite. Fin janvier, l'indice des prix de détail n'aura baissé que de 1 %, tandis que celui des prix de gros continuera sur sa lancée et montera encore de 3 %. Le leader socialiste n'est plus au pouvoir et le second palier de baisse qu'il avait promis dans les soixante jours souffrira de nombreuses exceptions. En prenant le pouvoir il s'était proposé « de saisir l'occasion d'une stabilisation et d'un redressement qui a été manquée en juin ». Tous les efforts du gouvernement précédent, toute l'activité de la conférence du Palais-Royal, toute l'agitation de l'été n'avaient abouti qu'à une nouvelle flambée inflationniste. Lorsque Léon Blum décide la baisse symbolique de 5 %, les prix ont augmenté de 45 % depuis juin, de 80 % depuis le 1er janvier 1946 ! Moins visible, mais plus efficace, la mise en œuvre du plan d'équipement et de modernisation constitue le seul poste favorable du bilan.

L'année et la période provisoire s'achèvent sur d'autres déboires plus discrètement subis en politique étrangère. Le 6 septembre 1946, le discours de M. Byrnes à Stuttgart [1] a sonné le glas des prétentions françaises sur la séparation de la Rhénanie et l'internationalisation de la Ruhr. Mais ce ne sont pas les socialistes qui porteront le deuil de la politique allemande du général de

1. Le secrétaire d'Etat américain s'y prononce pour l'unité économique et même politique de l'Allemagne ; il y préconise l'établissement d'un gouvernement central de type fédéralisé et désapprouve tout contrôle qui soumettrait « la Ruhr ou la Rhénanie à la domination politique ou aux manœuvres de puissances extérieures ».

Gaulle poursuivie avec autant d'entêtement mais moins d'autorité par M. Bidault ; ils l'ont toujours condamnée. La politique espagnole, maintenue avec non moins de constance par tous les gouvernements, a apparemment plus de succès puisque le 12 décembre l'O.N.U. condamne le régime de Franco ! La France avait auparavant proposé par la voix de M. Jouhaux d'asphyxier économiquement l'Espagne. C'est un des rares domaines où les socialistes se mettent aisément d'accord avec les communistes et le M.R.P. Cette victoire diplomatique, la seule du régime naissant, rejoindra assez vite le musée de ses défaites. Sa politique étrangère n'est et ne sera longtemps qu'un « constant combat en retraite [1] ».

1. Cf. *La IVe République et sa politique extérieure*, par Alfred Grosser (Armand Colin).

CHAPITRE V

DE L'IDYLLE AU DIVORCE

1946 : *10 novembre : élection de l'Assemblée Nationale.*

1947 : *16 janvier : élection de M. Vincent Auriol à la présidence de la République ; 21 janvier : investiture de M. Ramadier ; 18 mars : abstention des communistes dans le vote de confiance sur l'Indochine ; 14 avril : fondation du R.P.F. ; 24 avril : échec de la conférence des Quatre à Moscou ; 5 mai : renvoi des ministres communistes.*

I. — FAUSSE SORTIE

RIEN n'est plus laborieux que de sortir d'un régime provisoire. L'élection de l'Assemblée Nationale, qui a eu lieu le 10 novembre a été suivie le 8 décembre de celle du Conseil de la République, laquelle a été précédée par celle des « grands électeurs » choisis par l'ensemble du pays le 24 novembre [1]. Le Parlement étant enfin au complet, le chef de l'Etat peut être élu le 16 janvier 1947. Nul ne doute depuis plusieurs semaines que ce doit être M. Vincent Auriol, nul sauf le M.R.P. et, pendant quelque temps, M. Herriot. Le M.R.P. espérait encore à l'automne que le général de Gaulle se laisserait fléchir. Le premier résistant de France

1. Le scrutin clôt le cycle électoral ouvert le 21 octobre 1945. Le M.R.P. obtient 25,3 % des voix, le parti communiste 29,3 %, les socialistes 16,6 %, le R.G.R., 14,5 %, les modérés 13,7 %. Réunis avec les conseillers généraux et les députés, les « grands électeurs » ainsi élus au suffrage universel élisent à leur tour les Conseillers de la République selon un système complexe à la fois départemental et national. Le Conseil n'est d'ailleurs que provisoire et doit être réélu en 1948 après l'adoption d'une autre loi électorale.

devrait être le premier président de la IVe République, disait M. Maurice Schumann. Cette illusion perdue, les démocrates-chrétiens qui savent compter découvrent qu'il y a une majorité sans les socialistes et les communistes et qu'un leader M.R.P. peut donc être élu à l'Elysée. Mais ils apprennent vite à compter avec les radicaux, ou plutôt sans eux. Lorsqu'il s'agit de la présidence de l'Assemblée, le M.R.P. présente M. Robert Schuman, préféré au bâtonnier Teitgen et à M. Francisque Gay [1], et le député lorrain obtient 194 voix contre 291 à M. Vincent Auriol. Avant de subir ce premier échec, le M.R.P. s'était offert à voter pour M. Herriot [2], à condition que les radicaux ne présentent pas de candidat contre le sien à l'Elysée. Il ignorait que le marché était déjà conclu avec les socialistes et les communistes : M. Vincent Auriol serait d'abord président de l'Assemblée puis président de la République et M. Herriot lui succéderait au Palais-Bourbon, tandis qu'un communiste présiderait le Conseil de la République. C'était bien là « l'interdépendance des présidences » annoncée par M. Duclos ! Fidèles à leur contrat, les communistes et les socialistes et un nombre suffisant de radicaux, assurent dès le premier tour la majorité absolue à M. Vincent Auriol. Ils confondent également leurs bulletins au Conseil de la République où les socialistes votent pendant trois tours pour M. Marrane. Au troisième, le candidat des communistes manque de peu d'être élu. Ce ne sont pas les suffrages qui

1. Au groupe M.R.P. ils obtiennent respectivement 84, 22 et 15 voix.
2. Décision prise par 51 voix contre 20.

lui font défaut mais les années ; M. Champetier de Ribes obtient 129 voix et M. Marrane... 129. Mais il a six ans de plus. Le bénéfice de l'âge lui vaut d'être le troisième personnage de l'Etat et d'être alité, deux jours après, lorsque le M.R.P. présente sa candidature à la présidence de la République.

Il fait beau mais froid à Versailles le 16 janvier. La salle du congrès est mal éclairée ; les couloirs sont sales, mal chauffés. M. Vincent Auriol qui préside est en veston et s'en excuse auprès des secrétaires généraux des Assemblées qui sont en jaquette. Le M.R.P. est sombre. Il a hésité jusqu'au dernier moment à retirer son candidat ; il le maintient finalement et attend le second tour. Mais il n'y en aura qu'un. M. Bidault lit attentivement son journal. Aucune pompe, aucune solennité ne préside à cette journée « historique ». La IVe naît dans l'ennui et le négligé. Car cette fois le douloureux et laborieux accouchement est bien terminé. M. Vincent Auriol est élu président de la République par 452 voix contre 242 à M. Champetier de Ribes [1]. On s'embrasse beaucoup chez les socialistes. On se donne rendez-vous pour la semaine suivante chez les radicaux. On est un peu triste au M.R.P. et d'autant que, fidèle à lui-même, M. Guy Mollet profite de l'occasion pour souhaiter que la personnalité chargée de constituer le gouvernement ait pour premier soin d'en exclure les amis de M. Bidault. Le Secrétaire

1. 122 à M. Gasser, radical, et 60 à un député modéré, M. Michel Clemenceau, le fils de son père. Les chiffres prouvent que, en plus des voix socialistes et communistes, M. Vincent Auriol en a obtenu chez les radicaux et les modérés.

général du parti socialiste est d'ailleurs partisan de la reconduction du cabinet Blum. Mais l'opération se heurte au refus des communistes, à l'appétit des radicaux auxquels un jeûne ministériel d'une année commence à peser et, enfin, à l'extrême fatigue du leader de la S.F.I.O.

Le lendemain matin de son élection, M. Vincent Auriol sonde les chefs de partis, il fait défiler les noms de MM. Depreux, Philip, Jules Moch et enfin Paul Ramadier. Mais en réalité son choix est depuis longtemps fixé sur ce dernier, son camarade d'enfance et de parti ; il en a fait la confidence à M. André Stibio bien avant d'être élu président de la République[1] : « Je vous étonnerais si je vous disais à qui je pense comme chef du gouvernement lorsque Léon Blum s'en ira », et il lui cita le nom de cet honnête homme qui a notamment pour lui de savoir lire le grec dans le texte.

Voici donc enfin la IVe République pourvue et parée en sa nouveauté de ses quatre Présidents, et tous sont des anciens de la IIIe. Qui l'eût cru le 10 juillet 1940 à Vichy et plus encore le 25 août 1944, le jour où de Gaulle réinstallait l'Etat à Paris ? M. Vincent Auriol est député depuis 1914 et il a été ministre des Finances du Front Populaire dans le sillage de Léon Blum. M. Herriot s'identifie aux années 1924-1940. M. Champetier de Ribes a longtemps promené sa longue et noble silhouette dans les Assemblées. Enfin M. Ramadier, dont la démarche est plus pesante, a gravi plus lentement les degrés du parti socialiste, du

1. *Indiscrétions. (La Jeune Parque).*

Parlement et de la Franc-Maçonnerie à laquelle il dira lui-même appartenir un jour de confidence à l'Assemblée. Le voici au faîte.

M. Ramadier est investi sans la moindre difficulté. Il recueille même les voix unanimes des 549 votants. Cette fois encore, la majorité est trop belle et, cette fois encore, le scénario classique va se jouer. Le parti communiste réclame de nouveau la Défense nationale. Mais cette fois il n'est plus question de la lui refuser. Les socialistes ne peuvent que lui rendre la monnaie de la pièce que par trois fois il leur a payée. Le M.R.P. élève bien des objections : il exige un décret qui définirait, c'est-à-dire qui diminuerait les pouvoirs des ministres de la Défense nationale. « Qui donc pourrait faire abstraction des communistes quand il s'agit d'organiser la défense nationale ? » s'écrie M. Ramadier. La nomination des généraux ne pourrait-elle au moins relever du président du Conseil ainsi que le commandement des troupes en opérations et en occupation ? demande le M.R.P. M. Ramadier le promet. L'air, la marine, la guerre ne pourraient-ils être non des secrétariats d'Etat, mais des ministères placés sur un pied d'égalité avec celui de la Défense nationale [1]. M. Ramadier en donne l'assurance et il accorde aux communistes ce que, du général de Gaulle à Léon Blum, tous ses prédécesseurs leur avaient refusé. M. Billoux s'installe rue Saint-Dominique. « La fin de l'exclusive qui pesait sur nous est la

1. M. Jacquinot et les modérés proposent de remplacer le ministre de la Défense nationale par un ministre d'Etat, chargé de la coordination de la défense nationale ; M. Ramadier refuse. « Une telle solution dit-il, serait préjudiciable tant à la coordination gouvernementale qu'à celle de la défense nationale. »

reconnaissance du caractère national de notre parti », proclame aussitôt M. Duclos.

Promesse faite d'un décret, M. Ramadier peut enfin présenter son cabinet à l'Assemblée et violer une première fois la Constitution. Par la force de l'habitude de la IIIe, le gouvernement sollicite la confiance de sa majorité et l'obtient, non sans perdre vingt-huit voix depuis le vote d'investiture. C'est ce qu'on appelle « la double investiture ». Rien de tel n'avait été prévu par les Constituants de 1946. La présentation du cabinet à la Chambre se comprenait sous le régime de 1875. Elle était alors l'occasion du premier contact du président du Conseil avec sa majorité, du premier vote. Elle était sans raison d'être et même sans fondement juridique sous la IVe ; elle allait même à l'encontre de l'esprit de la nouvelle Constitution. Désigné par le président de la République, le président du Conseil ne pouvait former son gouvernement qu'après avoir été investi personnellement de la confiance de l'Assemblée. C'était une manière d'accroître son autorité, d'en faire vraiment le chef du pouvoir exécutif et non seulement l'agent du pouvoir législatif. En sollicitant un second vote de confiance, cette fois collective, le président du Conseil allait perdre en fait le pouvoir qui lui était reconnu en droit. En appliquant la nouvelle Constitution dans l'esprit des anciennes procédures, on viciait dès le départ le fonctionnement de la IVe République. Cette erreur, suivie d'autres, allait non seulement retarder le moment où laborieusement constituée l'équipe gouvernementale pouvait enfin se mettre au travail, mais elle devait parfois interrompre prématurément son existence. Deux gouvernements ne vécurent que le temps séparant le vote de l'investiture de leur chef et le refus de la confiance qu'il avait sollicitée deux ou trois jours après [1]. A l'usage, « la double investiture » sera jugée inutile, dangereuse et même un peu ridicule. Elle sera abrogée en 1954. Nul n'y songe lorsque M. Ramadier l'institue le 28 janvier.

La IVe République présente en ce jour l'image de l'union à défaut d'avoir le visage de la nouveauté. Toutes les familles politiques, les anciennes comme les plus jeunes, se retrouvent autour de la table du Conseil des ministres. Jamais les deux « partis frères », communiste et socialiste, n'ont paru mieux s'entendre ; ils se sont accordé mutuellement tout ce qu'ils désiraient depuis le début de l'année. C'est une idylle ; trois mois plus tard, ce sera le divorce.

En vérité, les partis associés au pouvoir s'aperçoivent assez vite qu'ils ne sont d'accord sur rien : sur le ravitaillement dont aucun ne veut avoir la responsabilité, et lorsque les socialistes proposeront de créer des commissions de collectes pour le bétail, le M.R.P. et les modérés crieront à la « collectivisation » ; sur la politique des nationalisations que les socialistes veulent étendre à la sidérurgie, à l'industrie chimique et à la marine marchande, et M. Robert Schuman menacera de donner sa démission à ce sujet ; sur l'organisation de la défense nationale qui laisse insatisfaits les radicaux, les modérés et le M.R.P. ; sur le traité d'alliance franco-britannique dont la signature

1. Voir en annexe la liste des ministres de la IVe République.

est longtemps retardée à la demande des communistes ; sur la politique des salaires et des prix dont ils se désolidarisent chaque jour davantage, et enfin sur la politique d'outre-mer, sur l'Afrique du Nord, Madagascar et surtout sur l'Indochine.

Le 19 mars, le comité central du parti communiste déclare qu'il « ne croit pas possible de voter des crédits militaires pour la poursuite de la guerre contre le Viet-nam ». La veille, son groupe parlementaire s'est abstenu lors du vote de confiance sur la politique du gouvernement en Indochine et le scrutin a été précédé d'un incident : M. Billoux est resté assis au banc des ministres alors que M. Ramadier rendait hommage au corps expéditionnaire d'Extrême-Orient. M. Billoux est ministre de la Défense nationale. « N'approuvant pas la politique de force, nous ne pouvons lui donner les moyens de s'exercer », dit M. Duclos.

Ministre de la France d'Outre-mer, M. Moutet était revenu d'Indochine en y ayant entendu et vu ce qu'on lui avait dit et montré ; il était parti pour négocier, il est revenu avec la volonté de faire la guerre. Les socialistes le suivent difficilement ; ils soupçonnent le haut-commissaire d'avoir circonvenu le ministre. « Par son attitude cavalière à l'égard du gouvernement, il justifie pleinement les doutes que nous avions émis tant sur son action que sur ses aptitudes à représenter un gouvernement démocratique », écrit le *Populaire,* le 8 février. L'amiral Thierry d'Argenlieu vient en effet d'accroître les pouvoirs du gouvernement de Cochinchine sans en référer à Paris. Léon Blum avait déjà songé à le remplacer par le général Leclerc, mais celui-ci avait refusé sur les instances du général de Gaulle. M. Ramadier le sollicite lui aussi, mais devant un nouveau refus, il cherchera un haut-commissaire pendant plus d'un mois. Tous les ministres sont alors d'accord pour négocier. Mais avec qui ? Dès le 14 janvier, l'Amiral a préconisé, dans un rapport officiel, la restauration de Bao-Daï. Les socialistes ne le suivent pas : ils supplient qu'on ne « laisse passer aucune occasion d'engager des négociations avec les éléments les plus représentatifs du Viet-nam », et dans leur esprit il s'agit, non pas exclusivement mais spécialement du Viet-minh. Ho Chi-minh trouve même des défenseurs jusqu'au M.R.P. « Il a été débordé par des éléments extrémistes », dit M. Max André [1].

Le 11 mars, Nam-Dinh a été repris — et c'est une première occasion pour les ministres communistes de rester assis à leur banc. La reprise de la ville marque la défaite militaire des insurgés. Moralement, leur situation n'est pas meilleure. La population est lasse et supporte mal leurs méthodes totalitaires. Bref, le moment est apparemment favorable pour appliquer la doctrine officielle française. « Je n'ai jamais considéré qu'une décision militaire pût se substituer aux solutions politiques », avait proclamé M. Moutet en janvier. L'ordre étant rétabli, le moment n'est-il pas venu de négocier ? Le jour

1. Il est vrai que M. Max André dit aussi à la même époque : « Les communistes se trompent en croyant que Ho Chi-minh est des leurs. C'est un révolutionnaire tout simplement ; il a même fait assassiner des communistes. » M. Max André passe alors pour un spécialiste reconnu des questions indochinoises et il a présidé la délégation française à la conférence de Fontainebleau.

même où le comité central communiste refuse de voter les crédits pour l'Indochine, le bruit court que l'on attend d'un moment à l'autre des propositions de paix de Ho Chi-minh. Mais « a-t-il l'autorité pour négocier ? est-il libre ? est-il même vivant ? » se demande M. Ramadier dont les propos prouvent à cette heure combien Paris est bien renseigné sur l'Indochine. Mais tout va bientôt changer. La vérité est dite par l'adversaire : « La clef de la situation indochinoise, c'est la politique intérieure française [1]. »

M. Ramadier déclare qu'il donnera sa démission si les communistes ne votent pas la question de confiance posée sur les crédits militaires pour l'Indochine. Il exhorte les communistes en termes pathétiques : « Je vous demande, les yeux dans les yeux, vous avez du courage, vous l'avez prouvé ; mais le vrai courage n'est-ce pas de ne jamais se mentir à soi-même. Si vous vous obstinez, vous savez bien que malgré les astuces subalternes, je ne peux prévoir jusqu'où cela pourra aller. Sera-ce jusqu'à la fin de la République, jusqu'à la fin de la France ? Si vous maintenez votre abstention, vous ramènerez la politique française à cette opposition fondamentale entre communisme et anticommunisme que nous avons tout fait pour éviter... » Ce morceau de bravoure est suivi, trois jours après, d'une astuce subalterne : les communistes s'abstiennent mais leurs ministres votent. La solidarité gouvernementale, c'est-à-dire l'apparence, est sauve. C'est alors au tour des radicaux de vou-

1. Ho Chi-minh à un journaliste américain, d'après Philippe Devillers, *op. cit.*

loir s'en aller. Leur groupe en décide ainsi à deux voix de majorité. Mais finalement leurs ministres restent [1].

Cette tragi-comédie où les fausses sorties font plus penser au Palais-Royal qu'au Palais-Bourbon n'est qu'un lever de rideau.

En avril, ce n'est plus seulement le banc du gouvernement que les ministres communistes momentanément et symboliquement vont quitter, c'est la salle du Conseil. Il s'agit de Madagascar où une insurrection a éclaté le 29 mars. Le gouvernement veut demander la levée de l'immunité parlementaire des députés malgaches qui en sont tenus pour responsables. Les ministres communistes refusent et font une sortie spectaculaire avant la fin du conseil de cabinet du 16 avril. Imperturbable, M. Ramadier déclare solennellement : « La solidarité ministérielle n'a été rompue par aucun acte, quel qu'il soit. » Pourtant ce n'est ni sur l'Indochine ni sur Madagascar que la rupture se produit le 4 mai 1947.

1. Le retrait demandé par MM. Cudenet et Giaobbi et combattu par MM. Marie et Herriot est voté par 28 voix contre 26. Mais trois membres du groupe dont deux ministres étant absents, on considère que la majorité aurait changé de sens s'ils avaient été là !

II — VRAIE RUPTURE

La conférence de Moscou s'est achevée sur un échec, le 24 avril. La France s'y est trouvée dès l'ouverture en désaccord avec un, deux ou même trois des autres grands.

S'agit-il du contrôle international de la Ruhr ? M. Bevin s'est tout de suite élevé contre les propositions de M. Molotov que soutient M. Bidault. S'agit-il des exportations de charbon allemand ? La Grande-Bretagne et les Etats-Unis se sont opposés aux demandes de la France appuyée par l'U.R.S.S. S'agit-il des limitations de la capacité de production de l'Allemagne ? Ce sont les Soviétiques et les Anglais qui n'ont pas suivi les Français.

S'agit-il de l'unification économique de l'Allemagne ? On a trouvé M. Bevin et le général Marshall d'un côté et M. Bidault et M. Molotov de l'autre. S'agit-il au contraire de la création d'un gouvernement central allemand ? M. Bidault se trouve seul contre M. Molotov, M. Bevin et le général Marshall.

La position française est constante et peut ainsi se définir : ni unité ni industrialisation de l'Allemagne. La première est une menace contre la sécurité française et la seconde contre la paix mondiale. L'Allemagne doit produire des matières premières et laisser à d'autres le soin de les transformer. Cette conception est d'autant moins réaliste qu'à toutes les raisons politiques que les Anglo-Américains ont de s'y opposer s'ajoute le fait économique qu'ils sauvent à leurs frais ce pays de la famine.

S'agit-il enfin de la Sarre ? C'est sur elle que, devant la débâcle de ses positions, la délégation française va se replier, c'est à propos d'elle que va s'opérer son retournement. Jusque-là la France a voulu jouer, sinon la neutralité, du moins la conciliation entre les Anglo-Saxons et les Soviétiques. Si l'on ajoute le problème des frontières polono-allemandes, qu'elle considère comme « un état de fait », elle s'est au total trouvée jusqu'alors moins en désaccord avec les Soviétiques qu'avec les Anglo-Saxons.

Dès le début de la conférence, M. Bidault avait demandé le rattachement économique de la Sarre à la France. Le général Marshall n'avait pas dit non, M. Bevin avait renâclé et M. Molotov s'était tu. A l'approche de la fin — et de l'échec — de la conférence, les Anglo-Saxons se rallient sous certaines conditions à la revendication française. Ils savent ce qu'ils font : d'un seul coup ils éloignent la France de la Ruhr et... de l'Union Soviétique. Les Anglais s'étaient refusés à l'origine à tout contrôle sur le bassin minier pour la simple raison qu'il était situé dans leur zone ; ils s'opposèrent par la suite avec les Américains à tout contrôle quadripartite puisqu'il aurait donné à l'U.R.S.S. la possibilité de conserver un droit de regard au cœur de l'Allemagne.

Pour achever de renverser la position française, les Anglo-Américains s'offrent à assumer eux-mêmes des livraisons de charbon allemand à la France, c'est-à-dire à supprimer la raison principale qu'elle avait de faire cause commune avec l'Union Soviétique. M. Bidault signe un accord le 21 avril avec M. Bevin et le général Marshall. Trois jours après, la conférence s'achève en effet sur un procès-verbal de carence et son échec va provoquer la rupture entre l'Est et l'Ouest.

La France a perdu toutes les illusions qu'elle entretenait sur sa politique allemande et sa neutralité. Elle n'a obtenu ni le contrôle international de la Ruhr, ni la division politique de l'Allemagne, ni bien entendu la séparation de la Rhénanie, ni même le rattachement inconditionnel et définitif de la Sarre.

Les besoins de son économie ou de sa sécurité, ou plus simplement la géographie, l'ont placée dans le camp occidental. Elle doit renoncer à toute politique d'équilibre entre l'Est et l'Ouest. M. Bidault se console aisément. De Moscou, il se félicite au moins de ramener « un peu de charbon ». Un autre avait vendu son droit d'aînesse pour beaucoup moins. Le ministre des Affaires étrangères incarne bien à cette heure la politique française qui, pendant cet-après-guerre, consiste à proclamer en tous domaines des principes, à s'y cramponner, puis à céder d'un coup en acceptant, sous la pression de l'événement ou de l'étranger ou des deux à la fois, un compromis plus conforme au rapport des forces ou simplement à la réalité.

La fin de la conférence de Moscou libère M. Bidault. A la mi-mars, lors de la fausse sortie des communistes, il avait fait savoir qu'il fallait à tout prix éviter une crise ministérielle. Outre qu'il est toujours inconfortable pour un négociateur de se trouver en l'air, le ministre des Affaires étrangères escomptait bien l'appui soviétique pour ses thèses allemandes. Le parti communiste espérait, de son côté, empêcher le gouvernement de rejoindre complètement le camp occidental. L'échec de la conférence libère tout à fois le ministre et le parti, si étroitement alliés jusqu'ici ; il marque la fin de la politique d'équilibre tentée par la France, la rupture entre l'Est et l'Ouest, rupture que pouvait déjà laisser prévoir le discours du président Truman du 12 mars [1] — contemporain de la fausse crise sur l'Indochine — et qui va être suivie du départ des communistes de tous les gouvernements d'Europe occidentale.

Déjà moins libre de ses mouvements dans l'arène diplomatique, le gouvernement l'est également moins sur le terrain politique. Il n'avait jusqu'alors à se garder ni sur sa gauche ni sur sa droite et c'est au moment où la retraite communiste va le découvrir d'un côté que l'offensive gaulliste va le menacer de l'autre. Ce printemps est décidément plein de signes précurseurs qui apparaissent avec un synchronisme surprenant.

Le général de Gaulle était resté silencieux — mais non pas inactif — depuis son discours du 1er novembre ; il n'a rien dit mais il a beaucoup reçu. A la mi-février, il est resté plus longtemps

1. Portant essentiellement sur l'aide à la Grèce et à la Turquie, il protestait contre « la coercition et les procédés d'intimidation employés en Pologne, en Roumanie et en Bulgarie » et se proposait d'aider « les peuples libres qui résistent actuellement aux manœuvres de certaines minorités armées ou à la pression extérieure ». Il condamnait en fait les régimes communistes.

que de coutume à Paris et le gouvernement s'en est inquiété comme des campagnes contre le gouvernement, le régime et même le Président de la République (Conseil des ministres du 14). En mars, le Général a refusé l'invitation à déjeuner que M. Vincent Auriol lui a adressée à l'occasion du voyage du prince-régent de Belgique à Paris. Enfin le 30, c'est le discours de Bruneval en Normandie. Il s'agit d'une manifestation patriotique. Les honneurs sont rendus et les généraux sont nombreux mais, de mille cris, la foule appelle « de Gaulle au pouvoir ». Lui-même évoque plus la Résistance que la Constitution, mais comme à son habitude, il ménage à la fin un effet de surprise et de mystère : « Le jour va venir où, rejetant les jeux stériles et réformant le cadre mal bâti où s'égare la Nation et se disqualifie l'Etat, la masse immense des Français se rassemblera avec la France. » Qu'est-ce à dire ? Les partis courent à l'interprétation la plus hardie. N'est-ce pas là la menace d'un coup d'Etat ?

Et le jour même, à l'autre bout de la France, en Avignon, M. Ramadier s'écrie : « Il n'y a point de sauveur suprême, ni César ni tribun. » Le lendemain, il est à Colombey-les-deux-Eglises. M. Ramadier est le premier — et le dernier — président du Conseil à s'y rendre. Certains ministres s'en offusquent : ils auraient voulu que le Général vînt à Paris. La communication qui lui est faite par le chef du gouvernement vaut en effet le déplacement : le gouvernement a décidé que le Général serait privé d'honneurs militaires et de radiodiffusion lors des manifestations n'ayant pas un caractère officiel. Au conseil des ministres, M. Thorez le qualifie de « factieux » tandis que M. Jacquinot tire une leçon plus mesurée de l'événement : « A chacun sa vérité, à chacun sa République. »

Le Général avait donné rendez-vous à ses fidèles et au pays le dimanche suivant à Strasbourg. Il y critique les partis, non les hommes « fort dignes et fort capables de diriger les affaires publiques mais que le système lui-même ne laisse pas d'égarer et de paralyser », et il conclut : « Il est temps que se forme et s'organise le rassemblement du peuple français qui, dans le cadre des lois, va promouvoir et faire triompher, par-dessus les différences des opinions, le grand effort du salut commun et la réforme profonde de l'Etat. » « Le cadre des lois » est à dessein en bonne place et, pour éloigner de lui tout soupçon, le Général a non moins opportunément rappelé qu'il avait écarté lui-même à la Libération « toute aventure plébiscitaire » dont il se dit convaincu « que dans l'état de l'esprit public et dans la conjoncture internationale, elle aurait finalement abouti à des secousses désastreuses [1]. »

Le doute n'est plus possible : un nouveau mouvement politique va naître, mais que sera-t-il, ce rassemblement qui n'a pas encore droit à une majuscule : dieu, table ou cuvette ? ligue, parti

1. Léon Blum le prend au piège de cette confession et lui réplique qu'il en serait de même en avril 1947 et qu'il ne lui reste que les deux autres solutions qu'il cite lui-même dans son discours de Strasbourg : « entrer dans le jeu des partis » ou « laisser faire leur expérience ».

ou cartel ? Il faut encore attendre huit jours pour en savoir davantage, car la médecine gaulliste est homéopathique. Le 14 avril, le Général déclare : « Aujourd'hui est créé le Rassemblement du Peuple Français. J'en prends la direction... J'invite à se joindre à moi dans le Rassemblement, toutes les Françaises et tous les Français qui veulent s'unir pour le salut commun. »

Pourquoi, passant de la réserve à l'active, le Général se jette-t-il dans la mêlée ? Parce que d'abord l'homme est de ceux qui aiment alterner la réflexion et l'action ; il se morfond à Colombey. Chaque jour il y reçoit deux cents lettres et trouve parfois dans son courrier une carte déchirée d'adhérent du parti communiste. Il croit alors à un ébranlement grave des positions de l'extrême gauche et de la C.G.T. et, voulant lancer un mouvement qui ne soit pas réactionnaire, pense y attirer des éléments populaires devenus disponibles. Puis il vit toujours sous l'impression psychologique du précédent historique du 18 juin ; il ne veut pas intervenir quand il sera trop tard et encourir le reproche de n'avoir rien fait alors qu'il croit que la « catastrophe » est inéluctable. Agitation sociale, effondrement monétaire ou débâcle de l'Union française ? Il ne sait. Mais une fois de plus en avance sur l'histoire il dit : « Les Français réagiront au moment où ils craindront de perdre l'Algérie. » Ou bien l'une et l'autre de ces crises surviendra et il aura eu raison d'agir, de ne pas attendre sans bouger le moment d'être appelé au pouvoir. Ou bien rien de tout cela n'arrivera et il rentrera dans le rang. Mais il va être entraîné par le dynamisme propre du mouvement qu'il lance, de l'opposition même à laquelle il se heurtera.

Le R.P.F. est né. A Strasbourg, son président a condamné « le caractère inquiétant et exceptionnel des ambitions, de la tactique, des procédés » des communistes. A Rennes, en juillet, alors qu'ils ont quitté le gouvernement, il dira que « l'unité nationale est en péril par le fait d'un groupement d'hommes dont ceux qui les mènent placent au-dessus de tout le service d'un Etat étranger ». Six ans plus tard, M. Ramadier ne répondra pas à la question posée par J.-R. Tournoux : N'est-ce pas la création du R.P.F. qui l'a conduit à évincer les communistes pour constituer une « troisième force » ? Mais de Gaulle n'a jamais répondu à cette autre question : n'a-t-il pas choisi de lancer le Rassemblement, d'enfoncer un coin dans le tripartisme au moment précis où la rupture entre l'Est et l'Ouest se dessinait à Moscou ?

En France, une occasion s'offre qui permettra, consciemment pour quelques-uns, inconsciemment pour la plupart, de camoufler le véritable motif du divorce. La situation économique du pays ne s'est pas améliorée depuis le début de l'année. Elle s'est plutôt aggravée. La production plafonne, celle du charbon a même baissé. Le ravitaillement se raréfie et si le gouvernement en discute interminablement, il n'y peut mais : les stocks de farine et de beurre sont épuisés, les ressources en viande inexistantes. On suggère de n'autoriser les restaurants à n'en servir qu'une semaine sur deux, de n'ouvrir les boucheries que trois jours sur sept, bref de prendre des mesures dont le seul effet serait d'alimenter le marché noir. Car finalement on convient d'attendre la belle saison. En attendant, l'inflation, un moment endiguée, va de nouveau déferler. Elle pousse les prix en avant et les salaires s'essoufflent à les rattraper.

M. Benoît Frachon polémique avec Léon Blum ; il affirme que l'augmentation des salaires n'est pas incompatible avec la stabilité des prix. Le leader socialiste prend le problème autrement et répond : « La monnaie dépend des prix. Les prix dépendent du ravitaillement. Le ravitaillement dépend de la monnaie. C'est le type de ce qu'on appelle un cercle vicieux. » Il faut donc le briser en frappant sur les prix. C'est ce qu'il a fait en janvier et les effets en furent sensibles jusqu'en avril. Le chef syndicaliste réplique que cette politique a fait faillite et soutient qu'il suffit de frapper en effet un coup, mais cette fois sur les profits. Ce duel va bientôt se prolonger sur le terrain politique entre M. Thorez et M. Ramadier à la suite de la grève Renault. Le 25 avril, mille cinq cents ouvriers ont cessé le travail malgré l'avis contraire des délégués cégétistes. Quatre jours après, il y a dix mille grévistes. Les socialistes, les syndicats chrétiens et le M.R.P. se réjouissent bruyamment de voir mise en échec la C.G.T. Le lendemain, renversant brutalement sa position, la centrale syndicale donne l'ordre de débrayer à tous les ouvriers et le parti communiste décide du même coup d'appuyer les revendications du personnel. Il peut en effet admettre bien des concessions pour demeurer au pouvoir, sauf le risque d'être tourné sur sa gauche. Léon Blum conviendra qu'une « faute a été commise vis-à-vis du parti communiste et de la direction communiste de la C.G.T. » et qu'on a pris « un futile et malin plaisir à les mettre dans l'embarras à propos des incidents complexes de la grève Renault ». Trop tard.

Un conseil des ministres a été convoqué inopinément au soir symbolique du 1er mai. M. Thorez y déclare que son parti se désolidarise de la politique des salaires et des prix pratiquée par le gouvernement. M. Tillon ajoute que les communistes — et lui en particulier — sont en désaccord sur tout depuis trois mois. Leur décision est en tout cas arrêtée depuis le jour où, en conseil des ministres, ils se sont prononcés contre l'accord charbonnier, signé le 21 avril à Moscou par MM. Bidault, Bevin, Marshall. M. Ramadier va-t-il donner sa démission ou mettre fin aux fonctions de ses ministres communistes ? Il décide de soumettre le conflit à l'Assemblée nationale. On voit bien l'artifice : les membres du gouvernement seront obligés de cette façon de manifester leur attitude dans un scrutin clair et public alors qu'ils ne votent pas en conseil des ministres ; ceux qui refuseront la confiance seront démissionnaires ou considérés comme tels. Mais ce faisant, on rendait les députés juges d'un conflit purement gouvernemental ; on sacrifiait au régime d'Assemblée. Avant que cette tragédie s'achève, une dernière comédie devait se jouer.

Ayant voté contre la confiance avec leur groupe, les ministres communistes prennent le malin plaisir de ne pas donner leur démission et font la grève sur le tas. Le président du Conseil va-t-il les remercier cette fois ? Il décide de saisir le comité directeur de son parti qui se prononce à trois voix de majorité pour la démission collective du cabinet ; sur quoi les parlementaires socialistes se contentent de réclamer un remaniement du ministère et forcent les dirigeants du parti à s'y rallier — à une voix de majorité. En faisant ses amis politiques juges souverains d'un problème gouvernemental, le président du Conseil sacrifie au régime des partis.

Après quoi il prend son ultime décision en accord avec le Président de la République et les quatre ministres d'Etat, MM. Gouin, Teitgen, Delbos et Roclore, c'est-à-dire les représentants des quatre partis associés au gouvernement. Puis, en leur présence, il en informe le cinquième ministre d'Etat, M. Maurice Thorez. Le leader communiste, qui attendait la démission du gouvernement tout entier, s'empourpre et proteste. On lui représente qu'il est impossible de refuser sa confiance à un gouvernement et d'y rester. « Ce serait couvrir les institutions parlementaires d'un discrédit, d'un ridicule indélébiles », estime Léon Blum.

Le 5 mai, paraît au *Journal officiel* le décret décidant que les fonctions des ministres communistes « sont considérées comme ayant pris fin à la suite du vote qu'ils ont émis à l'Assemblée nationale le 4 mai 1947 ». Cette curieuse rédaction rejette la responsabilité sur les ministres défaillants. Les juristes discutent de sa légalité. La Constitution n'a pas prévu le cas. Mais qui nomme ne peut-il révoquer ? En tout cas les commentateurs en soulignent la portée politique : ce décret comporte l'institution d'un « véritable président du Conseil ». Il était temps en effet.

Tout paraît réglé. Mais ayant obtenu l'autorisation préalable de son parti, le chef du gouvernement doit encore solliciter son approbation après coup. Deux thèses s'affrontent de nouveau : celle de M. Guy Mollet qui ne conçoit pas que les socialistes puissent gouverner sans les communistes et réclame la démission collective du cabinet, et celle de MM. Ramadier et Léon Blum qui, non sans difficulté, font finalement admettre le maintien et le remaniement du ministère, à la seule et solennelle condition qu'il donne sa démission « s'il devait être soutenu par une majorité réactionnaire ».

Si la S.F.I.O. s'est ainsi résignée à faire ce qu'elle s'était juré de ne jamais faire, « ce n'est pas, écrit Léon Blum, pour entamer ou préparer d'aboutir à la constitution d'un bloc anticommuniste en France, d'un bloc antisoviétique dans le monde ». Comblé de bien des dons, il lui a toujours manqué celui de prophétie.

Que des événements aussi différents que la guerre d'Indochine, l'insurrection de Madagascar, la grève Renault et la création du R.P.F. aient concouru, d'un côté ou de l'autre, à la rupture, préparé les esprits, offert des occasions ou des justifications, créé le climat, cela est évident. Mais la cause profonde est le « grand schisme » qui sépare l'Ouest de l'Est à la suite de la Conférence de Moscou. Encore cet échec a-t-il moins provoqué que révélé la cassure entre les deux mondes. La confiance n'a jamais régné entre les alliés et la méfiance n'a cessé de se développer depuis l'armistice. L'U.R.S.S. est résolue à conserver ses conquêtes militaires et à étendre son emprise politique. Les Etats-Unis sont non moins décidés à défendre l'Occident pour peu qu'il s'aide lui-même. Dès août 1945, le président Truman s'était étonné que le général de Gaulle, reçu à la Maison Blanche, eût mal accueilli le conseil qu'il lui avait donné de se séparer de ses ministres communistes. En juin 1946, Léon Blum, qui avait été chargé de négocier de nouveaux emprunts outre-Atlantique, s'était employé à démentir pendant et après son voyage qu'ils puissent impliquer des conditions politiques. En 1947, le message Truman ne laisse aucun doute sur la volonté américaine de voir éliminer les communistes des divers gouvernements de l'Europe. La Belgique donne le signal, puis l'Italie avant même la France.

La situation économique ne peut s'améliorer sans aide étrangère. Pour vivre, il faut importer, donc exporter, donc produire. Or, le manque de charbon et de matières premières fait plafonner la production et le gouvernement en est obsédé. Les Américains ont été séduits par le plan Monnet. Courtier avisé, son inventeur a su le leur « vendre ». Sans crédits américains, ni entente occidentale — car déjà il y songe — le plan ne peut démarrer ni le pays s'émanciper de la présence communiste. Les impératifs de l'économie française s'accordent parfaitement avec ceux de la politique américaine. Les communistes sont les premiers à le savoir et à le redouter. S'ils insistent tant pour avoir du charbon allemand ou anglais, c'est pour qu'il ne soit pas américain.

Le divorce particulier entre les communistes et les autres partis français n'est donc que le reflet d'une question plus générale [1]. Pourtant ni les uns ni les autres n'en ont une claire conscience au moment où il se produit. Le parti communiste ne se promet-il pas de demeurer « un parti de gouvernement » et les socialistes de ne se prêter à aucune coalition contre leurs frères séparés ?

Pas plus que celui du général de Gaulle, quinze mois auparavant, le départ des communistes ne provoque le moindre mouvement d'opinion, moins encore de rue. Le gouvernement craignait pourtant le pire. Il avait fait chercher sur son lit de malade, à Lyon, M. Herriot afin qu'en son absence M. Duclos ne soit, en sa qualité de premier vice-président de l'Assemblée, le second personnage de l'Etat. Il avait consigné les troupes et redoutait le déclenchement de grèves qui ne se sont pas produites. « Ceux qui en parlent sont des imbéciles », dit simplement M. Duclos. Les communistes étaient d'autant moins prêts à mobiliser les masses qu'ils escomptaient la démission du gouvernement.

En sacrifiant au « régime d'Assemblée » comme au « régime de partis », M. Ramadier avait donné son sens à la IVe République ; en acceptant de

1. Dix ans après, M. Ramadier semble l'ignorer et renverse même l'ordre des facteurs dans la correspondance qu'il a échangée à ce sujet avec Jean-Raymond Tournoux qui la rapporte dans ses *Carnets secrets de la politique* (Plon). Il écrit : « La rupture avec les communistes se présentait comme un simple événement de politique intérieure française et n'avait pas d'incidences internationales. Nous en avons donné l'assurance aussi bien aux représentants de l'U.R.S.S. qu'aux autres pays... »

gouverner sans et bientôt contre les communistes et le général de Gaulle, en créant la troisième force, il lui a donné son contenu. Ni juridiquement ni politiquement, le régime n'a plus à se chercher ; il s'est trouvé. Le 4 mai 1947, marque vraiment l'avènement de la IVe République.

DEUXIÈME PARTIE

LA QUATRIÈME SE TROUVE

1947-1952

LA TROISIÈME FORCE

Le nouveau régime s'est apparemment dégagé sans douleur de trois entraves qui gênaient la liberté de ses mouvements et sans doute aussi celle de ses mœurs. Tout ce qui était dur, résistant, inassimilable a été évacué progressivement comme si le génie de la facilité avait présidé à sa lente gestation. Chacune des trois années qui viennent de s'écouler a été marquée par une rupture, un grand départ. En 1945, celui de M. Mendès-France, « inattelable » dira plus tard le général de Gaulle, laissera la IVe se traîner dans l'ornière de l'inflation jusqu'en 1952. En 1946, la démission du général de Gaulle l'a privée d'un guide qui, comme il le dira lui-même, se trompe quelquefois dans ce qu'il fait, mais rarement dans ce qu'il prévoit. En 1947, l'éviction des communistes lui enlèvera enfin un soutien populaire et parlementaire et achèvera, par contrecoup, de la ramener sur les chemins attardés de la IIIe.

Successivement à chacune de ces séparations, le régime a pris son tournant en politique financière, en matière constitutionnelle et en politique étrangère.

Le destin de la IVe République n'est scellé qu'en 1947, mais il l'est tout entier dès le 4 mai. Elle a sa constitution et son personnel. Elle a sa « troisième force » immuable jusqu'en 1951 et son inflation jusqu'en 1952, sa paix africaine et sa guerre indochinoise jusqu'en 1954. Elle a plus longtemps sa politique économique et sa politique européenne, solidaires et positives. Car ces politiques n'ont en définitive qu'un inspirateur, M. Jean Monnet, et qu'un commanditaire, les Etats-Unis.

La Constitution de la IVe n'est pas le fruit d'une idée claire, moins encore d'une doctrine ; elle est celui d'une transaction politique. Son rapporteur l'avait qualifiée de « solution médiane entre un système présidentiel fondé sur la séparation absolue des pouvoirs et un gouvernement d'Assemblée sur la confusion des pouvoirs », entre la Constitution proposée par le général de Gaulle en juin 1946 — et appliquée par lui en 1958 — et celle que le pays avait rejetée le 5 mai 1946. Mais en réalité, elle est plus proche de la seconde que de la première ; elle ne renie pas les principes du projet socialo-communiste. Elle est plutôt un compromis entre celui-ci et la Constitution de 1875.

Il n'y a plus une Assemblée unique, comme dans celle du 5 mai 1946, il y en a deux, mais la seconde a moins de pouvoirs que sous le régime de 1875. L'ancien Sénat enterrait souvent dans ses cartons les textes qui inquiétaient son conservatisme ; le nouveau Conseil de la République conseillera, comme le veut son nom, et ne décidera plus. Chambre de réflexion, non de réaction. Le Président de la République a plus de pouvoirs que dans le projet du 5 mai, mais moins que sous la IIIe. Encore s'est-on contenté de lui retirer en droit ceux qu'il n'exerçait plus en fait : la disposition des forces armées, le droit de dissolution, l'initiative des lois... Mais on lui redonne le droit de grâce qu'il n'avait plus le 5 mai. S'agit-il enfin du gouvernement ? Son chef est nommé par le chef de l'Etat comme sous la IIIe République, mais après qu'il ait été investi par l'Assemblée et non « élu » comme le voulait la première Constituante.

C'est sur ce point, beaucoup plus que sur les précédents, que deux conceptions opposées paraissent inconciliables et les compromis illusoires. L'une fait du gouvernement une émanation du Parlement, « une commission du corps législatif choisie pour être le corps exécutif [1] ». L'autre fait au contraire du Premier ministre une émanation, un agent, un commis du président de la République. La première théorie est celle du gouvernement d'Assemblée qui avait inspiré les auteurs de la Constitution du 5 mai : le président de la République présentait des candidats ; l'Assemblée en choisissait, en élisait un. La seconde théorie est celle des Constituants de 1875 avant d'être celle du général de Gaulle : les ministres sont les mandataires du président de la Répu-

1. Bageot cité par M. Laferrière.

blique et leur chef n'est que le premier parmi eux ; il n'a même pas droit au titre de président du Conseil.

Entre le gouvernement « commission » de l'Assemblée et le gouvernement « commis » du Président, il n'y a de compromis que dans la confusion dont ont péri deux Républiques. En vain Léon Blum a voulu la dissiper ou la définir avec clarté : « Notre Constitution a créé non pas un organe unique de gouvernement mais deux organes distincts et complémentaires dont l'un est le ministère, dont l'autre est le Parlement... *La Chambre gouverne tout autant que ce qu'on appelle le Gouvernement...* Ce sont deux rouages dont les mouvements soudés, le jeu combiné, les battements isochrones devraient concourir à la même fin. » Ce conditionnel est de 1918. Le futur devait être bien différent et le fonctionnement du mécanisme beaucoup moins harmonieux. Les Constituants de 1946 imaginent en réaction des mécanismes plus brutaux. Les gouvernements tombaient tous les six mois avant 1940. Nés d'une majorité de rencontre, et fort relative au sens propre comme au figuré, ils étaient assassinés par surprise. Désormais il faut que leur chef soit investi à la majorité absolue. L'homme qui jouira ainsi de la confiance de plus de la moitié des députés aura une autorité et une stabilité accrues, d'autant plus sûres que pour le renverser l'opposition doit à son tour réunir la majorité absolue. On suppose que si cette majorité est capable d'abattre un gouvernement au crépuscule, elle doit être en mesure de le remplacer avant l'aube. Rêve de légistes et barrière de papier ! La réalité a toujours été que, siégeant aux extrêmes, l'opposition, ou plutôt les oppositions, peuvent conjuguer leurs forces pour détruire, non pour construire. Cette loi non écrite de l'accélération des crises a toujours été plus forte que la Constitution, que le frein inventé par les Constituants de 1946.

En vérité, cet édifice constitutionnel reposait, dans l'esprit de ses architectes, sur des fondations politiques qu'ils croyaient durables : sur l'alliance de trois grands partis organisés et disciplinés, sur l'idée que le pouvoir législatif n'entrerait pas en conflit avec le pouvoir exécutif puisqu'ils étaient issus des mêmes partis, composés des mêmes éléments, sur l'illusion que du haut en bas les ministres engageraient les parlementaires de leur parti et que celui-ci engagerait ses militants, que chacun respectant ainsi le contrat, le pays appuierait le Parlement et celui-ci le gouvernement. Ni crise ni grève n'apparaissaient possibles. Or, le tripartisme ne devait pas survivre au premier semestre de la IVe, ni l'unité syndicale à sa première année. Fruit d'une transaction, le nouveau régime l'était aussi d'une illusion.

En effet, la belle architecture qui faisait des partis la poutre maîtresse du régime s'est vite délabrée. La discipline est moindre dans les groupes ; les personnalités comptent davantage. Longtemps on dénoncera la IVe République comme le régime des partis alors que, dès 1947, les hommes et les formations du centre, dont le style et l'esprit sont hérités de la IIIe, font de plus en plus la loi dans les gouvernements et les Assemblées.

Les partis ne seront bientôt que l'ombre d'eux-mêmes et le retrait des communistes va accentuer cette évolution. En dehors de ses conséquences politiques, il a rapidement des effets mécaniques sur le fonctionnement même du système. Leur place dans les majorités et les ministères va être prise par des libéraux, de droite ou du centre, mais avant tout hostiles au concept de parti et rebelles à toute discipline. Peu nombreux au moins à l'origine, ils pèseront à l'image d'un appoint qui fera souvent basculer la balance des forces. Il suffira qu'ils se déplacent légèrement de part et d'autre de l'axe des majorités pour changer le sens des votes.

C'est précisément à propos de cette année cruciale qu'André Siegfried cite le mot profond de Valéry : « Le monde ne vaut que par les extrêmes et ne dure que par les moyens ; il ne vaut que par les ultras et ne dure que par les modérés. »

Les partis restés au pouvoir après le départ des communistes n'ont guère le choix ; ils doivent faire face à une double opposition dont le ton, les méthodes et parfois les coups vont se faire de plus en plus durs. En mai, M. Thorez confiait encore, bonasse : « Très vite nous reviendrons au gouvernement, plus nombreux encore. » En juin, alors même que monte la marée des grèves, le parti continue à réclamer comme si de rien n'était « la formation d'un gouvernement où les communistes occuperont une place conforme aux indications du suffrage universel ». En septembre, il se souvient tout à coup de la crise de mai et se déchaîne après coup « contre l'éviction des ministres communistes sous la pression des Etats-Unis ». Qu'est-il arrivé depuis l'été sinon que M. Molotov est venu à Paris s'opposer officiellement au plan Marshall et authentifier la rupture définitive entre l'Ouest et l'Est ? En octobre, est créé le Kominform et M. André Jdanov dénonce « la trahison » du gouvernement Ramadier. Cette fois les communistes ont compris ; à la fin du mois, le comité central confessera humblement qu'il a « tardé à apprécier avec la netteté nécessaire les profondes modifications survenues dans la situation internationale... et la subordination totale de la politique française aux exigences des Etats-Unis ». Ils abandonneront toute idée de se rapprocher des socialistes et du pouvoir et passeront enfin à l'opposition la plus déterminée, parfois la plus furieuse. Pour eux il n'est que deux partis, le leur et tous les autres qui n'en font qu'un : « le parti américain », gaullistes compris.

Dans le même temps, le R.P.F. a suivi une progression parallèle et son chef a parcouru la France. De ville en ville et de discours en discours, il s'est fait plus âpre, plus combatif. En juin, il en était encore aux avertissements, au vœu classique d'un Etat fort « dont la tête en soit une ».

En juillet, il attaque les communistes qualifiés pour la première fois de « séparatistes » et son réquisitoire atteint une violence jamais égalée ni par lui-même ni par aucun autre : « Sur notre sol, au milieu de nous, des hommes ont fait vœu d'obéissance aux ordres d'une entreprise étrangère de domination dirigée par les maîtres d'une grande puissance slave. Ils ont pour but de parvenir à la dictature chez nous comme leurs semblables ont pu réussir à le faire ailleurs ; pour atteindre leurs fins, il n'y a pas de moyen que ces hommes n'emploient... » Ce langage clair et vif comme une épée, il en use aussi sans relâche contre le régime exclusif des partis ; il frappe, il ferraille, il raille : « Ces petits partis qui cuisent leur petite soupe au petit coin de leur feu », « ces états-majors sans troupe », « les républicains ont pris des habitudes, celles d'habiter des palais, d'avoir des huissiers, d'utiliser des téléphones ». Enfin « il ne suffit pas de dire qu'on *est* la République, pour qu'on *soit* la République ».

En octobre, le régime ayant chancelé sous ses coups aux élections municipales, il l'invitera vainement au suicide : « Il n'y a pas d'autres devoirs, ni d'autre issue démocratique que de recourir au pays. »

Pris entre deux forces, le régime a commencé par opposer la seule qu'il ait, celle d'inertie ; il s'est placé sur la défensive. « On assiste de tous côtés à une espèce d'assaut contre l'autorité démocratique », dit en juin le chef du gouvernement. En août, il passe à l'offensive : « Ni la dictature de la masse ni l'homme providentiel ne nous sauveront. » En octobre, alors que déferlent la vague du rassemblement gaulliste et celle des grèves, naît la troisième force. Et c'est M. Guy Mollet qui la baptise. Revenu au cours de l'été de son long commerce avec l'extrême gauche et considérant que les fautes communistes et soviétiques rendent impossible le retour du parti communiste au pouvoir, il sonne le rassemblement « des républicains d'obédience française ».

Mais pour qu'apparaisse vraiment la troisième force, il faut sans doute que disparaisse M. Ramadier. Mort sans sépulture, il prépare lui-même sa succession depuis que le M.R.P. lui a signifié poliment son congé le 12 novembre 1947, tandis que, sans le prévenir, M. Guy Mollet annonce inopinément, le 19, qu'il lui a découvert un héritier : M. Léon Blum. Le vieux leader socialiste qui, depuis son retour de captivité, a pris la déplorable habitude de dire clairement ce qu'il pense [1], en appelle aux adversaires de « la dictature impersonnelle d'un parti » comme à ceux « du pouvoir personnel d'un homme » ; il dit encore, l'imprudent : « Le danger est double. D'une part, le communisme international a ouvertement déclaré la guerre à la démocratie française. D'autre part, il s'est constitué un parti dont l'objectif — peut-être l'objectif unique — est de dessaisir la souveraineté nationale de ses droits fondamentaux », et il conclut : « Le vote que vous allez émettre signifiera qu'existe ou non ce que j'ai appelé la troisième force ou tout au moins si elle est capable de prendre conscience d'elle-même, d'agir et de gouverner. » La réponse est brutale comme la question : à neuf voix près l'investiture est refusée au leader socialiste qui, digne et triste, quitte l'hémicycle, souffrant moins de son échec personnel que des déceptions que tour à tour lui font éprouver son parti et son pays, de ce sentiment dont il ne se défait pas depuis plus de deux ans, « d'une longue convalescence fatiguée qui est propre à toutes les infections ». Atterré, son parti se

1. A M. Naegelen qui lui conseille d'arrondir les angles de sa déclaration, il répond : « J'entrerai, le mois prochain, dans ma soixante-seizième année, je dois donc m'attendre à comparaître bientôt devant le juge suprême ; ne me demandez pas de commettre de telles habiletés. » (*Mémoires* de Jacques Dumaine.)

rend compte, mais un peu tard, qu'il vient de se fourvoyer.

La troisième force est mort-née, du moins comme force. Elle n'est qu'une donnée de fait qui résulte de l'existence d'une double opposition. Elle prendra assez conscience d'elle-même pour refuser l'année suivante « le pont » que M. Pleven se propose de jeter entre elle et le R.P.F., assez pour résister au flot des grèves qui déferleront jusqu'à la fin de 1948, mais jamais assez pour mettre un minimum d'idéal et d'unité au service d'une action continue jusqu'au terme normal que le calendrier a fixé à l'Assemblée : 1951. Divisée contre elle-même, subissant la pesanteur de ses composantes conservatrices, la troisième force se perdra au moment même où elle se trouvera enfin, en 1949, lorsqu'elle fera effectivement face à la double pression des communistes et du R.P.F. Elle dégénérera sous le règne débonnaire du docteur Queuille en cet « immobilisme » dont, contre lui, M. Pleven fut l'inventeur avant d'en être à son tour le praticien.

Les débuts de tous les régimes sont difficiles. Mais celui-ci donne l'impression de n'en jamais finir de commencer ; il est ce terrain vague où les fondations ont parfois figure de ruines. Les élections ne doivent pas avoir lieu avant quatre ans, mais l'Assemblée donne tous les signes d'une fin de législature, d'une vieillesse prématurée. Le pouvoir, dans sa tête, comme dans ses membres, n'a point la hardiesse de ceux qui ont l'avenir devant eux, mais la nonchalance de ceux qui ont vécu et suivent sans enthousiasme les habitudes passées.

Car si la IVe a ses institutions, elle a aussi son personnel. Le ministère que l'Assemblée s'empresse d'investir après l'échec de M. Léon Blum, celui de M. Robert Schuman, est un tableau de la grande famille républicaine ; à lui seul il comprend onze futurs grands personnages du régime : sept présidents du Conseil [1], deux proconsuls d'Algérie, un président de l'Assemblée et le second et dernier président de la IVe République ! Au-dessus d'eux, poussant l'un et barrant l'autre, ayant ses têtes et se trompant souvent dans ses choix, évoluant à son aise dans le maquis parlementaire, s'efforçant comme à plaisir de trouver un compromis entre les hommes, les partis, les projets ou les programmes ; se mêlant des affaires publiques au-delà de ses pouvoirs constitutionnels, créant une fonction présidentielle à sa mesure, dessaisissant à l'occasion les ministres des dossiers difficiles ou les bombardant de notes techniques, bousculant les fonctionnaires, présidant, voyageant, proclamant, parlant beaucoup, écoutant plus rarement, le chef de l'Etat : M. Auriol. Il n'était pas très sûr dans les premiers mois d'achever son septennat, ni même de l'entamer sérieusement. Plus d'une fois, il a pensé faire ses malles, interrogé son entourage : « Serons-nous ici demain ? » lorsque la vague gaulliste et communiste battait jusqu'aux portes du Palais. Plus tard, une mauvaise dent devait lui donner une forte fièvre qui enfiévra les radicaux pressés de recueillir une succession qui n'était pas ouverte,

1. MM. André Marie, Georges Bidault, Jules Moch, René Mayer et Pierre Pflimlin, ministres, Bourgès-Maunoury, secrétaire d'Etat, et Gaillard, sous-secrétaire d'Etat.

et M. Vincent Auriol, qui ne le pardonna pas à M. Queuille, put mesurer combien il se trouvait isolé dans la cage dorée de l'Elysée. Plus tragique fut sa solitude lorsque les mystères de l'affaire des généraux rôdant autour de la Présidence donna un moment l'espoir au R.P.F. d'atteindre le régime à sa tête. Père et garant de la Constitution, M. Vincent Auriol s'identifiait à la IVe République. Il eut naturellement l'impression qu'elle ne tenait que par lui.

M. Robert Schuman est de ces hommes dont, à les voir, on imagine mal qu'ils aient pu avoir vingt ans. Mais, à les connaître, on découvre qu'à soixante-dix ils ont une fraîcheur d'esprit que n'a plus la jeunesse. Une atmosphère d'humilité enveloppe tout son personnage : son maintien, strict et courbé, sa démarche contenue, sa parole sourde et calculée. Il entre dans l'hémicycle comme un religieux gagne sa stalle dans le chœur. A la tribune, il pèse longuement ses arguments comme un vieux pharmacien ses pilules. L'auditoire ne s'impatiente pas, il s'endort. Si, pour le ranimer, il pousse sa voix jusqu'à se faire entendre, alors l'accent dont il ne peut se défaire prend le dessus et divertit, ou le dessert. « C'est un moteur à gaz pauvre », dit de lui M. Bidault. C'était bien trouvé. La réplique ne tarda pas : « Tout le monde ne peut avoir un moteur à alcool », confia M. Robert Schuman à qui voulut bien le rapporter.

Des ministres en cohorte se souviennent avec terreur et sympathie des heures d'ennuis que, ministre des Affaires étrangères, il leur a infligées en leur exposant interminablement ce qu'ils avaient lu dans le journal de la veille. M. Vincent Auriol, qui pourtant n'est pas bref lui-même, subit plus d'une fois le martyre. M. Robert Schuman pardonne plus aisément aux autres d'être long. Lorsqu'il devient auditeur, il reste des heures durant attentif, immobile, silencieux, même sous l'attaque ou l'outrage. Ses seules réactions se lisent à la couleur de son occiput ; le rouge sang annonce quelquefois un mot. Pas toujours. Ministre des Finances il subit sans broncher l'assaut des interpellateurs et quand l'un d'eux le presse de réagir enfin, on croit l'avoir entendu dire : « J'écoute les discours, mais j'attends les recettes. »

On ne lui connaît que deux amours : ses livres et sa province qui déborde les frontières. Est-il vraiment M.R.P. ? « Je suis un catholique mosellan », répond-il. Estimé de tous, il est peu aimé. En tout cas, il a peu d'amis, même dans son propre parti. Au nom de « 1940 », M. Francisque Gay l'a ouvertement combattu en 1947. M. Bidault ne lui a jamais pardonné de lui avoir succédé au Quai d'Orsay en 1948. M. Pflimlin s'est toujours tenu à distance comme Strasbourg de Metz.

Luxembourgeois de naissance, Germanique d'éducation, Romain de toujours et Français de cœur, il était destiné à être l'un des princes de l'Europe. Avec M. De Gasperi et le Chancelier Adenauer, il constitua cette trinité qui fit espérer aux démocrates-chrétiens le règne bienheureux de cette Europe céleste et craindre à M. Guy Mollet l'avènement des légions politiques du « Vaticform ».

Etranger à tout sentiment nationaliste, il est

aussi favorable à l'intégration européenne qu'à l'indépendance africaine. Apprécié des socialistes et même des radicaux, mais dans la mesure où ils le préfèrent à M. Georges Bidault, M. Robert Schuman a été longtemps l'ennemi N° 1 de l'extrême droite et de l'extrême gauche de l'Assemblée. Pourtant proche des modérés, il n'a jamais eu beaucoup de sympathie parmi eux. Ce fut toujours un solitaire et sa véritable vocation eût été celle d'un contemplatif. Il a été six fois ministre.

CHAPITRE PREMIER

L'ANNÉE TERRIBLE

1947 : *4 juin : grèves à la S.N.C.F., puis à l'E.D.F., dans les services publics et les mines ; 5 juin : discours Marshall ; 6 août : rejet par le Gouvernement de l'accord C.G.T.-C.N.P.F. ; septembre : grèves en province ; 14 octobre : grève des transports parisiens ; 17 novembre : nouvelle vague de grèves ; 19 novembre : démission de M. Ramadier ; 22 novembre : investiture de M. R. Schuman ; 9 décembre : fin des grèves.*

L'ANNÉE terrible va durer en réalité près d'un an et demi. La première grande grève éclate le 4 juin 1947 et la dernière s'éteint le 29 novembre 1948. Entre ces deux dates tous les services publics et de nombreux secteurs privés seront tour à tour touchés. Pratiquement, le mouvement giratoire ne cessera pas ; il se ralentit en été mais atteint son paroxysme au printemps et à l'automne. L'ordre est plusieurs fois troublé. En décembre 1947, l'émeute se déchaîne dans le Midi ; il y a des morts à Marseille et à Valence. En octobre 1948, la troupe doit dégager les mines du Nord. Partout, les communistes sont à l'avant-garde du combat.

Le mouvement a-t-il un caractère politique ? Pour s'en convaincre, il est inutile d'imaginer, comme M. Ramadier, l'existence d'un « chef d'orchestre clandestin », ni de découvrir comme M. Jules Moch les consignes secrètes du Kominform dans la sacoche d'un militant arrêté dans le Vaucluse. Il suffit de considérer le rapport des forces à l'intérieur et à l'extérieur, de consulter la carte du monde, sans oublier celle du ravitaillement.

Avec résolution, puis avec fureur, les communistes cherchent à abattre le gouvernement, et derrière lui le régime. Le seul répit qu'ils observent coïncide avec la venue de M. Molotov à Paris où M. Bevin et M. Bidault tentent pour la forme de le rallier au plan Marshall. Cet échec attendu ne fait qu'approfondir le fossé entre l'Est et l'Ouest. A l'automne, les violences redoublent dans les usines et dans la rue comme à l'Assemblée. Le gouvernement rappelle des classes et entreprend de faire adopter un projet faisant respecter la liberté du travail.

La séance du 29 novembre 1947 dure... jusqu'au 3 décembre aux cris de « A bas les Allemands ! » et de « Vive la République ! ». Qu'ont à voir à l'affaire ces malheureux Allemands qui, à la même heure, crèvent de faim sous leurs ruines ? Rien, sinon que le chef du gouvernement est M. Robert Schuman et qu'il a vécu outre-Rhin avant 1914. « Voilà le boche ! » lui lance M. Jacques Duclos lorsqu'il entre en séance [1]. M. Jules Moch n'est pas mieux traité. Juif et combattant des deux guerres, on lui crie : « Heil Hitler ! ». « Valet ! » est la moindre des injures dont il est abreuvé. Quand il essaie de défendre le service d'ordre, il devient un « assassin » et un « sanglant polichinelle ». Tous ensemble, les ministres sont des « chiens couchants » et des « salauds » et l'ascendant de l'extrême gauche est tel que l'Assemblée abasourdie et son président somnolent laissent passer le déluge en s'abritant, de temps en temps,

1. M. Duclos dit encore, et ses propos figurent au *Journal officiel* : « Le président du Conseil est un ancien officier allemand. C'est un boche, ce président du Conseil. »

sous le Règlement. Le jour où il fait l'éloge des soldats du 17e, M. Callas est exclu mais, avant d'obéir, il occupe toute la nuit la tribune de l'Assemblée.

Sans doute les communistes n'auraient-ils pas pris autant de risques, dont celui d'être isolés a toujours été le plus redouté d'eux, si longtemps la classe ouvrière ne les avait laissé faire ou ne les avait suivis, c'est-à-dire si elle avait mangé à sa faim. Or, l'indice des prix a doublé pendant l'année terrible et celui du salaire horaire réel a baissé. Plus significatif encore est le fait que chaque poussée des grèves est immédiatement précédée d'une chute du pouvoir d'achat.

A chaque fois, le même scénario se renouvelle. Le gouvernement n'accepte pas d'augmenter les salaires dans la proportion où le demandent les syndicats, ou parfois même à leur insu les salariés eux-mêmes. Le travail cesse dans une ville où une profession s'étend, puis s'arrête après que le gouvernement ait accordé plus qu'il n'avait refusé huit jours auparavant. Pour se couvrir, il déguise volontiers l'augmentation et va jusqu'à la baptiser prime de production alors qu'il sort moins de charbon des mines et moins d'électricité des centrales. Les salaires finissent par rattraper les prix au moment où ceux-ci repartent de l'avant, et la course recommence.

La vie chère n'est rien auprès du ravitaillement qui souffre autant des mauvaises récoltes que des mesures gouvernementales. De véritables émeutes de la faim ont lieu dans plusieurs villes. En août 1947, la ration de pain tombe à 200 grammes et atteint son niveau le plus bas depuis 1940 [1] ! Dans les files d'attente, les ménagères se prennent à regretter à haute voix le temps des Allemands. A défaut d'une politique, les gouvernants inventent des formules « les yeux mi-clos » pour la viande ; les « magasins-témoins » ; la « double étiquette ». En vain. Tantôt la hausse est jugulée, mais les denrées disparaissent comme pendant le premier semestre de 1947 ; tantôt les marchés sont approvisionnés, mais les prix montent comme au cours du second semestre de 1948.

Par trois fois, un règlement est esquissé qui permettrait de reprendre les rênes des salaires et des prix. La première tentative est faite par les intéressés eux-mêmes en dehors du gouvernement. La C.G.T. et le C.N.P.F. signent un accord qui augmente les salaires de 11 % et prévoit la révision ou la libération des prix. Conclu le 1er août 1947, l'accord est rejeté le 6 par M. Ramadier. Inévitablement, les grèves et les manifestations reprennent en septembre.

En décembre, le ministère Schuman met à profit le repli stratégique de la C.G.T. Il essaie de s'attaquer à la racine du mal, à l'inflation, sous l'un de ses aspects : l'excès de la demande sur l'offre. Le prélèvement exceptionnel sur les revenus et le retrait des billets de cinq mille francs constituent une double ponction monétaire tandis que la liberté du marché de l'or a pour but de tarir un des profits du marché parallèle. Enfin le franc est dévalué. Mais industriels ou agricoles, les producteurs cherchent à se couvrir et les prix

1. 23 septembre 1940 : 350 g ; 1er janvier 1942 : 275 ; 10 octobre 1944 : 350 g ; 1er mai 1947 : 250 g.

montent en février. En mars enfin, mais pour peu de temps, on prononce un mot que l'on n'a pas entendu depuis un an, celui de baisse. Trop tard. Les grèves reprennent et, de plus en plus divisés, les syndicats se retrouveront unanimes en août pour se dresser contre la thérapeutique classique proposée par M. Paul Reynaud, ministre des Finances de l'éphémère cabinet André Marie.

Ce n'est qu'en novembre 1948 qu'une troisième remise en ordre, c'est-à-dire en hausse, est réalisée avec plus de succès par le gouvernement de M. Queuille après le reflux définitif de la grande marée sociale qui, en se retirant, découvre un paysage désolé. Le bilan est désastreux. L'unité du mouvement syndical a été brisée par la scission de *Force Ouvrière* envisagée dès juillet et définitive en décembre 1947. La classe ouvrière a perdu pour très longtemps confiance en ses dirigeants, sinon en elle-même. Des millions de journées de travail ont été perdues. La production a peu progressé. Celle du charbon a même baissé. Elle est inférieure en 1948 à celle de 1947 qui était plus faible que celle de 1946. L'inflation s'est aggravée. Une nouvelle dévaluation est devenue nécessaire. En septembre, le louis d'or a atteint 6 125 francs.

Cette crise a au moins un résultat. Elle a enseigné à la classe ouvrière qu'une majoration des salaires s'annule d'elle-même si elle ne correspond pas à un accroissement de la production. L'augmentation nominale du pouvoir d'achat est une duperie. Seule compte l'augmentation réelle. Plus que le patronat privé, de plus en plus maître de ses mouvements, le grand patron qu'est l'Etat, et qui vient de se révéler un véritable et redoutable patron de combat, en tirera bien argument pour refuser ou retarder une amélioration à ses propres salariés ; mais s'il a trop souvent conseillé de faire ce qu'il disait et non ce qu'il faisait, ouvriers et patrons sont dès lors convaincus qu'il faut s'attaquer à l'autre versant de l'inflation, à l'insuffisance de l'offre par rapport à la demande.

Dès 1946, à l'instigation de M. Jean Monnet, les gouvernements ont parfaitement compris que la priorité devait être donnée aux industries de base, c'est-à-dire à l'énergie et à l'équipement au détriment des biens de consommation. Cinq années de guerre, c'est-à-dire de désinvestissement relatif, avaient suivi dix années de vieillissement absolu. Moins durement atteinte par la grande crise de 1930, l'économie française avait réagi aussi plus tardivement et moins énergiquement et se trouvait en pleine stagnation en 1939. « N'ayant pas le plein emploi de ses capacités de production, l'industrie française n'a guère, au cours de ces années, renouvelé ses outillages et ses méthodes [1]. » Faute d'avoir dévalué en temps utile, les débouchés extérieurs étaient perdus ou délaissés tandis qu'une population en voie de régression, elle aussi, n'offrait de son côté qu'un marché intérieur en peau de chagrin.

M. Jean Monnet ne l'a pas caché lorsque, le 16 mars 1946, il a présenté son premier rapport au conseil du plan ; il a chiffré à 700 milliards de francs (de 1938) les pertes en capital dues à la guerre et à 500 le retard d'équipement des

1. *Forces et faiblesses de l'Economie française*, M. Jeanneney.

années 1929-1939. Pour la France, plus que toute autre nation, il s'agit bien d'investir ou de mourir.

M. Georges Bidault traduit cette nécessité en déclarant : « Nous n'avons pas à choisir entre le confort et l'équipement, entre le beurre et les machines. Nous n'aurons le confort que si nous avons l'équipement, et le beurre que si nous avons les machines. »

Le premier plan Monnet se fixait comme objectif de dépasser de 25 % en 1950 la production de 1929, mais il posait deux conditions : la livraison de vingt millions de tonnes de charbon allemand (et, de conférence en conférence, les Français ne les obtinrent jamais), et un programme d'importation de 11 milliards de dollars qui déséquilibrerait inévitablement la balance des comptes. Aussi, dès ce moment, l'auteur du plan ne se dissimulait-il pas que seule « une aide de l'extérieur » pourrait permettre de faire face à ce déficit. Peu de temps après, il accompagnait Léon Blum outre-Atlantique et négociait l'accord du 28 mai 1947. Mais, faute de main-d'œuvre et de livraisons suffisantes de charbon, on s'aperçut vite que les objectifs du plan étaient trop ambitieux. Contrairement à ce qu'on escomptait, le niveau de 1938 n'était pas atteint à la fin de 1946. Au printemps suivant, loin de progresser, la production reculait et c'est ainsi que, pour des raisons purement économiques, le plan Monnet conduisit déjà au plan Marshall. L'année terrible y ajouta de puissants motifs politiques ; elle apprit au gouvernement français qu'il ne pouvait endiguer définitivement le flot des mouvements sociaux et politiques d'extrême gauche sans un concours financier extérieur qui lui permettrait de refouler inflation et misère, et elle fit redouter au gouvernement américain que, sans l'aide massive des Etats-Unis, le communisme ne submergeât cette tête de pont qu'est devenue la France au bout de ce petit cap qu'est l'Europe.

Le 5 juin 1947, le général Marshall prononce son fameux discours d'Harvard : il y propose à l'Europe l'aide « considérable » qui seule peut lui « épargner une crise économique, sociale et politique des plus graves ». « Notre politique, dit-il, n'est dirigée contre aucun pays ni contre aucune doctrine, mais plutôt contre la faim, la misère, le désespoir et le chaos. » Léon Blum, qui n'avait « goûté ni l'argumentation ni le vocabulaire » du discours Truman du 12 mars, loue celui du Secrétaire d'Etat ; il estime que « l'entreprise ne manque pas de grandeur, de noblesse et d'audace ». En trois mois, le président des Etats-Unis a d'ailleurs changé de ton et c'est une sorte de décalogue qu'il énonce dans son discours du 12 juin d'Ottawa : « Nous sommes décidés à soutenir ceux qui ont la volonté de se gouverner à leur guise et qui respectent les autres à faire de même... Nous sommes décidés à soutenir ceux qui respectent la dignité de l'individu. »

Dans la doctrine Truman, comme dans le plan Marshall, il y a plus que l'aide généreuse du nouveau continent à l'ancien éprouvé par ses discordes et ses guerres. Il y a la volonté de faire face au bloc soviétique et déjà la menace perçait dans le discours de Harvard : « Le gouvernement, les partis ou les groupements politiques qui cherchent à perpétuer la misère humaine afin d'en tirer avantage sur le terrain politique ou autrement rencontreront l'opposition déterminée des Etats-Unis. » Il y a plus encore qu'une doctrine morale et une stratégie mondiale. Il y a toute une politique extérieure, car ce n'est pas à chaque nation isolément que l'offre s'adresse : « Il faudra que les pays européens intéressés arrivent à s'entendre sur les exigences de la situation », et le général Marshall y insiste : « L'initiative, à mon avis, doit venir de l'Europe. » Le programme d'aide doit être « établi en commun par la plupart, sinon par toutes les nations de l'Europe ».

Il y a là en germe toute une politique européenne qui, par degrés, conduira d'abord à la création le 15 août 1948 de l'Organisation européenne de coopération économique et, plus tard, aux traités européens. En attendant, et pour parer au plus pressé, des crédits « d'aide intérimaire » sont accordés pour tenir hors d'eau les pays menacés d'être submergés (le 29 septembre 1947, le président Truman avait déclaré qu'il fallait « aider la France et l'Italie à survivre à cet hiver critique et à rester des nations libres et indépendantes »). Le 2 janvier 1948, M. Bidault signe l'accord en vertu duquel la France doit recevoir 280 millions de dollars de marchandises, le crédit initial ayant été rogné de quelques millions destinés à la Chine.

La France devient ainsi, et pour longtemps, une nation assistée ; elle s'y habituera et, dans l'esprit de nombreux Français : « l'Amérique paiera » dans les années quarante est aussi naturel que pouvait l'être : « l'Allemagne paiera » des années vingt. Mais il s'agit cette fois d'une réalité, non d'un mythe. Secours de première ou de seconde urgence, l'aide intérimaire est suivie du plan Marshall proprement dit qui permet à la production d'atteindre un maximum en mai 1949. Mais la balance des comptes reste déficitaire alors que son équilibre était l'un des objectifs du plan Monnet. Les gouvernements et les Assemblées comptent sur la contre-valeur en francs de l'aide américaine pour combler le déficit budgétaire.

Le coup de Prague s'est produit entre-temps, le 25 février 1948 ; il a parfait la mainmise des Soviétiques sur l'Europe centrale et orientale. L'émotion a été grande à l'Ouest et notamment en France, mais a bien vite cédé à la circonspection [1]. « Tout est possible, mais rien n'est inévitable », a dit M. Robert Schuman à ses amis M.R.P., et M. Bidault : « Veillez et priez ! »... Puis, quittant son oratoire, le ministre des Affaires étrangères a saisi son écritoire et lancé, le 4 mars, un pressant et discret appel, demeuré inconnu à l'époque, au général Marshall : « Le moment est venu de resserrer, sur le terrain politique et le plus vite qu'il se pourra, sur le terrain militaire, la collaboration de l'ancien et du nouveau monde, si étroitement solidaires dans l'attachement à la seule civilisation qui vaille », et il proposait des

1. M. Paul Reynaud dira, en avril : « Pour moi, Staline n'est pas Hitler. Il lui est supérieur. Ce n'est pas un névrosé », et M. Maurice Schumann : « Je ne crois ni à la possibilité ni à la fatalité de la guerre ; j'y ai cru dès 1933 parce que Hitler n'avait que deux solutions : celles de se suicider avant ou de se suicider après. Il a choisi la dernière. Mais je crois aujourd'hui qu'il y a une solution du problème russe. »

consultations sur les problèmes « que pose la défense en commun contre un péril qui peut être immédiat ».

La réponse du Secrétaire d'Etat américain est inspirée du même état d'esprit que son discours d'Harvard : « Aide-toi, l'Amérique t'aidera. » C'est aux nations libres de l'Europe qu'il revient d'établir d'abord un plan de défense commune auquel les Etats-Unis pourront ensuite s'associer afin de leur apporter « ce qui leur manque de force » ainsi que l'avait sollicité M. Bidault le 4 mars, le jour même où précisément s'ouvrait à Bruxelles la conférence qui devait aboutir, le 17, à la signature du traité de Bruxelles instituant un pacte d'assistance mutuelle et automatique entre la France, la Grande-Bretagne, la Belgique, la Hollande et le Luxembourg. M. Bidault a repris sa plume le jour même de la signature et informé avec un parfait synchronisme, le général Marshall, que les cinq avaient satisfait à la condition mise par les Etats-Unis à l'élaboration d'un système militaire de défense commune contre l'extension du communisme en Europe.

Le ministre français des Affaires étrangères a conçu le pacte Atlantique ; il ne sera plus là le jour de sa naissance. Avant de déboucher sur la pénéplaine rassurante de l'alliance atlantique, il doit passer le col redoutable du problème allemand, surmonter une dernière épreuve à laquelle il va succomber. Sur la brèche depuis quatre ans, il l'aborde dans un état physique et politique assez pitoyable. Sa position est « minée comme une charpente rongée par les termites », observe Jacques Dumaine qui l'a vu de près. « Bidault est bon et très intelligent, mais sa présomption et sa nervosité sont trop grandes. » Le ministre a perdu un à un ses appuis au Parlement, même au M.R.P., et plus encore à la Présidence de la République. Sa paresse naturelle et son style ont fini par lasser. M. Vincent Auriol se réjouira de le voir quitter le Quai d'Orsay. Positiviste, il en a assez d'interroger la Sibylle.

Pour l'heure, il s'agit de faire admettre l'accord, ou plutôt la fatale capitulation de Londres. Avant de l'être au Parlement, le texte en est sévèrement critiqué au Conseil des ministres par trois hommes qui ont quelques raisons de redouter l'Allemagne. M. René Mayer déplore l'absence de contrôle de la production de la Ruhr et la procédure de vote qui fait de l'Allemagne un arbitre. M. Jules Moch refuse de voir le fossé encore approfondi entre l'Est et l'Ouest, et M. Pflimlin regrette l'abandon de la thèse fédéraliste. M. Bidault se défend, comme il le fera devant la commission des Affaires étrangères qui l'a blâmé de l'avoir tenue dans l'ignorance des négociations.

Lui dit-on qu'il a cédé ? Il répond qu'il se trouvait depuis trois ans devant un refus 100 p. 100 et qu'il ne pouvait se dérober au moment où le refus n'était plus que de 90 p. 100. Il ajoute, avec preuves à l'appui, que depuis un an il n'a cessé de faire pression sur les Anglo-Saxons, afin de leur faire admettre un contrôle international de la production de la Ruhr.

Lui dit-on qu'ayant échoué il aurait dû laisser

faire ? Il répond que l'aide américaine en aurait souffert et que le Quai d'Orsay a, depuis quatre jours, à sa disposition les documents qui le prouvent.

Lui dit-on qu'il fallait essayer de faire bloc avec le Benelux ? Il répond qu'il a tout fait pour y aboutir. Mais que, toujours, la Hollande, la Belgique et le Luxembourg lui ont opposé un refus catégorique. Une Allemagne économiquement prospère et commercialement libre est en effet nécessaire à la propre prospérité de ces pays.

Lui dit-on enfin qu'il fallait menacer les Anglo-Saxons d'annexer notre propre zone comme vient de le proposer le général de Gaulle ? Il répond que les Anglo-Saxons n'auraient pas pris très au sérieux cette menace. Notre zone ne peut vivre sans les autres.

Finalement, le ministre des Affaires étrangères s'engage, malgré lui, à demander aux Alliés d'apporter des modifications, qu'il sait vaines, aux accords.

Le général de Gaulle n'en convie pas moins l'Assemblée à rejeter les funestes recommandations de « l'étrange communiqué de Londres ». M. Bidault aura beau s'abriter derrière l'illusion et l'échec de la politique de grandeur qui a conduit la France à Canossa. En fait, il en a longtemps partagé la responsabilité avant que son action diplomatique devienne — comme le dit le général de Gaulle, le 9 juin — « une série de reculs jusqu'à l'abandon final » que préparent effectivement les accords de Londres puisqu'il s'agit du rétablissement de l'unité des trois zones de l'Allemagne de l'Ouest. Prophète [1], le Général est alors un peu oublieux du passé. Avec lui, puis après lui, l'entêtement et la susceptibilité de la diplomatie française — et de son chef — ont été impuissants à vaincre les impératifs de l'histoire et de la géographie. Depuis la Conférence de Moscou, M. Bidault s'est plaint plus d'une fois, en Conseil des ministres, d'être isolé en face de ses deux grands alliés anglo-saxons dont les apartés l'agacent et l'humilient. Le départ du troisième, auquel il s'est, sur le moment, si facilement résigné, ne l'a-t-il pas privé d'un point d'appui qui lui permettait de s'opposer, voire de résister aux deux autres ? A Londres, il ne pouvait que leur céder ; à Paris, il ne pouvait que composer. Pour obtenir la ratification des accords qui sonnent le glas des rêves français de la Libération et le réveil de l'Allemagne souveraine, libre et occidentale, il accepte un ordre du jour qui n'hésite pas à réclamer, contre l'évidence et la signature même de la France, l'internationalisation de la Ruhr, la participation de la France au contrôle du potentiel allemand, l'occupation prolongée de l'Allemagne, la non-reconstitution d'un Reich centralisé et un accord à quatre sur l'Allemagne ! Le sixième point paraît moins illusoire. Mais il est en contradiction avec les cinq précédents. Comme si « l'organisation économique et politique de l'Europe » était

1. « Cela revient à créer un Reich à Francfort... Rien ne saurait dès lors empêcher la Russie soviétique d'en créer à Berlin ou à Leipzig un autre, mais bâti à sa manière, c'est-à-dire totalitaire et dépendant d'elle complètement. Cela fait, une seule question dominera l'Allemagne et l'Europe : lequel des deux Reich va faire l'unité ? puisqu'il est conclu et proclamé que « l'unité est l'avenir de l'Allemagne. »

compatible avec une Allemagne maintenue dans l'état où l'avait laissée sa descente aux enfers de 1945. C'est ainsi qu'un régime ment aux autres et finit par se mentir à soi-même et, faisant ou approuvant une politique, bonne ou mauvaise, peu importe, en amortit l'effet et en détruit le bénéfice moral en l'assortissant de la politique contraire.

La ratification du pacte Atlantique en offrira un exemple moins oublié. Plus d'un an a été nécessaire à l'élaboration du traité qui, signé par douze nations le 4 avril 1949, est ratifié le 25 juillet par l'Assemblée nationale. C'est alors que, devenu ministre des Affaires étrangères, l'un des hommes les plus proches de la IVe République déclare [1] : « La question (de l'admission de l'Allemagne dans le pacte Atlantique) ne peut se poser. Il n'y a pas de traité de paix : l'Allemagne n'a pas d'armée et ne peut en avoir ; elle n'a pas d'armements et elle n'en aura pas. » Au lendemain de la signature du traité, un journaliste d'une égale probité avait écrit : « Le réarmement de l'Allemagne est contenu dans le pacte de l'Atlantique comme le germe dans l'œuf [2] ». Qui, du ministre et du journaliste, fut le plus clairvoyant ? Tant il est vrai que ce qui est le moins pardonné est bien d'avoir raison trop tôt.

1. M. Robert Schuman à l'Assemblée Nationale.
2. M. Beuve-Méry dans *Le Monde* du 6 avril 1949.

CHAPITRE II

L'IMMOBILISME ET LA LÉGITIME DÉFENSE

1948 : *19 juillet : démission de M. R. Schuman ; 24 juillet - 27 août : Cabinet André Marie ; 10 septembre : investiture de M. Queuille ; 4-25 octobre : grèves des mines.*

1949 : *26 juillet : ratification du pacte Atlantique ; 5 octobre : démission de M. Queuille ; 27 octobre : investiture de M. Bidault.*

1950 : *17 janvier : Commission d'enquête sur « l'affaire des généraux » ; 4 février : décision des ministres socialistes ; 9 mai : proposition du plan Schuman ; 24 juin : chute de M. Bidault ; 11 juillet : investiture de M. Pleven ; 24 octobre : Plan d'armée européenne.*

1951 : *28 février : chute de M. Pleven ; 9 mars : investiture de M. Queuille ; 7 mai : adoption de la loi électorale et apparentements.*

LES deux grands partis restés au pouvoir après le départ des communistes ont cherché à tâtons une troisième voie. Entre le camp américain et le camp soviétique, ils se sont engagés sur celle de l'Europe. Mais, alors qu'en juillet 1947, M. Ramadier ne se résignait pas « à l'absence de l'U.R.S.S. parce que sa présence est dans la nature des choses et non dans le caprice des hommes », l'Europe dont il s'agit est une « Europe américaine » puisqu'elle ne peut vivre ni se défendre sans le concours des Etats-Unis. Entre le nationalisme qui s'éveille outre-mer et le colonialisme qui se réveille, les gouvernements ont essayé de frayer la route à l'Union Française. Mais elle aboutit à Bao-Daï qui a pris des assurances outre-Atlantique, alors qu'en août 1947 Léon Blum pouvait dire : « la seule lueur d'espoir qui puisse disperser les ténèbres au Viet-nam reste Ho Chi-minh ». Entre le parti communiste et le R.P.F., entre ce que M. Guy Mollet appelle volontiers « le parti russe » et, par esprit de symétrie, le « parti américain », la troisième force a bien réussi à constituer une majorité politique ou, tout au moins, parlementaire. Mais elle s'est effritée sur les bords. Des M.R.P. ont même rejoint le R.P.F. tandis que le secrétaire de la S.F.I.O. ne s'est pas lassé de demander que les socialistes « cessent d'assumer la responsabilité d'une politique qui n'est pas la leur ». Mais lorsque M. Robert Schuman a remplacé M. Ramadier à l'Hôtel Matignon, M. René Mayer a succédé, rue de Rivoli, à M. André Philip. Pour la première fois, un libéral est devenu ministre des Finances et ni la S.F.I.O. ni même le M.R.P. n'occuperont plus jusqu'en 1956 ce poste de commandement dont dépendent la vie et l'avenir même de la France. Ainsi s'achève le règne, non point tant du dirigisme qu'impose encore la pénurie, mais du socialisme qu'inspirait l'idéal de la Libération. Aucune réforme sociale n'interviendra plus jusqu'à l'institution de l'échelle mobile en 1952.

M. Robert Schuman avait quitté le pouvoir le 19 juillet 1948 dans des conditions aussi peu constitutionnelles que M. Ramadier, c'est-à-dire sans avoir posé la question de confiance devant l'Assemblée. Mis en minorité pour une bagatelle — un abattement de huit milliards sur les crédits militaires —, il s'en était allé sans que, le précédent ayant été créé par son prédécesseur, le président de la République ait fait un geste pour le retenir. Ebranlé par les coups de boutoirs du R.P.F., le gouvernement s'était peu à peu disloqué de l'intérieur. Depuis avril, sa marche n'était qu'une course d'obstacles, une chute sans cesse rattrapée. Ses ministres — comme ses grands commis [1] — passaient leur temps à offrir leur

1. M. Bollaert quand Bao-Daï négocie directement à Paris alors que le haut-commissaire est resté à Saïgon ; le général Revers, chef de l'état-major de l'armée lorsque M. P.-H. Teitgen entreprend de réorganiser la Défense nationale.

démission : celui de l'Education nationale à propos du décret Poinso-Chapuis sur l'enseignement libre[1] et celui des Finances à l'occasion d'une interminable controverse sur les fonctionnaires.

M. Vincent Auriol confie alors à M. André Marie une mission dont le succès pourrait redresser la courbe descendante de la IVe République : réaliser le rêve vieux de dix ans de faire asseoir ensemble à la table du Conseil MM. Léon Blum et Paul Reynaud. Il y réussit et, fort de ces deux personnalités, il place son gouvernement « sous le double signe de la durée et de l'action ». Cinq semaines après, il donne sa démission. Après quatorze heures d'une âpre discussion qu'il a d'ailleurs peu suivie, le président du Conseil s'est aperçu que, malgré l'estime qu'ils se portent, le leader socialiste et le ministre indépendant sont en désaccord total.

Cet épisode pénible est suivi d'un autre : M. Robert Schuman est aisément investi par l'Assemblée, le 31 août 1948. Les socialistes votent pour lui mais, pris de remords le lendemain, ils jugent insuffisante la revalorisation des salaires qui est envisagée et refusent leur participation sur le conseil de Léon Blum. M. Schuman s'apprête à se passer d'eux quand les radicaux se dérobent à leur tour et, le 3, il renonce à former

1. Ce décret portant la signature de Mme Poinso-Chapuis, ministre de la Santé, permettait indirectement d'aider l'école libre et constituait la réplique du M.R.P. à la nationalisation des écoles libres des Houillères du Midi que les socialistes et les radicaux avaient votée grâce à l'appoint des voix communistes à l'Assemblée Nationale. Le décret frappait la « troisième force » d'une blessure mortelle ; il ne fut jamais appliqué et elle s'en remit ; mais le gouvernement Schuman le paya de sa vie et Mme Poinso-Chapuis de son portefeuille ministériel.

le gouvernement malgré l'invite pressante du M.R.P. Le lendemain, il est rappelé par le Président de la République et constitue un gouvernement de gauche avec les socialistes, le 5 septembre. Le 8, il est remercié sur-le-champ par l'Assemblée. Le pendule est devenu fou. En moins d'une semaine, on est passé, sous le même patronage, de la droite à la gauche, d'une tentative de gouvernement sans socialistes à un essai de ministère sans conservateurs. Pratiquement, le pays est sans gouvernement depuis sept semaines et l'on parle sans y croire de dissolution. Le petit jeu de l'escarpolette de M. Robert Schuman atteint le Président de la République. On murmure contre l'Elysée. Selon son habitude, le chef de l'Etat consulte beaucoup et soumet à ses visiteurs une liste de vingt possibles qui vont de M. Lacoste à M. Roclore en passant par M. Coty. Puis il pressent, pour la forme, M. Herriot avant d'appeler M. Queuille.

M. Queuille n'est pas comme M. André Marie une création conjuguée, un moment d'égarement de MM. Vincent Auriol et Edouard Herriot. Plus que tout autre cependant, il a été enfanté par la IIIe République : vingt-deux fois ministre, et pour la première en 1920. Par surcroît, il a été ministre d'Etat du général de Gaulle en 1944. Bref, il a vécu. Nul n'était plus qualifié que lui pour présider aux destinées du gouvernement en 1948. Président du conseil à l'éloquence et à la démarche incertaines, il réussira, ô merveille, à donner une apparence d'équilibre, à conférer même un air de stabilité au régime. Avec lui, tout paraît réglé ; plus exactement, rien n'est plus posé. C'est le docteur tant mieux, le président « pas de problème ». La politique occidentale va développer une à une ses conséquences et sécréter un à un ses traités ; la route mandarine indochinoise va se poursuivre, s'enfonçant lentement dans son impasse ; le redressement financier va se prolonger sans sacrifices apparents. Enfin, M. Queuille va avoir raison du R.P.F. D'abord en retardant les élections cantonales, c'est-à-dire la prise de la température de l'opinion ; ensuite en donnant l'impression que le régime a surmonté ses épreuves, enfin en détournant les radicaux de la tentation gaulliste et en laissant s'exercer sur les modérés la séduction des indépendants.

Depuis dix-huit mois, un an surtout, le général de Gaulle n'a cessé, avec une constance et une ardeur dignes d'un meilleur sort, de fustiger les gouvernements, les partis et le régime. Depuis mars 1948, il s'est de nouveau déclaré prêt à prendre la direction du pays et, en avril, il a de nouveau réclamé des élections générales. Mais le régime a fait la sourde oreille. Il finit même par contre-attaquer du geste [1] et de la voix, et M. Vincent Auriol s'est placé lui-même à la tête de ses défenseurs. « Les élections viendront en leur temps », dit-il en mai à Amiens, tandis qu'à Quimper il a annoncé qu'il reprendrait sa place au combat plutôt que d'assister à l'agonie de la

1. La plus grande partie du Conseil des ministres du 3 mars a été consacrée aux honneurs militaires à rendre ou à ne pas rendre au général de Gaulle qui doit se rendre le dimanche suivant à Compiègne. MM. Schuman et René Mayer sont pour les honneurs et les socialistes contre ; finalement il est décidé qu'ils seront rendus à son arrivée au camp de Royalieu mais non dans Compiègne !

République. Plus le régime résiste, plus le Général élève le ton : « La troisième force » est « une planche pourrie ». Ses hommes et ses journalistes — « nagent dans l'eau sale ». Les raisons de l'ajournement des cantonales sont « ignobles ». Les accords de Londres sont « lamentables et absurdes ». Et M. Jules Moch est un « personnage » qui a « brandi le triste cadavre » de Grenoble [1].

Mais la venue de M. Queuille a des vertus lénifiantes et même dissolvantes sur le R.P.F. Les élections sénatoriales de novembre sont l'occasion de disputes et de dissidences. Le R.G.R. se plaint des « ukases » du R.P.F. et, sans crainte de l'hyperbole, salue un de ses « libérateurs » en la personne de M. Queuille. En juillet, une élection partielle en Seine-et-Marne fait surgir un conflit qui provoque la démission de M. Giacobbi, président de l'intergroupe parlementaire du R.P.F. « Ce dernier, dit-il, est en train de tuer le Rassemblement », et quatre parlementaires adressent une philippique au Général : « Votre popularité est grande, vous pouvez être un rassembleur, mais de grâce, regardez autour de vous ! A la tête du R.P.F., certains éléments ambitieux, impatients et peu soucieux des traditions républicaines sont en train de compromettre le destin du Rassemblement. Les erreurs commises ces derniers mois sont nombreuses. Le R.P.F. n'a pas obtenu la majorité absolue au Conseil de la République. Le

1. Le 18 septembre 1948, des manifestations ont eu lieu à Grenoble à l'occasion du passage du général de Gaulle. Un contre-manifestant communiste a été tué.

succès des élections cantonales n'a pas été complet. »

A dire vrai, ces élections ont montré que la vague gaulliste était étale et que la majorité, ou ce qui en tient lieu, lui a résisté. Le Général s'en prend encore au lendemain du scrutin « à ce qui s'intitule, je ne sais pourquoi, la troisième force » ; puis, pour la première fois depuis trois ans, il se tait pendant plusieurs mois. Plus tard, il conviendra que « si l'on avait voté sous le ministère Queuille, l'électeur chloroformé aurait réagi de façon moins favorable pour le Rassemblement [1] ». Le radicalisme, ce serpent réchauffé dans le sein du gaullisme, semble près de l'étouffer.

Le pays entre apparemment en convalescence ou sous anesthésie. Les passions s'apaisent. Le parti communiste, pour qui chaque élection est un succès, lance une offensive de paix et si l'agitation renaît au cours de l'été, c'est à l'initiative, non de la C.G.T., mais de Force ouvrière et dans le monde agricole de la C.G.A. Les prix ont, il est vrai, baissé depuis le début de l'année. Les produits laitiers sont devenus libres en avril et l'essence le deviendra en décembre. Les séquelles de la guerre et du dirigisme disparaissent une à une mais il en est des promesses de la Libération comme de ses rigueurs. Pour un peu, non content de rester sur place, le régime reviendrait en arrière. Les nationalisations et la sécurité sociale sont mises en cause et l'on réclame à droite la « réforme des réformes ».

M. Queuille est son propre ministre des Finan-

1. André Stibio, *Indiscrétion*.

ces [1]. De tempérament prudent et même malthusien, le président du Conseil s'effraie certain jour du développement de la production ; il lui vient une idée du siècle passé : « Mettre 10 % des terres en jachère ! » Un de ses ministres propose de ralentir la construction navale, affirmant que le moment approche où il y aura trop de bateaux et pas assez de fret. Va-t-on sacrifier l'avenir au présent et les investissements publics à l'équilibre budgétaire ? Le plan Monnet est considéré par M. Queuille comme un pistolet braqué au cœur de la Banque de France. Lorsque vient la discussion du budget à la fin de 1948, le commissaire au plan, soutenu par les socialistes et plus encore par le M.R.P., doit, par deux fois, menacer de donner sa démission pour obtenir les crédits qu'il demande pour 1949, c'est-à-dire pour empêcher que l'aide américaine soit détournée de son objet puisque sa contre-valeur doit obligatoirement être affectée aux investissements. Mais déjà, la politique d'équipement souffre non seulement du resserrement des crédits mais de la stabilité des prix qui, loin de favoriser l'épargne, prive la politique d'investissement de son stimulant le plus malsain mais le plus sûr : l'inflation. Le malthusianisme des vieux radicaux s'accorde alors parfaitement avec l'orthodoxie financière des modérés. L'un et l'autre concourent à l'immobilisme.

1. Avant de s'y résoudre, il a consulté, mais non sollicité M. Mendès-France puis pressenti M. René Mayer qui s'est récusé, ne voulant pas être « l'homme d'un second prélèvement ». Ministre de la Défense nationale dans le cabinet André Marie, M. René Mayer souhaitait, d'autre part, conserver ce poste afin de remplacer le général Revers, chef d'état-major de l'armée de terre, par le général Billotte. Ce ministère échut à M. Ramadier (cf., p. 203 et s.). Celui des Finances fut confié par la suite à M. Maurice Petsche (13 janvier 1949).

Mais il est un autre domaine où les vieilles notions de parti de l'ordre et de parti du mouvement retrouvent leur actualité, où le grand tournant de 1947-1948 va conduire à l'immobilisme en 1949.

Longtemps accaparés par les difficultés intérieures économiques, politiques, sociales, l'opinion et le pouvoir ont peu porté leur regard au-delà des mers.

L'Algérie a fait peu parler d'elle depuis qu'en 1946 de libres élections ont vu en juin la victoire de l'U.D.M.A. (Union Démocratique du Manifeste Algérien) de M. Ferhat Abbas, puis en novembre, le succès du M.T.L.D. (Mouvement pour le triomphe des libertés démocratiques) de M. Messali Hadj, l'un partisan de l'autonomie et l'autre de l'indépendance mais tous deux d'une « République Algérienne ». Le calme règne dans le Constantinois durement éprouvé par la révolte du 8 mai 1945 [1] à Sétif et les tueries dont les Européens puis les Musulmans furent victimes. Mais l'agitation politique est endémique et elle n'est pas que politique en Kabylie. De plus en plus, la nécessité d'un statut se fait sentir. Voté en septembre 1947, il se ressent du changement de majorité intervenu en mai et se borne à créer une Assemblée Algérienne dont les pouvoirs sont assez étendus mais dont la procédure de vote et la composition paritaire vont décevoir les Musulmans. Aucun de leurs députés ne l'a d'ailleurs voté. Cette première

1. C'est à la suite des tueries réciproques qui firent officiellement cent deux victimes européennes et mille cinq cents musulmans, que Messali Hadj fut exilé à Brazzaville puis placé en résidence forcée près d'Alger et Ferhat Abbas arrêté jusqu'au 16 mars 1946.

satisfaction donnée aux modérés et aux radicaux est bientôt suivie d'une autre. M. Robert Schuman ayant succédé à M. Ramadier et M. Moch à M. Depreux, le gouvernement s'apprête à accorder, notamment à M. René Mayer, député de Constantine, la tête du gouverneur général, M. Chataigneau. Socialiste, le gouverneur s'est efforcé de s'entendre avec les nationalistes et s'est aliéné du même coup les Européens. S'agissant de l'un des siens, le parti socialiste sort ses griffes et le défend ; il ne les rentre qu'une fois nommé un autre de ses membres, M. Naegelen qui, lors d'un premier voyage, s'était porté garant de la loyauté de M. Ferhat Abbas et va néanmoins présider aux élections notoirement truquées d'avril 1948. La première séance de l'Assemblée est marquée par un incident : M. Ferhat Abbas, qui proteste vainement contre l'arrestation de candidats ou même d'élus nationalistes, quitte la salle, suivi des délégués de l'U.D.M.A. Une occasion a été manquée, qui ne se retrouvera plus. Les années qui suivent seront des années perdues. Aucune des réformes inscrites dans le statut ne sera réalisée.

Plus tôt que M. Chataigneau en Algérie, M. Erik Labonne, qui lui aussi s'était concilié les nationalistes, a connu le même sort au Maroc, non sans que les socialistes aient également tempêté, moins contre le « limogeage » de cet autre libéral qui n'est pas des leurs que contre le choix de son successeur ; « d'un général et surtout de celui-là », s'écrient-ils. Le général Juin est en effet nommé le 15 juin 1947. Mis en branle par le retrait des communistes, le balancier revient décidément vers la droite. M. Labonne est balayé au passage et le sultan lui-même l'a placé sur la trajectoire lorsqu'il a prononcé, deux mois auparavant, son fameux discours de Tanger. Ayant comme à l'habitude soumis son texte au résident, il en a retranché au dernier moment une phrase, celle qui rend hommage à l'œuvre des Français, et rajouté une autre, qui rend hommage à la Ligue arabe. Cette liberté qu'il s'est permise a été ressentie comme un double affront par les Français qui ne l'ont pas oublié lorsque, le 31 mai, Abd el-Krim, aimablement ramené de son exil de la Réunion, nous fausse compagnie à l'escale de Port-Saïd. Fin décembre, le Sultan envoie au président de la République une longue note, rédigée en arabe, où il se plaint du général-résident qui, par deux fois, l'a empêché de prendre la parole à Salé et Marrakech.

Sans résident depuis le rappel du général Mast, en janvier 1947, la Tunisie est pourvue avant le grand tournant de mai. Aussi y gagne-t-elle d'accueillir un socialiste. Assurant l'intérim de Léon Blum, alors à Londres, M. Guy Mollet y a nommé subrepticement, en janvier, M. Bertaux, chef de cabinet de M. Jules Moch. Mais à son retour, le président du Conseil refuse de ratifier ce choix et finalement quelques semaines plus tard M. Ramadier y envoie le chef de cabinet de Léon Blum, M. Mons. Le nouveau résident cherche un terrain d'entente avec le Néo-Destour et songe à rappeler l'ancien bey exilé à Pau. Après le virage du printemps ses réformes se réduiront, comme au Maroc, à modifier la structure du gouvernement, un conseil des ministres tenant ici la place du conseil des vizirs.

En janvier 1948, Bourguiba, Allal el Fassi, chef de l'Istiqlal, et des Algériens créent au Caire « le Comité de Libération de l'Afrique du Nord » présidé par Abd el-Krim.

Incertains d'eux-mêmes et de leur propre avenir, les gouvernements sont capables d'agir au jour le jour, non de concevoir, moins encore d'appliquer une politique à long terme dans un domaine où seule la continuité peut inspirer confiance. Encore sont-ils partagés sur le choix des personnes à qui, faute de donner des instructions, ils remettent le soin des initiatives. C'est après un débat difficile sur l'Indochine, à l'issue duquel le concours des radicaux est précieux, qu'une éminence grise de leur parti, M. Bollaert, est nommé, le 27 mars 1947, haut-commissaire en Indochine à la place de l'amiral Thierry d'Argenlieu. Cette sorte de marché est dans le style de l'époque et l'année suivante les socialistes troqueront le report des élections cantonales contre l'inculpation des députés malgaches.

M. Bollaert est un grand préfet dont les intentions sont libérales et pacifiques ; s'il ignore tout de la question, rien n'en échappe à ses deux conseillers, MM. Pierre Messmer et Paul Mus. Pour eux trois, la paix est indispensable. Le 26 avril, ils prennent connaissance des offres de cessez-le-feu du gouvernement viet-namien en date du 19. L'occasion va-t-elle être saisie dont un proverbe allemand, qui pourrait être chinois, dit qu'elle a un toupet et pas de natte et qu'il faut la saisir quand elle se présente et non quand elle est passée ? La position de force à partir de laquelle une négociation a toujours été jugée souhaitable n'est-elle pas obtenue ? « J'estime qu'il n'y a plus désormais de problèmes militaires en Indochine. Le succès de nos armes est complet », affirme M. Paul Coste-Floret.

Le 12 mai, M. Mus transmet au Viet-minh les conditions françaises qui comportent la remise des armes comme l'avait demandé le général Valluy. Cette livraison est jugée déshonorante par Ho Chi-minh. « Il n'y a pas de place pour les lâches dans l'Union Française. » Le sort en est jeté. « Pas de négociation avec le seul Viet-minh », dit M. Bollaert le 15 mai 1947. « Pas de négociation avec le Viet-minh », déclare-t-il le 30 janvier 1948. Un mot — seul — disparaît et avec lui le dernier espoir de paix.

En vérité, la troisième force, plus ou moins consciemment, a choisi d'éliminer les communistes du pouvoir au Viet-nam comme elle l'a fait en France. Le gouvernement Ramadier qui n'a pas voulu concéder, pour le prix de la paix, l'indépendance du Viet-nam à Ho Chi-minh [1] va donc l'accorder pour le prix de la guerre à Bao-Daï. L'ancien conseiller suprême du Viet-Minh, dont Ho Chi-minh se dit encore proche « par la pensée », s'est réfugié à Hong-Kong. Le 18 septem-

1. Le 15 août 1947, M. Bollaert a été encore sur le point d'offrir le « cessez-le-feu », de négocier avec tous les partis et de reconnaître l'indépendance. Mais le 12 il revient subitement à Paris. A son retour tout est changé ; son projet est abandonné alors que Léon Blum pouvait écrire le 6 : « Ho Chi-minh demeure le représentant authentique et qualifié du peuple viet-namien. » Les partisans de la politique dite de fermeté sont, dans le cabinet Ramadier, M. Bidault qui renâcle devant la reconnaissance de l'indépendance, craignant non sans raison ses répercussions en Afrique du Nord et, dans le cabinet Schuman, M. René Mayer qui juge excessives les concessions faites à Bao-Daï.

bre, discrètement contacté par M. Bollaert, il s'est offert à négocier avec la France et pendant neuf mois il discute interminablement avec le haut-commissaire, et parfois dans son dos avec Paris, jusqu'au jour où enfin, le 5 juin 1948, il conclut les accords de la Baie d'Along : « La France reconnaît solennellement l'indépendance du Viet-nam à qui il appartient de réaliser son unité » tandis que le Viet-nam proclame « son adhésion en qualité d'Etat associé à l'Union Française ». A douze mille kilomètres de là, les socialistes ne sont pas les seuls à se demander comment on peut venir à bout de ses adversaires en signant la paix avec ses amis. Mais il faudra encore un an pour que Bao-Daï consente à regagner son pays comme si rien ne pressait. De Hong-Kong d'où il était venu pour signer les accords du 5 juin, il est parti pour Paris. Le 25 août, au cours d'une entrevue avec M. Bollaert, à Saint-Germain, il refuse obstinément de revenir au Viet-nam. Ne se faisant pas d'illusion sur l'étendue de son pouvoir et de sa popularité, seul, abandonné, mais lucide et intelligent, il réclame inlassablement les moyens d'une véritable indépendance et les garanties d'une véritable unité ; il se montre d'autant plus exigeant qu'il est moins représentatif. Or, l'immobilisme a triomphé à Paris. M. Queuille a succédé à M. Schuman. Radicaux et modérés sont encore plus hésitants que le M.R.P. Du général Xuan, on a renoncé à faire le chef d'une troisième force entre Ho Chi-minh et Bao-Daï. M. Pignon a succédé à M. Bollaert qui n'avait jamais eu ni sympathie ni compréhension pour l'empereur installé sur la Côte d'Azur. Cannes devient pour un temps la capitale du Viet-nam. On y défile et l'on y discute jusqu'au jour où M. Vincent Auriol et Sa Majesté Bao-Daï signent l'accord du 8 mars 1949 qui est censé traduire enfin dans les faits celui du 5 juin 1948. Trop tard. Neuf mois auparavant la reconnaissance de l'indépendance avait momentanément rallié les nationalistes non communistes et notamment l'intègre catholique Ngo Dinh Diem et jeté le désarroi dans les rangs du Viet-minh. Mais les actes se faisant attendre, les uns se sont de nouveau écartés et les autres repris. Cette nouvelle occasion perdue est bien la dernière [1]. Les troupes communistes chinoises approchent des frontières du Tonkin. Ce sont elles qui mettront fin à l'immobilisme. Par deux fois, la IVe République avait concédé le principe de l'indépendance du Viet-nam en 1946 à Ho Chi-minh, en 1948 à Bao-Daï. Mais à l'un comme à l'autre elle en a refusé la réalité.

« L'AFFAIRE »

Toute guerre, surtout coloniale, a ses « affai-

1. Dans une lettre, demeurée secrète à l'époque et rendue publique plusieurs mois après, M. Guy Mollet adjurait encore le 17 janvier 1949, au nom du comité directeur socialiste, M. Queuille, président du conseil, de traiter avec Ho Chi-minh.

res ». Celle d'Indochine en engendra plusieurs dont la première défraya la chronique policière, politique, judiciaire et militaire d'un bout à l'autre de 1950. Tout régime a ses cloaques.

Agent double ou triple, trafiquant dénué de scrupules, failli, repris de justice, aventurier, vantard, bluffeur et menteur [1], voilà l'homme que le chef d'Etat-Major général de l'armée de terre choisit comme conseil et informateur, ami et confident. Veut-il, en 1947, empêcher le général Billotte de succéder au général Juin à la tête de la Défense nationale ou simplement hâter le déménagement de la maison du général de Lattre où il doit s'installer, c'est à cet individu, Roger Peyré, alors condamné à l'indignité nationale à vie que le général Revers demande d'intervenir ; veut-il en 1948 être informé de ce qui s'est dit en Conseil des ministres sur l'organisation de la Défense nationale ou simplement solliciter une audience du chef du gouvernement, c'est à lui qu'il s'adresse [2] ; va-t-il en mission aux Etats-Unis en 1949, l'aventurier le précède et c'est à lui que le général écrit ses impressions et demande des « fonds » ; va-t-il ensuite en inspection en Indochine, le trafiquant le précède — du drap de troupe dans sa valise — et lui ménage certaines rencontres. Aspire-t-il à sa « cinquième étoile », c'est à lui qu'il s'en remet. Rédige-t-il enfin à son retour un rapport sur la situation politique et militaire au Viet-nam, c'est à cet

1. Toutes ces expressions sont reprises de documents officiels.
2. « Bien entendu le patron ne fera cette demande d'audience que lorsque vous aurez dit qu'il peut la faire », écrit son chef de cabinet à Roger Peyré.

agent double qu'il le remet par l'entremise du général Mast.

Cette ultime imprudence, ou ce dernier service rendu, est à l'origine directe de l'affaire des deux généraux. Le 26 août 1949, le ministre de la France d'Outre-Mer apprend que le rapport Revers est diffusé par la radio du Viet-minh. Le 18 septembre, une bagarre, fortuite ou non, sur la plate-forme d'un autobus, près de la gare de Lyon, permet de découvrir une copie du document dans la serviette d'un Viet-namien. Ainsi commence, sans être ébruitée, l'affaire qui parut un moment ébranler le régime jusqu'à sa tête.

Il fallut moins de quatre jours pour établir la filière qui, du général Revers en passant par le général Mast, Roger Peyré et deux Viet-namiens — Vanco et Vinh Xa — avait conduit le rapport dans les mains du Viet-minh et moins de vingt-quatre heures pour que l'affaire soit étouffée dans l'œuf par MM. Queuille, Jules Moch et Ramadier après que ce dernier, ministre de la Défense nationale, eut émis l'avis que le rapport n'avait pas le caractère de secret militaire et que sa diffusion ne pouvait donc faire l'objet d'une poursuite pour atteinte à la sécurité extérieure de l'Etat. Roger Peyré s'embarque le 30 novembre pour le Brésil et le général Revers est non moins discrètement débarqué le 7 décembre.

Le chef d'Etat-Major avait songé à se retirer de l'armée avant même l'affaire du rapport, et le motif avancé jette une lumière crue sur les figures de ce temps : « Il y a dans cette décision une part de lassitude mais surtout la constatation matérielle de l'impossibilité de tenir mon rang sans amener à zéro mon maigre avoir, avait-il écrit le 5 octobre à M. Queuille. L'année se soldera par une baisse de près de 300 000 francs de mon compte en banque et j'ai dû, dès juillet, décider de vendre l'unique maison que je possédais à Saint-Malo. » Etait-ce là un langage de chef d'Etat-Major écrivant à un président du Conseil ? La République paie mal ses serviteurs. Encore n'ont-ils pas d'ordinaire une mentalité de caissier. Le chef d'Etat-Major n'était pas riche ; il tenait simplement ses comptes bien à jour ; en mission officielle outre-Atlantique il a emprunté 300 dollars à un ami de Roger Peyré : « ce que nous arrangerons ensemble à mon retour », prend-il soin de lui écrire de Montréal...

C'est un général « de gauche » ; il a été franc-maçon. Il a des amitiés parmi les radicaux et les socialistes qui ne le sauveront pas et des idées sur l'Indochine qui le perdront. Son rapport est une condamnation des méthodes jusqu'alors suivies, une critique du haut-commissaire de l'époque, M. Pignon, et de la politique comme de l'entourage de Bao-Daï. Un peu plus tard, il écrira : « L'Histoire, qui ramène toutes choses à ses proportions, flétrira ceux qui, en présence de l'immense danger que je dénonçais, n'ont eu qu'une préoccupation, celle de savoir si mes collaborateurs et moi n'avions pas avec Peyré des relations reprochables. Mon honneur, grâce aux considérants du Conseil des ministres, est aujourd'hui hors d'atteinte. Le temps est venu où ma clairvoyance ne peut être contestée. Les morts du Tonkin, devant lesquels je m'incline, sont, hélas ! les victimes de tant d'aveuglement et de tant de haines. »

Le général avait en effet préconisé l'abandon des postes frontières pour concentrer les forces françaises sur une ligne de résistance établie sur le pourtour du delta. Son rapport est du 29 juin 1949 et sa lettre du 6 novembre 1950. Entre-temps Cao-Bang a été évacué et sa garnison effilochée dans la forêt vierge subit un long martyre. Langson a été honteusement abandonné et Lao-Kay héroïquement défendu.

Lamentables ou cruels, ces épisodes ajoutent du sang à la honte qui éclabousse un peu tout le monde depuis le début de l'année.

L'affaire n'a été rendue publique qu'au mois de janvier 1950. Elle a aussitôt révélé des mœurs bien singulières : l'empressement mis à l'automne par MM. Queuille, Ramadier et Moch à l'étouffer, pour raison d'Etat, mais en cachette des ministres M.R.P. dont l'un a pourtant la responsabilité de la Justice et l'autre celle de l'Indochine ; la guerre des polices, ou plus exactement des services de renseignements, plus occupés à se nuire qu'à se renseigner et constituant des Etats dans l'Etat, Roger Peyré étant un agent de la S.D.E.C.E. que combat la D.S.T. [1] ; la candeur étoilée, naïve chez l'un, plus intéressée chez l'autre, de deux généraux qui font con-

1. La S.D.E.C.E. (Section de Documentation Extérieure et de Contre-Espionnage), issue du B.C.R.A. et de la D.G.E.R., dépend de la présidence du Conseil et la D.S.T. (Direction de la Surveillance du Territoire) du ministère de l'Intérieur. M. Wybot, directeur de la D.S.T., soutiendra que le colonel Fourcauld, directeur adjoint de la S.D.E.C.E., a utilisé l'affaire et nommément Peyré pour obtenir le remplacement et la place du directeur, M. Ribière, ancien député socialiste.

fiance à un aventurier pour les aider dans leur entreprise, le général Revers souhaitant changer le cours des événements en Indochine en commençant par y nommer le général Mast ; la conviction qu'ils ont, hélas ! d'expérience, qu'ils ne peuvent arriver à leurs fins sans sortir de leur rôle et se mêler aux intrigues politiques ; la complaisance enfin de parlementaires toujours prompts à dîner avec le diable s'ils doivent en être flattés dans leur amour-propre ou, plus rarement, leur intérêt, les sots étant plus nombreux que les drôles dans cette société-là comme dans les autres.

Si ces misères ont été mises au grand jour, l'énigme est restée cachée. Qui était Peyré ? On en a fait un personnage de La Bruyère : « Il est d'un rang médiocre mais des grands le souffrent ; il n'est pas savant, il a relation avec des savants ; il a peu de mérite, mais il connaît des gens qui en ont beaucoup... C'est un homme né pour les allées et venues, pour écouter des propositions et les rapporter, pour faire l'office, pour aller plus loin que sa commission et en être désavoué. »

C'est lui prêter une autorité ou un talent qu'il n'avait certainement pas. Cet homme que nul ne voulut connaître, dès qu'il fut dévoilé, n'était qu'un agent de renseignements. Il est impensable qu'il soit entré dans la confiance du chef d'Etat-Major sans que ses supérieurs l'eussent su ; il n'agissait ni pour son plaisir ni pour son compte. Le général Revers était frappé par la sûreté des renseignements qu'il lui communiquait et pour cause puisqu'il les tenait du service de contre-espionnage ; il en livrait quelques-uns pour en obtenir d'autres, il « contrôlait » simplement la plus haute autorité militaire. Mais on a voulu voir et remonter plus haut. Parce qu'un « Monsieur Paul » figurait dans les chéquiers et les correspondances, on en chercha ailleurs et on en découvrit deux à la présidence de la République. Pendant quelques semaines, la calomnie se donna libre cours et crut tenir le scandale du siècle. Jamais la moindre preuve ni la moindre présomption ne permit de faire de ce Paul le fils du chef de l'Etat [1]. Mais il suffit de cette fable pour révéler la fragilité d'un régime aux mœurs trop faciles.

Le 10 septembre 1949, M. Queuille célèbre un anniversaire, le premier — et le dernier — de son cabinet et bat un record, celui de la durée des gouvernements de la IVe. Ses ministres lui offrent les œuvres complètes d'Anatole France ; ils ne pouvaient mieux choisir. A tous les régimes l'auteur du *Lys rouge* préférait la République... « parce que, disait-il, elle gouverne peu ». Mais ce scepticisme n'est du goût ni du M.R.P. ni de la S.F.I.O. Le premier invite sans ménagement M. Queuille à rompre avec sa « passivité » et le second lui signifie poliment son congé. M. Daniel Mayer, ministre du Travail, lui envoie en effet, le 3 octobre, une lettre de trois pages pour l'informer que, n'étant pas d'accord sur la politique des salaires, il « se réserve le droit de ne pas pratiquer la solidarité gouvernementale à l'intérieur des organismes de son parti » ! Sur quoi,

1. Le nom du général Paul Grossin, secrétaire général militaire de l'Elysée, fut également cité.

désireux depuis longtemps de s'en aller avant d'y être contraint, le président du Conseil s'empresse de porter à Rambouillet sa démission à M. Vincent Auriol qui, gardien de la Constitution, la refuse comme contraire à l'article 49. Puis, de guerre lasse, l'accepte.

Suit une nouvelle représentation de ce que le général de Gaulle appellera « le théâtre d'ombres ». M. Jules Moch apparaît, est investi comme par miracle puis s'efface après avoir cherché, trouvé et perdu un ministre des Finances en la personne de M. Letourneau. M. René Mayer lui succède, est investi, trébuche sur l'autre Mayer, Daniel, à qui il a offert, puis repris, le ministère du Travail. Enfin, comme par inadvertance, M. Vincent Auriol pressent M. Bidault qui, à l'étonnement du Président de la République, accepte sur-le-champ, est investi sans difficulté et constitue sur l'heure son gouvernement. La comédie qui a trop duré s'est achevée comme elle avait commencé. Sollicité par M. Vincent Auriol après la chute de M. Queuille, sachant qu'en ce monde le premier appelé est rarement le premier élu, M. Bidault avait prétexté d'une grippe pour ne pas venir jusqu'aux marches de l'Elysée. Dernier pressenti il a profité de la lassitude générale et de sa qualité d'ancien président du Conseil national de la Résistance. Sur l'autel du souvenir des « mauvais jours » les socialistes ont sacrifié M. Daniel Mayer qui a demandé lui-même à son parti « de le relever de son mandat de ministre du Travail ». La formule est singulière et signifie clairement qu'un ministre socialiste ne détient son portefeuille ni de l'Assemblée qui lui fait confiance, ni du président du Conseil qui le choisit, ni du Président de la République qui le nomme, mais d'une souveraine implacable et versatile, la S.F.I.O.

Plus les élections approchent, plus l'histoire parlementaire relève de la chronique théâtrale. Les scènes de ménage, les fausses sorties et les jeux de massacre se succèdent à un rythme accéléré, le seul ennui de ces spectacles étant que les acteurs ne changent pas et jouent les mêmes pièces.

M. Bidault a constitué son gouvernement le 28 octobre 1949 ; les socialistes le quittent le 4 février 1950 et l'exécutent le 24 juin. Motif du divorce : un écart de deux milliards sur la prime exceptionnelle destinée aux salariés ; motif du crime : un désaccord de quelques centaines de millions sur le reclassement des fonctionnaires.

M. Queuille, dont la chute avait été suivie à l'automne d'une crise de trois semaines, offre un divertissement de huit jours à l'Assemblée. Il est appelé, mais devant le refus des socialistes, il renonce ; puis il est rappelé — après un intermède de M. Bidault — et constitue un gouvernement sans les socialistes qui, trois jours après, le renversent !

M. Guy Mollet est alors chargé « d'une mission d'information » dont l'invention prouve à quel point le mécanisme constitutionnel est enrayé. Mais le secrétaire général de la S.F.I.O. n'est là que pour préparer les voies à celui qui vient, qui, las de lancer un « pont » entre les gaullistes et le régime, s'est décidé à l'emprunter lui-même, qui a d'ailleurs depuis longtemps jeté entre lui et les socialistes la passerelle qui doit le conduire au pouvoir, et dont depuis un an le nom est prononcé à chaque crise : M. René Pleven.

Le président de l'U.D.S.R., qui forme son gouvernement le 12 juillet 1950, a peu d'amis en dehors des amitiés socialistes qu'il a en commun avec M. Jean Monnet. Mais il a peu d'ennemis, sinon M. Queuille auquel il donne — revanche tant attendue des radicaux — le ministère de l'Intérieur, mais qui poussera à sa chute pour lui succéder le 9 mars 1951 [1].

Trois gouvernements se sont succédé en dix-huit mois et les trois crises ont duré à elles seules près de deux mois. Il a été prouvé qu'on ne pouvait gouverner ni avec ni sans les socialistes. En fait la rupture entre eux et les autres partis est moralement acquise dès la chute du premier ministère Queuille qu'ils ont provoquée à l'automne 1949. Ce divorce politique est une conséquence lointaine mais certaine du départ des communistes. De moins en moins les socialistes se sentent à l'aise dans une majorité où les modérés et les libéraux comptent et pèsent de plus en plus. Quand la gauche pousse son avantage, c'est la droite qui se retire [2] ou inversement. La cohabitation devient impossible ou suppose l'immobilisme.

1. Avant d'investir M. Queuille, l'Assemblée Nationale s'offre encore une fois en spectacle en refusant son investiture à M. Guy Mollet imprudemment sollicité par M. Vincent Auriol.

2. Dès juillet 1949, par exemple, parce que le ministre socialiste du Travail a pris sur lui d'accorder une indemnité de vacances au personnel de la Sécurité sociale, les quatre indépendants membres du gouvernement Queuille ont donné leur démission, puis l'ont reprise « pour des motifs d'intérêt supérieur invoqués par le Président du Conseil ».

Précisément en ce printemps 1951, M. Queuille réapparaît. En un jour de verve il s'était écrié à l'adresse des partis de la majorité : « Vous êtes condamnés à vivre ensemble. » Le mot est resté célèbre et grâce à lui son auteur survivra. Le voici qui justement les regroupe et les embarque pour les conduire cahin-caha jusqu'aux élections dont la date prévue pour l'automne est prudemment avancée au 17 juin 1951.

Vaines ont été les tentatives de remettre le régime sur les voies de l'action. M. Bidault a essayé de lui redonner un peu d'autorité et de dureté ; il s'y est brisé en emportant, à défaut de lauriers, un titre de gloire : il est le seul à avoir quitté le pouvoir en respectant la Constitution. Il n'a pas fui, il a été battu. M. Pleven a tenté après lui de reprendre l'initiative ; il n'a abouti ni à régler la question scolaire (la commission créée le 28 septembre n'a pas conclu), ni à réviser la Constitution (la procédure engagée le 30 novembre 1950 s'est bientôt enlisée), ni à réformer la loi électorale (et il s'en est allé après le refus des radicaux de voter le tour unique qu'ils devaient par la suite adopter).

Aucun problème n'a trouvé sa solution, ni même l'amorce d'une solution. Ni celui de la stabilité des salaires et des prix, et les grèves ont flambé de nouveau au début de 1950 et 1951. Ni celui du Maroc et de la Tunisie, ni bien sûr, celui de l'Indochine.

Cette histoire abrégée suffirait si le monde était resté immobile alentour. Mais Cao-Bang a été évacué en Indochine le 3 octobre ; la guerre de Corée a commencé le 25 juin 1950 [1]. Les Etats-Unis se sont réveillés en Asie comme en Europe et l'Allemagne est remontée des enfers.

Il n'est qu'un domaine où l'immobilisme le cède à l'action. Le 9 mai 1950, le ministre des Affaires étrangères fait, au nom du gouvernement français, une proposition révolutionnaire qui vise à éliminer « l'opposition séculaire de la France et l'Allemagne ». La déclaration qu'il lit humblement et solennellement a été préparée par M. Jean Monnet, et le plan Schuman se fût aussi bien appelé le plan Bidault pour peu que, moins solitaire, le président du Conseil de l'époque eût voulu servir les desseins du Commissaire au plan, ce « grand inspirateur ». Responsable de l'avenir de l'économie française, M. Monnet entend d'abord parer au plus pressé ; il n'ignore pas que l'inéluctable redressement allemand risque de menacer directement notre économie ; il projette donc de placer la production franco-allemande de charbon et d'acier sous une autorité commune au sein d'une communauté ouverte aux autres pays. C'est aussi le seul moyen qui reste de contrôler la Ruhr après les abandons successifs des alliés. Mais M. Jean Monnet voit plus loin et la déclaration du 9 mai constitue pour lui l'acte de naissance de l'Europe, d'une Europe qui, en s'unifiant, doit pouvoir se passer un jour de l'aide des Etats-Unis. Chez ce petit homme aux traits ordinaires, il y a du visionnaire et du commis voyageur, de l'idéolo-

1. Depuis la veille, la France est sans gouvernement et ne se soucie d'ailleurs pas de s'en donner un plus rapidement qu'il ne convient aux règles du jeu parlementaire.

gue et du technocrate. Lorsqu'il se donne une idée claire, il se charge de la vendre.

En octobre, alors que la Communauté du charbon et de l'acier connaît une gestation difficile, le grand inspirateur lance la Communauté de défense sur le marché européen. Le chef du gouvernement a changé entre-temps et la nouvelle invention peut porter cette fois sa marque de fabrique ; c'est le plan Pleven. Mais il a le même père que le plan Schuman : M. Jean Monnet. Une nouvelle fois, d'une nécessité, il veut extraire une politique. Du réarmement allemand il entend faire la pierre angulaire de la construction européenne.

La France s'est vu imposer le principe de ce réarmement dans des conditions dramatiques à la suite de ce qu'il faut bien appeler, en dépit des litotes diplomatiques, un ultimatum des Etats-Unis.

En mai déjà, la politique américaine était aveuglante. Etait-ce de son propre chef que le général Clay, ancien commandant américain en Allemagne, avait préconisé le réarmement de la République fédérale ou, mieux ou pire, la constitution d'une infanterie européenne composée d'Allemands et de Français. Le même jour, M. Vincent Auriol proclamait que jamais la France n'accepterait le réarmement de l'Allemagne et trois jours après le ministre de la Défense nationale déclarait bien haut qu'il donnerait sur-le-champ sa démission si telle devait être la politique des Etats-Unis. Ce ministre s'appelait M. Pleven.

Ces serments ne tinrent pas plus que les précédents. Mais pour que les responsables français se déjugent une nouvelle fois, il ne fallut pas moins que la guerre de Corée. Le 25 juin, les forces de la Corée du Nord franchissent le 38e parallèle. Dès le 5 juillet, le Congrès américain vote les crédits de l'aide militaire à l'Europe et le 20, M. Mac Cloy parle de nouveau de réarmer les Allemands. Cet enchaînement logique a les apparences d'une troublante coïncidence, et les deux ministres français, MM. Jules Moch et Maurice Petsche, se demanderont si l'attaque nord-coréenne n'a pas été habilement provoquée par le Pentagone dans le seul but de réveiller l'Occident et de briser les résistances qui s'opposent surtout en France au réarmement de l'Allemagne. Le ministre de la Défense nationale et celui des Finances sont plus exposés que leur collègue des Affaires étrangères. Le 5 août, M. Truman a demandé aux Cinq l'effort qu'ils sont disposés à faire pour la défense commune. En fait de stratégie la France se place aussitôt sur la défensive ; elle retourne la demande et, renversant les rôles, sollicite de ses alliés le renforcement de leurs effectifs en Europe. Elle suggère la création d'un pool financier atlantique, c'est-à-dire d'une trésorerie atlantique et le lancement d'un emprunt de réarmement à garantie de change. Bref, elle réclame une aide militaire et surtout financière. Ce faisant, elle prend l'initiative d'un enchaînement qui lui sera fatal ; elle met le doigt dans l'engrenage qui l'entraînera précisément là où elle ne veut pas aller. Les financiers français ont toujours beaucoup d'imagination quand il s'agit de faire payer les autres.

Mais les créanciers étrangers en ont aussi pour trouver les contreparties politiques qui les dédommagent ; les diplomates cherchent ensuite les formules qui sauvent la face au débiteur.

Il est vrai que le conflit coréen et les plans de réarmement ont déclenché un boom sur les prix des matières premières qui, s'ajoutant à la psychose de guerre, donnent subitement la fièvre à l'économie française. La stabilité péniblement obtenue depuis dix-huit mois prend fin d'un jour à l'autre et, redoutant un nouveau cycle infernal, le ministre des Finances est peu disposé à augmenter les dépenses militaires.

En septembre, le gouvernement porte le service militaire à dix-huit mois, et comme le général de Gaulle lui reproche de ne rien faire et demande quinze divisions, il décide d'en équiper vingt et de mettre par surcroît « à la raison la 5e colonne ».

Mais les suggestions et les décisions françaises ne résolvent pas la seule question qui intéresse les Etats-Unis et spécialement M. Dean Acheson : le réarmement de l'Allemagne. Et c'est le drame.

Le 12 septembre, se réunissent les ministres des Affaires étrangères des Etats-Unis, de Grande-Bretagne et de France. Le ministre français pensait en arrivant qu'il était là pour discuter du renforcement de la police allemande ; on lui parle d'une armée allemande ; on l'exige, il refuse. « Est-il besoin de parler de réarmement allemand alors que le réarmement atlantique est à peine commencé ? » dit benoîtement M. R. Schuman.

La question est portée devant les douze puissances du pacte Atlantique. La France se trouve complètement isolée ou plus exactement elle n'est soutenue que par la Belgique et le Luxembourg. Les Anglais ont lâché les premiers, promesse ayant été faite qu'il n'y aurait pas d'état-major allemand.

Abandonnée par ses alliés, la France est donc invitée à souscrire à une déclaration de principe sur le réarmement de l'Allemagne.

« Une telle déclaration est inutile et dangereuse, réplique M. Robert Schuman. Inutile puisqu'elle ne fera pas sortir les divisions allemandes de terre et dangereuse parce qu'elle peut provoquer de violentes réactions tant sur le plan intérieur que sur le plan extérieur. »

Le ministre des Affaires étrangères, qui à distance se sent parfaitement incompris du gouvernement, appelle en renfort ses collègues de la Défense nationale et des Finances. M. Dean Acheson n'a-t-il pas laissé entendre que faute de décision sur le réarmement allemand, le Congrès ne pourrait consentir de nouveaux crédits d'aide militaire à l'Europe ? Or, M. Petsche, qui prévoit un budget militaire de 850 milliards, en attend 270 des Etats-Unis.

Avant de quitter Paris, M. Jules Moch reçoit les instructions du Conseil des ministres ; dire non à l'ultimatum et, dans l'esprit des socialistes, il s'agit surtout d'empêcher M. Schuman de dire oui.

« Sait-on au moins sur quelles lignes les armées occidentales se battraient en cas de guerre ? » s'inquiète M. Jacquinot. Le ministre de la Défense répond que c'est là une question de fond qui sera abordée plus tard.

« Et si un second front asiatique s'ouvrait en Indochine ? » interroge un autre. « C'est l'affaire de M. Letourneau, réplique M. Jules Moch, non la mienne. »

En vérité, le gouvernement français « ne joue pas la guerre », comme le dit un ministre à ce conseil historique du 20 septembre. Il joue même la paix pour laquelle le réarmement allemand constitue à ses yeux non une garantie mais une menace en raison de sa force propre, mais aussi de la course aux armements qu'il provoquerait entre les deux Allemagnes.

« N'y aurait-il qu'une chance sur mille pour qu'une conversation avec l'U.R.S.S. porte ses fruits que le rôle de la diplomatie devrait être de la proposer », estime M. Pleven. Et un ministre socialiste, M. Eugène Thomas, exhorte la France « à se lancer dans le magnifique effort qui tendrait à combler le fossé entre l'Est et l'Ouest ».

Encadré de M. Jules Moch et de M. Petsche, M. Robert Schuman refuse alors définitivement la déclaration de principe réclamée par M. Dean Acheson. Mais il souscrit au communiqué des Douze : « Le conseil Atlantique a été d'accord que l'Allemagne devrait être mise en mesure de contribuer à la mise en état de la défense de l'Europe. » En coulisse il a déjà consenti à l'idée d'unités allemandes intégrées dans une armée européenne.

En réalité, la victoire tactique des ministres français prépare et dissimule déjà une défaite stratégique ; ils ont gagné la bataille de retardement ; ils risquent de perdre la guerre du réarmement. Rendez-vous est pris pour le 28 octobre.

Le gouvernement n'a plus que deux soucis : conserver sa liberté de négociation et retarder l'heure du choix. Il compte sur le miracle : le renversement de la situation extérieure ou tout au moins celui de l'opinion américaine. Il multiplie les arguments, les arguties et s'attire des répliques qui, pour être dites par la voie diplomatique normale, n'en sont pas moins dures à entendre : « Ou l'Allemagne sera réarmée et l'Europe sera défendue sur l'Elbe ou elle ne le sera pas, et la France sera défendue sur le Rhin. » Autrement dit, ou l'Allemagne sera réarmée et la guerre aura lieu chez elle, ou elle ne le sera pas et la guerre aura lieu chez vous.

C'est l'*ultima ratio,* mais si les ministres avaient été unanimes en septembre pour dire ce qu'ils ne voulaient pas, ils ne le sont plus en octobre sur ce qu'ils veulent.

M. Petsche, lui, veut des dollars et il obtiendra la moitié de ce qu'il demande. M. Moch veut du matériel et il en recevra pour équiper neuf divisions. Mais il s'entête : « Je veux bien être le ministre du réarmement français non celui du réarmement allemand. »

M. Schuman qui y est rallié est surtout soucieux de voir réaliser auparavant la Communauté du charbon et de l'acier. Les Allemands y avaient vu une occasion de rentrer dans la communauté européenne ; ils y seront déjà si on les réarme trop tôt.

M. Pleven, lui, travaille à son plan d'armée

européenne sans se dissimuler que la difficulté viendra cette fois, non des Etats-Unis, mais de la Grande-Bretagne.

L'idée est d'origine américaine ou tout au moins franco-américaine, mais lorsque le président du Conseil en présente le projet à l'Assemblée le 23 octobre, il devient le plan Pleven.

La déclaration de M. Pleven et l'approbation de l'Assemblée donnent à M. Jules Moch une arme dont il va se servir le 28 contre les Américains et les Anglais à la conférence des douze de New York. Ne pourrait-on créer dès maintenant des bureaux de recrutement en Allemagne, lui demande-t-on ? ou mettre sur pied deux divisions avant la fin de 1951. A toutes les questions, à toutes les pressions, le ministre oppose qu'il n'a pas d'autres instructions que de proposer le plan Pleven. L'imagination et le juridisme français ont eu raison du réalisme et de la précipitation des Américains. Une nouvelle opération de retardement commence : quatre ans après il n'y aura pas encore un soldat sous les armes en Allemagne et la majorité aura changé en France.

★

La seconde Assemblée nationale de la IVe République naît enfin le 17 juin 1951. Le R.P.F. l'espérait, l'exigeait depuis 1947 : la majorité la redoutait moins depuis 1949. Sûrs d'eux, les communistes l'étaient moins du mode de scrutin depuis 1950.

En gestation depuis près d'un an, la réforme électorale avait entraîné la chute d'un gouvernement, celui de M. Pleven, et manqué de provoquer celle de son successeur, M. Queuille. Destinée à dégager une majorité là où on s'attendait qu'il n'y en eût pas, c'est-à-dire dans le pays, elle a donc commencé par détruire par deux fois celle qui existait ou vivotait au Parlement. Cette naissance paradoxale fut également tumulteuse. D'invention démocrate-chrétienne, la nouvelle loi fut qualifiée de « fasciste » par les communistes et d' « ignominieuse » par le R.P.F. Elle n'était après tout, comme toutes les autres, qu'un prisme plus ou moins déformant interposé entre l'opinion et sa représentation.

Il suffisait que deux ou plusieurs listes s'apparentent et obtiennent la majorité absolue des voix pour hériter de tous les sièges d'un département [1]. Quoi de plus simple et de plus majoritaire, apparemment ?

Les partis « condamnés à vivre ensemble » au gouvernement avaient donc un motif noble : n'était-il pas logique que la majorité parlementaire soit aussi une majorité électorale, que les partis unis au pouvoir se présentent associés devant le pays ? Mais la raison fondamentale était plus utilitaire et, plus que la justice, la crainte avait conduit à cette loi d'apparentement.

1. Soit trois listes qui ont fait une déclaration d'apparentement A, B., C, et deux autres D et E qui se sont présentées isolément. Si l'addition de voix de A, B et C atteint la moitié plus un des suffrages exprimés dans le département, tous les sièges à pourvoir leur sont attribués et répartis entre elles au prorata du nombre de voix obtenu par chacune d'elles. Les deux autres n'en ont aucun. Mais si les trois listes apparentées A, B, C n'ont pas la majorité absolue, les sièges sont répartis entre les cinq listes A, B, C, D et E proportionnellement au nombre de voix de chacune d'elles.

Tout portait à croire en effet que si la représentation proportionnelle était maintenue, la future assemblée serait, comme l'opinion, divisée en trois fractions sensiblement égales : les communistes, les gaullistes et l'entre-deux, c'est-à-dire la troisième force.

Aucun de ces trois camps n'ayant à lui seul la majorité ne pourrait ni gouverner, ni s'entendre avec un autre, sinon pour barrer le troisième. Le mécanisme constitutionnel serait enrayé et le seul moyen d'en assurer le fonctionnement était de valoriser artificiellement l'un des trois camps au détriment des deux autres, de faire en sorte qu'une minorité d'électeurs produise une majorité de députés. S'estimant en état de légitime défense, la troisième force entendit que ce camp-là fût le sien et elle assembla ses éléments disparates sur le seul thème qui leur fût commun : la démocratie parlementaire.

Le R.P.F. commit alors une erreur mortelle, ou plutôt trois ; il crut que la loi infâme ne serait pas votée puis, lorsqu'elle le fut, il pensa que les partis divisés ne réussiraient pas à l'appliquer, c'est-à-dire à s'apparenter, enfin, lorsque les apparentements furent conclus, il espéra que les électeurs écœurés se détourneraient d'eux. Autant de fautes tactiques ne se pouvaient pardonner. Une dernière s'y ajouta que les gaullistes durent aussi à l'intransigeance de leur chef, bien résolu à ne pas composer avec le système : en refusant de s'apparenter avec les modérés, le R.P.F. les rejeta vers la S.F.I.O. et le M.R.P.

Une élection est toujours un instantané. Elle

reflète le visage politique du pays à un moment donné ; mais elle fait apparaître aussi les traits que d'âge en âge on lui reconnaît. Autant qu'une photographie, elle est une radiographie ; elle révèle l'état des organes et la raison de cet air de santé ou de maladie, de cette apathie ou de cette fièvre.

En 1945-1946, les trois grands partis l'avaient emporté ; en 1951 l'un d'eux s'effondre, le M.R.P. Mais un nouveau parti, le R.P.F., empêche de nouveau les partis traditionnels de refaire surface. Radicaux et modérés se maintiennent à leur niveau modeste, médiocre même de la Libération ; ils perdent même des voix.

Les communistes végètent aussi et tout se passe comme s'il y avait un degré de saturation qu'ils ne parviennent pas à dépasser dans un état donné des sociétés occidentales. Cette stabilité est faite de l'équilibre de ses forces. Son recul dans l'Ouest et l'Est est compensé par son avance dans le Centre et le Nord. Sa situation de 1951 est ainsi l'inverse de celle de novembre 1946. Malgré son isolement total il reste le premier parti de France avec 4 910 547 voix et 25,6 % des voix. Mais il perd des voix, surtout au nord de la Loire.

Les socialistes descendent encore de quelques degrés dans l'échelle des valeurs et des latitudes ; ils se retrouvent avec 40 % de voix en moins que six ans auparavant et se méridionalisent un peu plus.

Le M.R.P. n'a pas comme la S.F.I.O. l'habitude du combat en retraite ; il perd en une seule bataille plus de la moitié de ses troupes. Il s'accroche à ses bastions de l'Ouest et d'Alsace, du Jura ou de la Savoie. Mais partout ailleurs dans la plaine, c'est la déroute, devant les contre-attaques locales des modérés au Sud et l'offensive générale du R.P.F. au nord de la Loire. Il évacue les bassins de la Seine et de la Loire, et la Lorraine. Parti avec 5 058 000 électeurs en novembre 1946, il n'en retrouve que 2 369 778 en 1951.

Le « parti de la fidélité » a payé avec usure son infidélité, non point que le pays se découvre de nouveau une vocation « gaulliste ». Mais il lui faut toujours un péril et quelqu'un qui le rassure ou le protège. Contre le communisme, le dirigisme, le R.P.F. a pris la faction à la place du M.R.P. ; il lui a pris aussi ses armes : la défense de l'école libre. Bref, ses voix de droite qui flottent selon l'air du temps et la direction des vents se sont d'autant plus fixées sur les listes rassurantes des gaullistes qu'ils ont bien souvent le visage des modérés.

Mais où donc sont allés les suffrages perdus par les radicaux, les socialistes, les communistes, ces voix de gauche ou de mécontents ? Au R.P.F. A Châtellerault, les socialistes et les communistes en perdent ensemble 1 444 et les autres partis 1 487. Le R.P.F. en a 2 996 ! Le compte est juste. Dans les Landes, la S.F.I.O. est à — 6 et le M.R.P. à — 14 ; le R.P.F. est à + 20. L'équation est résolue. Dans le Finistère, tous les partis perdent au total 107 000 voix (dont les communistes 31 000) qui vont au R.P.F. Le transfert est rigoureux.

On multiplierait les exemples et les preuves au nord de la Loire. Le R.P.F. « est loin d'être toute la droite et il est autre chose qu'elle[1] ». En ce sens, il mérite en effet son nom de Rassemblement. Autour d'un fort noyau social et géographique de voix conservatrices il a agrégé des suffrages populaires. Manifestation nouvelle d'un courant traditionnel, il est bien alors un mouvement d'un type bonapartiste qui attire les petites gens des campagnes et des villes, des bourgs et des faubourgs. Car c'est plutôt dans les arrondissements ouvriers et les banlieues qu'il a ses électeurs. La foule est femme et se donne vite à un homme, surtout à un militaire, ou du moins elle se prête.

Les beaux quartiers ont des habitudes plus cachées, en tout cas ils accordent leur confiance plus difficilement ; ils la reprennent moins facilement aussi.

En les prenant un peu à tout le monde, et pour moitié au M.R.P., le R.P.F. obtient ainsi 4 125 492 voix, soit 21,56 % des suffrages exprimés dans l'ensemble de la France. C'est un succès électoral et cependant quelle défaite politique ! Par le jeu de l'apparentement qu'il n'a pas voulu jouer, il a trois fois moins de députés que la troisième force alors qu'il n'a que deux fois moins de voix qu'elle. En l'apprenant, le général de Gaulle ne peut y croire ; *quatre électeurs sur cinq* ont préféré le communisme ou le régime des partis et dédaigné « entre ces deux extrêmes, le rassemblement du peuple qui voulait marcher vers le salut sous l'égide d'un Etat juste et fort ». Mais il se reprend vite et, le

1. François Goguel.

21 juin, il dit : « Le R.P.F. est la formation politique française la plus nombreuse, malgré son succès limité, compte tenu du nombre de sièges obtenus par les partis français, c'est au R.P.F. qu'il appartient démocratiquement de prendre la responsabilité du gouvernement de la France. »

Mais les partis qui ont inventé l'apparentement pour écarter le communisme et le R.P.F. « la subversion et l'aventure », dit M. Bidault, ne l'entendent pas de cette oreille. N'ont-ils pas réussi à s'allier, des socialistes aux modérés, dans plus de la moitié des circonscriptions ? N'ont-ils pas eu ensemble 340 sièges ? Si le mode de scrutin a donné un sérieux coup de pouce aux résultats, la troisième force ne doit-elle pas, malgré tout, son relatif succès au geste de l'électeur ? De lui il dépendait d'écarter le monstre des apparentements au lieu de lui prêter la main.

La troisième force a enfin trouvé sa justification. Et cependant que n'a-t-elle subi depuis quatre ans ? Rarement régime et majorité auront été attaqués aussi inlassablement de part et d'autre. A l'assaut des grèves tournantes et à l'offensive gaulliste des années 1947-1948, a succédé la guerre d'usure menée par le P.C. et le R.P.F. Inévitablement, les socialistes et les modérés ont été sensibles à la surenchère exercée sur leur flanc par les extrêmes. Pressés du dedans par les partis de l'opposition comme par ceux de la majorité et pressés du dehors par les alliés, les gouvernements ont plus d'une fois douté d'eux-mêmes. Un président du Conseil se demandait un jour s'il était aussi stupide qu'il apparaissait à travers la lecture de la presse quotidienne. Il avait tort : il manquait seulement d'un peu de caractère. Malgré l'instabilité de six ministères successifs et le peu d'autorité de cinq présidents du Conseil, le bilan de la législature n'est pas négatif. La production, celle de l'énergie surtout, n'a cessé de progresser et, comme il est naturel à un pays qui reconstitue sa substance, l'indice des biens d'équipement est constamment supérieur à celui des biens de consommation. L'inflation n'a cessé elle aussi, il est vrai, de se développer sauf dans le premier semestre de 1949, ce qui a provoqué automatiquement le ralentissement de la production au cours du semestre suivant. Il reste à trouver une politique prouvant qu'en régime de liberté, l'expansion économique n'est pas incompatible avec la stabilité monétaire.

Lorsque s'achève la législature, rien n'est en effet gagné ni réglé, mais rien n'est joué ni perdu. La politique française peut encore, en tous domaines, prendre son orientation ou son tournant.

Ni le traité de la C.E.C.A. n'a été ratifié, ni celui de la C.E.D. n'a été signé. Les gouvernements peuvent encore ou suivre ou renverser le cours de la politique européenne. Ils peuvent aller de l'avant ou revenir en arrière au lieu de se livrer à des opérations de retardement.

Ni les difficultés croissantes avec le Maroc et la Tunisie n'ont trouvé leur terme, et la France peut encore canaliser le courant qui entraîne les Protectorats au lieu de se donner l'illusion de le freiner.

La guerre d'Indochine continue, mais la situation militaire a été redressée par le général de Lattre.

Ayant résisté ou survécu à la guerre sur deux fronts, débarrassés de la hantise électorale, assurés de disposer d'une majorité, les partis associés aux responsabilités depuis plus de cinq ans, peuvent tenter de reprendre l'initiative. Mais c'est au moment de se trouver que la troisième force va commencer à se perdre [1].

1. L'auteur n'a pas repris dans cet ouvrage l'analyse qu'il a présentée dans *La France déchirée* (1957) des raisons fondamentales des divisions et de l'instabilité de la IVᵉ République.

CHAPITRE III

LE VIRAGE AMORCÉ

1951 : *17 juin : élections à l'Assemblée Nationale ; 8 août : investiture de M. Pleven ; 10 septembre : adoption de la loi Barangé par l'Assemblée Nationale ; 13 décembre : ratification du plan Schuman ; 15 décembre : lettre au Gouvernement Tunisien.*

1952 : *7 janvier : chute de M. Pleven ; 20 janvier - 29 février : ministère Edgar Faure.*

Les élections ont eu lieu le 17 juin 1951 ; la nouvelle Assemblée se réunit le 5 et réélit son président le 10 juillet, elle n'accordera son investiture à M. Pleven que le 8 août. La législature commence donc par une crise. Une majorité politique s'est pourtant dégagée avant, pendant et aussitôt après les élections. Elle n'exclut que le parti communiste et le R.P.F. La logique voudrait qu'elle devînt majorité parlementaire et que le gouvernement fût à son image. Les deux propositions sont inséparables ; il a été, et il sera prouvé, qu'un parti ne soutient pas très longtemps un ministère auquel il ne participe pas. Qui ne prête pas ses ministres reprend bientôt ses voix.

Cette crise qui sert de long prélude et de mauvais présage à la nouvelle législature n'a apparemment qu'une cause : l'école libre.

La législature précédente avait été jalonnée d'escarmouches aussi irritantes pour les vaincus que peu satisfaisantes pour les vainqueurs d'un jour. En 1948, ce fut le décret mort-né auquel Mme Poinso-Chapuis doit son immortalité parlementaire ; en avril 1950, devant 60 000 fidèles, l'évêque de Luçon autorisait les parents d'élèves de l'école libre à différer le paiement de leurs impôts et, l'agitation calmée non sans que M. Bidault intervînt à Rome, son successeur, M. Pleven, constituait, en septembre, une commission d'études présidée par M. Paul-Boncour ; en mars suivant, le M.R.P. tentait, à l'occasion du budget, d'obtenir une indemnité pour les maîtres de l'enseignement libre ne percevant pas le salaire minimum garanti...

C'est alors que l'approche des élections mettait en branle un « groupe de pression » qui, mû par un noble idéal, allait cependant se mêler à la bataille politique au moyen des procédés les plus classiques. Le comité d'action pour la liberté scolaire de l'Ouest essayait d'abord de réaliser l'apparentement général de ses défenseurs, le R.P.F. se donnait l'élégance gratuite d'accepter à condition que le M.R.P. « ne s'apparente nulle part avec les adversaires de l'école libre ». Cette « sainte alliance » n'ayant pu se constituer, le Secrétaire d'études pour la liberté de l'enseignement invitait à voter pour les candidats qui s'étaient engagés à adhérer par avance à l'Association parlementaire.

Le 17 juin, sortait des urnes une majorité favorable à l'enseignement libre à la condition que l'on y comprît le R.P.F. Avant les élections, M. Guy Mollet avait demandé « la nationalisation de l'enseignement et l'introduction des lois laïques en Alsace et en Lorraine ». Contraint à la défensive après le scrutin, son parti se contentait de réclamer le maintien du *statu quo*. Dans le même temps, le M.R.P., auquel, avant l'élection, l'*Osservatore Romano* avait opportunément apporté un viatique, invitait le Parlement à « assurer sans délai la liberté réelle de l'enseignement ».

Il n'est donc pas juste d'imputer le réveil de la question à la seule droite, qui n'a jamais fait que suivre le M.R.P. en ce domaine, ni au seul R.P.F. qui l'avait précédé en lançant à grand fracas son projet d'allocation-éducation. Par conviction, intérêt ou tactique, le M.R.P. a posé le pavé au seuil même de la nouvelle Assemblée. Savait-il qu'il ferait trébucher la législature dès ses premiers pas ? Son calcul était à l'opposé de celui qu'on lui a prêté. En réglant le problème dès le départ, il pensait au contraire débarrasser de l'obstacle la route de la majorité ; il espérait que, l'épreuve passée, cette majorité serait plus libre de ses mouvements. La suite des événements devait montrer que ce raisonnement n'était pas stupide. A lui seul, le conflit scolaire n'aurait pas suffi à briser la troisième force. Aux socialistes, il fallait une autre raison qu'imprudemment on leur offrit. Mais il est vrai que le charme fut rompu avant que la majorité le soit et qu'il le fut par le conflit scolaire.

En pressentant M. Petsche pour former le premier gouvernement de la seconde législature, le Président de la République s'adresse évidemment au ministre des Finances du dernier ministère de la première Assemblée. De lui-même il donne la priorité à l'économie sur l'école. Mais les amis de l'appelé, qui vit ses plus beaux jours et, hélas ! ses derniers, lui découvrent des vertus singulières pour résoudre le problème scolaire. N'est-il pas protestant ? voilà de quoi rassurer les laïcs, et n'a-t-il pas fait liste commune avec le M.R.P. ? ce qui ne saurait effrayer l'Église. Puis c'est un homme charmant. Il s'écarte bientôt, pensant bien revenir, car le tout à ce jeu est de n'être pas le premier.

M. René Mayer, qui lui succède, est moins aimable. Moins généreux aussi, il envisage un complément d'allocation familiale destiné à l'école alors que M. Petsche se promettait de garantir au moyen d'une « caisse de compensation » le minimum vital aux maîtres de l'enseignement libre. Modérés, M.R.P. et R.P.F. lui refusent l'investiture et M. Petsche réapparaît. Cette fois, ce sont les socialistes qui le renvoient pour avoir fait renaître un problème « vieux de trente ans ». Dans la nuit, le comité de défense laïque avait invité les « élus républicains » à refuser non seulement leur participation, mais encore leur investiture à tout candidat qui se déclarerait partisan des mesures scolaires et notamment des projets de M. Petsche. Découragé, il fut sur le point d'abandonner avant le vote ; on lui montra que ce n'était pas bien. Malade, il ne devait pas se remettre de cet échec, victime de cette tentation que tout ministre a de croire qu'il a dans son portefeuille un brevet de président du Conseil.

Comme en 1950, la voie était désormais libre pour M. Pleven.

Il y a en lui du Britannique, moins l'élégance ; du libéral sans esprit de classe. Il se fait une haute idée du régime parlementaire. D'outre-Manche encore il a hérité le souci de la politique étrangère qui, hors les périodes de fièvre n'occupe guère les Français dans leur contexte international. A défaut de les résoudre, c'est un moyen de leur donner une dimension nouvelle, de les éclairer, de les déplacer aussi. Ainsi fait-il en 1950 de l'Indochine. La guerre doit y être poursuivie jusqu'à un « règlement d'ensemble en Extrême-Orient ». Quoi de plus logique apparemment, mais de plus irréel. Car on se battra au Tonkin longtemps après que les hostilités auront cessé en Corée.

Son physique est trompeur. Cette stature et cette démarche toutes droites annoncent de la raideur là où l'on rencontre beaucoup d'habileté. Il ne brise pas ; il ne heurte pas. Il se plie loyalement au régime. Plus qu'une politique, il propose des procédures, des formules sans éclat qui ne brillent ni ne frappent mais convainquent sur le moment. Ainsi retrouve-t-il un jour le soutien des socialistes inquiets du poids du réarmement en déclarant que la « justice sociale n'est qu'un cas particulier de la défense nationale ».

Et lorsqu'un peu plus tard, M. Mendès-France lui objecte qu'on ne peut à la fois faire une politique de réarmement et une politique d'investissement, du beurre et des canons, il répond qu'il n'y a pas de défense nationale sans équipement industriel.

Chef d'un parti, l'U.D.S.R., qui fut celui de M. Soustelle et de M. Mitterrand, il est situé à la charnière de la Troisième force et du R.P.F., puis des radicaux et des modérés en même temps que du M.R.P. et de la S.F.I.O. Il a compris que celui qui tient les deux bouts de la chaîne, tient le pouvoir. N'étant pas en permanence candidats au pouvoir ou s'en excluant mutuellement, socialistes et modérés le considèrent volontiers comme l'homme du juste milieu. Parce qu'il l'est en effet — sans être l'homme d'un parti —, les amis de M. Queuille ne le souffrent guère, tout comme ceux de M. Bidault. Pour eux, il est l'usurpateur. Il aurait pu être des leurs ; il ne l'est pas. Mais il occupe plus d'une fois la place que ne leur offre pas le président de la République ou que leur refuse le Parlement.

Fidèle à sa méthode, le président du Conseil désigné imagine trois artifices de présentation : les mesures scolaires ne seraient que provisoires dans l'attente des recommandations de la commission Paul-Boncour ; le gouvernement proposerait lui-même l'extension à l'enseignement privé des bourses du second degré, mais ne prendrait aucune initiative pour le premier degré ; enfin pour celui-ci le gouvernement ne s'opposerait pas à des propositions parlementaires « qui s'inscriraient dans les cadres » des propositions de MM. Petsche et René Mayer. Ayant ainsi habilement dégagé sa responsabilité politique, le président du Conseil va suivre de près le débat, éviter de justesse la démission des ministres radicaux et chercher à donner au plus tôt des compensations d'ordre social aux socialistes.

C'est à une imposante majorité — 361 voix contre 236 — qu'est adopté le projet gouvernemental étendant les bourses aux élèves du second degré de l'enseignement libre. « Une nouvelle ère des luttes religieuses va s'ouvrir », s'écrie le prophète Homais. La loi Marie, du nom du ministre de l'Education nationale est, en effet, combattue au milieu des rires et devant ses propres amis consternés par un personnage venu d'un autre temps, M. Deixonne dont on a peine à se rappeler qu'il est, dans le Tarn, un lointain successeur de Jean Jaurès.

« Vous allez ouvrir la voix aux écoles staliniennes », lance-t-il, lorsque vient le second et plus grave débat qui, lui, met davantage en cause les rapports de l'Eglise et de l'Etat. Mais cette prophétie ne sera pas plus vérifiée que la précédente. La loi Barangé, du nom de l'un de ses auteurs, précise en effet que l'aide aux écoles du premier degré du secteur privé ne s'appliquera qu'aux établissements existants. Il est institué, dit la loi, un compte spécial du Trésor chargé de mettre à la disposition de tout chef de famille ayant des enfants recevant l'enseignement du premier degré une allocation dont le montant est de 1 000 francs par enfant et par trimestre de scolarité. Cette rédaction doublement hypocrite ne sauve que les apparences ou, si l'on veut, les principes. Par esprit de symétrie et de compromis, l'enseignement public bénéficie de la loi au même titre que l'enseignement privé. Cette loi honnie, fille de l'obscurantisme, sera vite considérée par les maires de toutes opinions comme l'une des plus heureuses ou même comme l'une des plus laïques ; jamais l'école communale n'aura disposé aussi librement de crédits aussi importants !

Si, contrairement à son objet, cette aide à l'enseignement privé a surtout bénéficié à l'enseignement public et à ses œuvres, elle n'a jamais en dépit de sa rédaction procuré un liard aux chefs de famille. M. René Mayer avait proposé le versement d'une allocation familiale supplémentaire de

300 francs par mois. Le vocabulaire a été conservé, non la technique. Pour être plus sûr que la manne serve à alimenter non le budget de la famille, mais celui de l'école, le législateur décide de « mandater directement » l'allocation à la Caisse départementale scolaire gérée par le Conseil général pour l'enseignement public et à l'Association des parents d'élèves de l'établissement pour l'enseignement privé.

Après une semaine de débats à ras de terre, la loi est votée par 313 voix contre 255. « Les socialistes ne sont pas près d'oublier », s'écrie leur porte-parole. « Nous ne sommes pas allés à Canossa, nous n'irons pas à Montoire », ajoute l'un d'eux qui ne craint pas d'identifier coup sur coup la S.F.I.O. à un empereur d'Allemagne et à un maréchal de France, l'Eglise ou l'école libre n'ayant le choix qu'entre la figure d'un pape et le masque moins serein de Hitler. Cette évocation signifie simplement que le parti socialiste, qui ne s'est pas incliné devant les partisans de la loi, n'acceptera pas davantage de collaborer avec eux. Il faudra en effet attendre le 13 mai 1958 pour que la S.F.I.O. daigne s'asseoir dans un même gouvernement aux côtés du M.R.P.

La querelle scolaire est-elle seule responsable de la rupture ? En vérité, dès la naissance de la seconde législature, il y a autant de majorités que de problèmes. En six mois, et suivant la chronologie, il y en a déjà quatre.

Majorité politique ? M. Pleven a été investi par 391 voix (dont celles de la S.F.I.O.) contre 102 communistes, le R.P.F. s'abstenant.

Majorité scolaire ? La loi Barangé vient d'être

votée par 313 voix dont celles du R.P.F. contre 255 (communistes, socialistes et 46 radicaux sur 75).

Majorité sociale ? L'échelle mobile des salaires va être votée en première lecture par 410 voix (communistes, socialistes, M.R.P. et R.P.F.) contre 101 (radicaux et modérés).

Majorité de politique étrangère ? Le plan Schuman sera ratifié par 377 voix dont celles de la S.F.I.O. contre 233 (communistes et R.P.F.).

Les modérés figurent constamment dans trois majorités, les socialistes dans trois puis deux, les radicaux dans deux et demi, le R.P.F. dans deux et même les communistes dans une.

Seul le M.R.P. se trouve dans les quatre. Au lendemain des élections, M. Bidault l'avait défini comme « l'axe de la majorité ». Le pluriel convient mieux. C'est autour de ce parti charnière que s'agencent les majorités. Axe-pivot mais non axe-moteur, car jamais plus le M.R.P. ne présidera aux destinées de la IVe République ou plutôt il faudra le 13 mai pour qu'il préside à son agonie. Pendant sept ans et surtout les cinq de la seconde législature, sa seule fonction sera de faire les gouvernements en apportant ses voix — et deux fois de les défaire en les retirant lorsqu'ils lui sembleront un peu trop déportés à droite ou à gauche.

M. Pleven, lui, se situe exactement au centre, et pour le M.R.P. qui le supporte plus qu'il ne le soutient, il a l'unique vertu de rester, malgré toutes les lois Barangé, l'allié de la S.F.I.O.. Le président du Conseil doit, en revanche, compter avec un parti proche de lui et l'un de ses leaders qui lui est plus qu'hostile.

M. Martinaud-Deplat est député depuis le 17 juin. Il attend avec un patient empressement le moment d'être ministre. Mais il n'est même pas de ceux qu'il est préférable d'avoir pour soi au-dedans plutôt que contre soi au-dehors. Car il est dans sa nature de comploter, et non de combattre. Adversaire insaisissable mais toujours présent, homme de couloir et non de tribune, florentin menant plusieurs intrigues de front et s'y embrouillant quelquefois. Familier des préfets de police les plus politiques, M. Chiappe avant la guerre et M. Baylot après, il aura une fâcheuse et fatale tendance à mêler la politique et la police et s'aventurera quelque peu dans « l'affaire des fuites », cherchant à briser la carrière de ses ennemis et finalement abrégeant la sienne.

M. Martinaud-Deplat s'abrite de l'ample et souverain patronage d'Herriot et fait agir M. Queuille dont il conseille la marche incertaine. De ces automates il se servira jusqu'au jour où ils gêneront son jeu. Pour l'heure, ou plutôt pour l'année, il n'a qu'un dessein dont, pour être anciennes, les raisons restent impénétrables : abattre M. Pleven. Cette présence au pouvoir d'un libéral qui n'est pas radical, il la ressent comme une injure personnelle. Tous les coups lui semblent permis. En 1950, il n'a qu'une idée : l'écarter de la présidence du Conseil pour faire voter une nouvelle loi électorale et frayer la voie à M. Queuille. M. Pleven est pourtant sur le point de partir aux Etats-Unis. L'argument ne tient pas ; il le retourne. « Il ne s'agit pas de la réforme électorale mais de savoir si l'on enverra aux Américains un homme qui les trahit par ailleurs. » Comment, pourquoi ? Il ne le dit pas [1]. Le mot trahison est de ceux qui s'usent vite sur les lèvres d'un radical.

Les élections de juin passées, M. Martinaud-Deplat — comme M. Bidault — soutient M. Petsche, s'efface avec une sorte de crainte révérencielle lorsque M. René Mayer fait son tour de piste et se mobilise de nouveau lorsque apparaît M. Pleven. Les lois scolaires votées, l'Assemblée s'est mise en vacances et la législature ne commence vraiment qu'en novembre. C'est alors que les radicaux lancent une idée qui retient d'autant plus l'attention qu'ils n'en sont pas coutumiers. Germée dans le cerveau de M. Martinaud-Deplat, elle est exprimée par M. Edouard Herriot : « Il y a, je crois, à l'Assemblée, une majorité de droite, je dis donc comme je le pense, il faut lever l'hypothèque, celle qui pèse sur nous à cause de la puissance de la droite. Un autre gouvernement de gauche ne sera possible qu'une fois l'hypothèque levée... » En somme, laissons faire ses preuves à la majorité de droite et d'abord celle de son existence. La levée d'hypothèque est un exercice assez ordinaire de la gymnastique parlementaire. Généralement, l'hypothèque retombe avec fracas sur la tête de ceux qui ont voulu la lever. Mais en l'occurence, il s'agit de la tête d'un autre, celle de M. Pleven.

M. Martinaud-Deplat ira, le moment venu, jusqu'à désigner le gymnaste de service : M Edgar

1. La veille du jour où ce propos est tenu, la France a voté à l'O.N.U. avec la Grande-Bretagne et l'U.R.S.S. contre les Etats-Unis qui s'opposaient en fait à l'examen de contre-propositions chinoises sur la Corée.

Faure. Mieux vaut, dira-t-il, charger de l'opération un radical n'ayant occupé que des postes techniques, un homme de second plan qui ne compromettra que lui-même. Double et fatale erreur. Le technicien se révélera un politicien de première grandeur et loin d'être allégée l'hypothèque de la droite ne fera que s'appesantir.

En réalité, plus que la droite, c'est le réarmement qui pèse sur l'économie et du même coup sur la politique du pays. Depuis des mois, les ministres font la navette d'une rive à l'autre de l'Atlantique. Ils y discutent le volume, le rythme et le financement de la contribution française. A chaque voyage le nombre des divisions s'amenuise, celui des dollars aussi. M. Jules Moch ne voulait pas que l'Amérique devînt l'unique arsenal de l'Europe ; il tenait à son char de cinquante tonnes et aux fabrications françaises. M. René Mayer est surtout soucieux d'utiliser les dollars à l'aide militaire et économique ; il réclame et finit par obtenir du charbon américain. Car le problème de réarmement est insoluble, démontre-t-il, sans une augmentation de la production, c'est-à-dire sans une importation accrue d'énergie et de matières premières. L'argument indochinois n'est pas moins fort. Pour la première fois, une note officielle affirme : « Les incompatibilités humaines et financières qui existent déjà entre la guerre d'Indochine et l'effort métropolitain risquent de devenir un jour des impossibilités. » C'est ce que pense aussi le général Juin, depuis peu chef d'Etat-Major, et ce que proclame M. Mendès-France : « Il faut choisir... Nous ne ferons pas d'armée en Europe tant que durera l'hémorragie en Indochine [1]. » La contribution française au réarmement excède d'autant plus les possibilités financières que depuis le printemps tout monte partout : les prix, les salaires, les déficits. Contre cette poussée inflationniste, le gouvernement préconise une politique d'austérité. C'est la dernière chose à demander aux socialistes qui ont encore sur le cœur la pénitence scolaire. Ils ont bien eu en échange le hors-d'œuvre de l'échelle mobile mais il est encore au menu des sénateurs, et la réduction des zones de salaires, mais elle est vite dévorée par la hausse continue des prix. L'imprudence suprême consiste dans ces conditions à toucher aux « conquêtes de la Libération ». M. René Mayer s'y risque cependant et il entraîne, pour leur malheur commun, M. Pleven.

Renonçant à réduire par la voie budgétaire normale le déficit de la S.N.C.F., le gouvernement a recours au procédé des lois-cadres qui transfèrent la responsabilité des députés au gouvernement, en lui donnant le droit de prendre par décret les mesures qui n'auront pas été votées dans les deux mois. Or, les socialistes sont allergiques au principe et plus encore à l'objet de la procédure. Car la Sécurité sociale et la S.N.C.F. sont parmi les tabous de la S.F.I.O. ; qu'un gouvernement y touche et le voici frappé de mort.

M. Pleven est renversé le 7 janvier 1952 malgré les efforts de M. Guy Mollet. Ses derniers actes ont été la ratification du plan Schuman qui marque l'heureuse naissance de l'Europe économique,

1. Le budget militaire est alors de 1 070 milliards (soit 13,1 % du revenu national et 31 % du budget). Sur cette somme 350 sont affectés à l'Indochine où combattent le tiers des officiers, 8 000.

et la malheureuse lettre du 15 décembre qui ouvre la longue crise entre la France et la Tunisie. La législature et le régime sont engagés désormais.

« L'évolution normale de la législature a été faussée dès son origine par les atteintes portées à la laïcité de l'Etat », affirment les socialistes pour se justifier, ou plus exactement pour rejeter sur « la réaction » la responsabilité de la crise. Mais aussitôt ils ajoutent que « s'est développée une offensive tenace, tantôt sournoise et tantôt proclamée, pour revenir, sous prétexte d'économies et de réformes des abus, sur les conquêtes de la classe ouvrière, offensive qui aurait pu trouver son aboutissement dans les projets de lois-cadres ». Où est la raison, où est le prétexte ? Le passé récent et le proche avenir répondent. Les socialistes ont voté l'investiture de M. Pleven bien qu'il ait promis une aide à l'école libre ; ils lui ont maintenu leur confiance malgré le vote de la loi Barangé et ne la lui ont retirée que le jour où il a voulu porter la main sur la S.N.C.F. et la Sécurité sociale. La rupture s'est donc produite sur la politique sociale. La S.F.I.O. va d'ailleurs investir et soutenir, jusqu'au jour de sa chute, M. Edgar Faure. Après un bon coup à droite, la législature s'offre en effet un petit coup à gauche.

Cet intermède est celui des « quarante jours, quarante ministres et quatre kilos ». C'est ainsi qu'il est passé dans l'histoire. Constitué le 20 janvier, le cabinet Edgar Faure est renversé le 29 février, il comprend quarante membres et quand il donne sa démission, son chef a maigri de quatre kilos. Il s'en est expliqué dans une confession qui constitue un témoignage unique et vécu sur la IVe République :

« En quarante jours, dont cinq à Lisbonne, j'ai eu trois grands débats : l'échelle mobile, l'armée européenne, le budget. J'avais encore sur les bras la Tunisie. Pratiquement, j'ai toujours été soumis à cette gymnastique épuisante qui consiste à faire deux choses à la fois, préparer un discours tout en recevant un ambassadeur, trouver une solution financière tout en participant à une discussion politique. On maigrirait à moins.

« Ce qui fait que le régime d'assemblée n'est pas tenable, pour le chef du gouvernement, c'est que la partie de catch engagée en permanence entre lui et six cents députés n'est pas égale. Le député organise sa vie à son gré, peut se faire remplacer dans son vote. Il peut dîner, il peut dormir. Ce soulagement est interdit au président du Conseil.

« Le plus extraordinaire est qu'il arrive encore à gouverner. Il est investi de telles responsabilités qu'il est l'arbitre incontesté au Conseil des ministres. Entre toutes les tendances de l'instable majorité, il est aussi le catalyseur. Seulement la politique qu'il fait est rarement entièrement la sienne. C'est un compromis continuel entre le désir de tout obtenir et la crainte de tout casser. »

Pour tenter de faire adopter le budget de 1952, déjà en retard de deux mois, M. Edgar Faure n'avait pas posé moins de vingt questions de confiance, dont l'une portait sur l'augmentation de 15 p. 100 de tous les impôts existants. C'en était trop pour ses alliés modérés ou même ses frères radicaux : trente-cinq de ces derniers refusèrent leurs voix. On permet difficilement de réussir, ou même d'entreprendre à qui n'a pas été longtemps nourri dans le sérail [1].

1. Le ministère Edgar Faure mit en train un projet d'échelle mobile des salaires qui, adopté par l'Assemblée, fut par la suite rejeté par le Conseil de la République. Modifié et amoindri, il devait donner naissance, sous le gouvernement suivant, à l'échelle mobile du salaire minimum interprofessionnel garanti, ou S.M.I.G. (loi du 18 juillet 1952).

CHAPITRE IV

LE MIRACLE PINAY

1952 : *6 mars : investiture de M. Pinay ; 17 avril : amnistie fiscale ; 26 mai : lancement de l'emprunt Pinay ; 11 septembre : blocage des prix ; 23 décembre : démission de M. Pinay.*

UN HOMME SIMPLE

S'IL y a eu un miracle Pinay, il commence le jour de son investiture, le 6 mars 1952. Nul, et sans doute lui-même, n'imaginait qu'il pût l'obtenir. Les socialistes ont décidé de voter contre lui et le R.P.F. de s'abstenir. Or, sans les suffrages de l'un ou l'autre groupe, la majorité ne peut être atteinte. Mais en dépit de l'air candide qu'il se donne, l'homme n'est pas sans malice. Ses amis font courir le bruit que ses chances sont minces. C'est une manière d'inciter les radicaux à voter pour lui, le geste est sans conséquence ; il ne coûte rien et peut rapporter si, la crise durant, la droite rend à l'un d'eux la monnaie de la pièce. M. Pinay, qui connaît les décomptes du sérail, pense que le même calcul vaut pour le M.R.P.

Là n'est donc pas le miracle. M. Pinay doit de solliciter l'investiture de l'Assemblée à l'estime de M. Vincent Auriol qui l'a remarqué dans les conseils de gouvernement où il siège depuis 1958.

Le président de la République cherchait parmi les seconds rôles des hommes qui puissent occuper la première place, donner un sang nouveau et peut-être un nouveau cours à la IVe : M. Pinay est encore peu connu au Parlement. Mais au-dehors il a des amis, des appuis qui viennent plus à lui que lui à eux. Car ce modéré qui, s'il réussit, sera le premier à gouverner depuis la guerre, ne peut, en dépit d'un caractère un peu rude, que plaire à ceux qui évoluent aux confins de la politique et du patronat, et il passe à l'époque pour être l'un des commensaux de M. Boutemy, éminence grise et dorée qui n'est pas sans avoir ses entrées jusqu'à l'Élysée.

Enfin M. Pinay se présente comme l'adversaire de la fiscalité alors que M. Edgar Faure vient d'être renversé pour avoir réclamé, avec l'accord des socialistes, 120 milliards d'impôts à l'Assemblée.

L'Assemblée vote : M. Pinay avait besoin de 313 voix ; il en obtient 324. Le miracle est venu des « saxons » du R.P.F. Vingt-sept d'entre eux [1] sont passés à l'ennemi, c'est-à-dire au régime. Leurs chefs de file, et en tête M. Frédéric-Dupont, ne sont en réalité que des modérés qui ont emprunté l'étiquette R.P.F.. Ils n'ont pas conscience de trahir ; ils sont fidèles à eux-mêmes. Le

1. MM. Bardon, Bergasse, Bourgeois, Cochart, Couinaud, Coulon, Durbet, Febvay, Frédéric-Dupont, Henault, July, Kuehn, Lefranc, Legendre, Mallez, Molinatti, Mondon, Montillot, Patria, Pelleray, Priou, Raingeard, Renaud, Ritzenthaler, Samson, de Sesmaisons, Thiriet. Contre les 27 soutenus par M. Triboulet, MM. Diethelm, Léon Noël, Louis Vallon, le général Billotte et Mme Lipkowski s'étaient prononcés contre l'investiture de M. Pinay et pour l'abstention du R.P.F.

R.P.F. n'avait-il pas au surplus jugé « intéressante » la tentative de M. Reynaud qui avait immédiatement précédé celle de M. Pinay ? Les deux hommes ne sont-ils pas du même groupe ? Oui, mais, dira le général de Gaulle, leur tentative n'était pas de la « même nature » ; avec M. Paul Reynaud, le R.P.F. aurait pu s'entendre pour réformer la Constitution. Soit. Mais le chef de l'Etat n'avait-il pas pressenti, au début de la crise, M. Soustelle, et le général de Gaulle ne s'était-il pas offert à rencontrer — non à l'Elysée mais à Marly — M. Vincent Auriol qui, trois mois auparavant, affirmait ne pas vouloir être « le Hindenburg de la IVe République [1] ».

Les « gaullistes » s'étaient en réalité divisés entre ceux qui ne voulaient pas entrer dans le jeu avant que les règles en fussent modifiées et ceux qui, sans plus attendre, voulaient être de la partie.

En fait, il y a beaucoup de déterminisme dans ce miracle. M. Paul Reynaud l'avait dit : « Nous venons de faire deux fois de suite, coup sur coup, l'expérience d'un gouvernement qui a tenté de gouverner sans majorité. » Il fallait donc en trouver une et, dès les élections, les chefs de la droite pensaient qu'elle comprendrait tôt au tard, tout ou partie du R.P.F. Comment les éléments les plus modérés ne s'en seraient-ils pas détachés pour assurer le succès d'un homme en qui ils se reconnaissaient ?

Un second miracle se produit aussitôt. Depuis un an les prix montent en France plus qu'en aucun

1. Comme on lui rapportait ce propos, le général dit simplement : « Je ne répondrai pas. C'est la semaine de bonté. »

autre pays, alors qu'ils baissent aux Etats-Unis ou en Suisse et qu'ils sont stables en Italie et en Grande-Bretagne. Touchées ou non par le réarmement, les économies occidentales se remettent de la fièvre coréenne. Seule l'économie française continue de souffrir d'une inflation aiguë. Le mal est, il est vrai, plus ancien, plus chronique qu'ailleurs. L'instabilité politique, avant et après la dernière campagne électorale, a empêché les gouvernements d'y porter remède. Cependant, les données techniques sont les mêmes que dans les pays voisins. D'autres subissent autant les séquelles de la guerre et d'abord l'Allemagne ; la plupart n'ont pas d'indices de production plus élevés et leur augmentation est même moindre en Belgique et en Grande-Bretagne. Cependant le fait est là : de mois en mois, les prix ne cessent de monter en France.

En février 1951, l'indice de détail était de 121 : il est à 148,5 en février 1952 [1]. Seule une cause d'ordre psychologique peut l'expliquer ; l'inflation dure parce que l'opinion est convaincue qu'elle durera. Le consommateur se hâte d'acheter et l'argent lui brûle les doigts. Le producteur se couvre, et au-delà, en vendant plus cher parce qu'il pense à la hausse suivante. C'est la croyance en l'inflation qui crée l'inflation. La contre-épreuve va suivre.

M. Pinay est investi le 6 mars. A la fin du mois l'indice est à 148,1 ; en avril, il sera à 146,6 et en mai à 144,5. La tendance est renversée.

Sans doute le déterminisme peut-il, là aussi,

1. Base 100 et 1949.

expliquer le miracle. La baisse des matières premières a enfin commencé de faire sentir ses effets et l'indice des prix de gros a baissé dès février, c'est-à-dire sous le précédent gouvernement. M. Pinay, dira-t-on, a profité de l'arrêt du boom inflationniste de la guerre de Corée comme il a profité de l'inévitable cassure du R.P.F. Tout autre que lui en aurait bénéficié. C'est oublier la panique monétaire et même financière de la fin février, le désespoir des responsables qui redoutaient la banqueroute alors que les conjoncturistes étaient en mesure de leur annoncer, comme à leurs successeurs, le prochain renversement du courant.

En réalité, l'inflation s'est arrêtée en mars — plutôt qu'en janvier ou en juin — parce que le pays a cessé de croire en sa fatalité, parce que par sa personne, sa tendance et son style, un homme a inspiré confiance tout en sachant, certes, profiter de la chance qui lui était donnée et des concours qui lui étaient offerts. « Ce qui provoque en ce moment, dit-il, l'avilissement du franc, c'est la réaction de défense des individus qui ainsi précipitent eux-mêmes sa chute. » Mais il ne se contente pas de proclamer une volonté ; il affirme une possibilité. Les prix ne monteront plus parce qu'ils ne le doivent pas ; ils baisseront parce qu'ils le peuvent. Sceptiques, les députés entendent une série d'aphorismes : « L'Etat est le gardien de la monnaie au même titre que de l'ordre public... Les prix doivent être contenus par tous les moyens que l'expérience révèle comme les plus efficaces dans la conjoncture actuelle. L'exigence sociale rejoint ici l'intérêt économique. Si les prix suivent la courbe de leurs éléments constitutifs quand ils montent, le même mécanisme doit jouer quand ils baissent. Le cliquet qui les bloque dans ce sens doit sauter. » Mais ce petit patron et ce libéral dit aussi et répétera inlassablement pendant neuf mois : « Les marges commerciales doivent rémunérer le service rendu et couvrir le risque couru ; elles ne doivent point spéculer sur l'incrédulité monétaire. » La gauche n'en croit pas ses oreilles. « Le dirigisme privé ne doit pas relayer à son profit le dirigisme d'Etat. Et s'il existe de bonnes ententes professionnelles, celles qui n'ont pour objet que d'anéantir la liberté, sous le drapeau de la liberté, doivent être et seront réprimées. »

Le président du Conseil sera fidèle à sa déclaration ministérielle et pratiquera successivement deux politiques : l'une d'aimable liberté et la suivante d'autorité menaçante. Une politique de la confiance suppose que le pays manifeste sa confiance dans cette politique, qu'au libéralisme des gouvernants correspondent les libéralités des gouvernés, c'est-à-dire la baisse des prix et la souscription aux emprunts. Un caricaturiste représente alors le chef du gouvernement au pied d'un arbre sous les traits d'un chasseur qui, le fusil en bandoulière, invite gentiment à descendre les prix haut perchés comme des oiseaux.

M. Pinay, qui a pour conseiller M. Rueff, dont il avait pensé faire un secrétaire d'Etat, pratique donc d'abord une politique libérale faite d'économies, d'amnistie fiscale, d'emprunt, d'interdiction des prix imposés et d'appels incessants à la discipline volontaire des producteurs et des commerçants. Il bénéficie alors du concours de fédérations patronales comme celles des grands magasins, de l'habillement et des moyennes et petites entreprises dont les présidents sont ses amis ou ses conseillers : MM. Lacour-Gayet, Boisdé, Gingembre.

C'est vraiment l'âge d'or de l'expérience.

L'indice des prix de détail tombe en juillet à 142,8 (contre 148,5 en février). Le louis a perdu plus de huit cents francs en six mois.

« C'est un fait, et un fait très remarquable, que le gouvernement malgré son inaction a obtenu des résultats. Ce sera certainement l'un des rares cas dans l'histoire où l'on aura vu apparaître des résultats ne correspondant à aucun effort positif et qui se dessinent en quelque sorte dans le vide. » Ainsi devait s'exprimer, dans un article sévère sur « la politique de la magie », un expert anonyme que l'on sut bientôt être le prédécesseur de M. Pinay : M. Édgar Faure[1].

Mais déjà le gouvernement est sur le point de passer de la persuasion à la contrainte. La circulation monétaire augmente tout à coup en juillet et l'indice des prix repart de l'avant en août. Chacun en reporte la responsabilité sur le voisin. L'agriculture l'impute à l'industrie et au commerce, et les petites et moyennes entreprises « à certains paysans et aux intermédiaires ». Nul ne prend pour lui l'avertissement lancé en juin par M. Pinay : « Si, dans les premiers mois qui viennent, l'effort décisif n'était pas accompli, si, par malheur, l'égoïsme devait dominer la raison, la sanction des événements et des faits serait impi-

1. Article signé XXX dans *Combat* du 5 septembre.

toyable. » En septembre, produits alimentaires en tête, les prix continuent de remonter la pente. Tant et si bien que le gouvernement finit par les bloquer au niveau atteint le 31 août. Brusque virage ou nouveau départ, de libérale, l'expérience devient autoritaire. Elle réussit à mécontenter tous ceux qui l'avaient soutenue à l'origine sans rallier ceux qui l'avaient combattue. Commerçants et paysans s'alarment bruyamment et syndicats ouvriers s'agitent à l'automne.

Ni la balance extérieure ni l'équilibre intérieur ne se sont vraiment améliorés. Lorsque approche la discussion budgétaire, le charme populaire est en partie rompu. La situation financière est moins favorable [1]. L'audace parlementaire peut renaître.

Mais sa chute fin décembre — et son échec même — n'effaceront pas dans la mémoire, pourtant courte de l'opinion, le souvenir d'un succès qu'il doit moins à sa politique qu'à son personnage.

M. Pinay est un homme singulier parce que c'est un homme simple : son nom, son prénom, son visage — qui désarme les caricaturistes —, son langage, son chapeau, sa politique, tout est simple chez lui. M. Pleven était trop habile, M. Edgar Faure trop intelligent, M. Pinay n'a rien de trop. L'homme de la rue le trouve sympathique « parce qu'il n'est pas comme les autres ». « Il n'a aucun de ces signes particuliers, où peut accrocher un enthousiasme, une haine ou une légende [2] ».

1. M. Pinay avait dit avoir trouvé 4 milliards dans la caisse en arrivant rue de Rivoli. Son successeur au ministère des Finances, M. Bourgès-Maunoury affirma n'en avoir trouvé que deux !

2. Mme Françoise Giroud, dans *France-Dimanche*, nº 291, 23-29 mars 1952.

« Soixante et un ans qui en paraissent cinquante, le poil gris, le front bombé des coléreux, l'œil brun, vif et droit, la médaille militaire, la taille moyenne, le sens du ridicule, le foie susceptible, le goût de la terre et des pierres, l'art de dépenser toujours un franc de moins qu'il ne possède, l'oreille fermée aux langues étrangères, l'air enfin d'être tout entier taillé dans un bon tissu mince, mais solide, M. Pinay, Monsieur tout laine et grand teint, ressemble comme un frère aux nombreux Français de son âge qui pestent tous les jours contre le gouvernement...

« Tous les hommes publics ont, comme les acteurs, tendance à « faire un numéro » dont on est plus ou moins dupe. M. Pinay ne m'a joué ni le sketch du monsieur dérobé, ni celui du grand patriote crucifié sur l'autel de la patrie, ni le plus courant qu'on pourrait intituler : « Voyez comme je suis resté simple... »

Mme Françoise Giroud est séduite par ce Français moyen, pour qui M. Mendès-France a voté et à qui Charles Maurras écrit en août pour se plaindre du « mauvais coup » que lui a fait le ministre de la Justice, en rejetant son pourvoi en cassation :

« Vous avez la réputation d'un honnête homme, et tout me persuade que vous la méritez.

« Vous avez siégé dans le Conseil national du maréchal Pétain ; les jours noirs sont venus, vous ne l'avez pas renié. Maire et député de Saint-Chamond, nul soupçon n'effleura votre intégrité, éloge rare, presque uniquement personnel. Lorsqu'une bande de criminels de droit commun voulut soumettre à son jugement l'irréprochable ministre du maréchal, Xavier Vallat, commissaire aux Affaires étrangères juives, grand mutilé de l'autre guerre, ancien secrétaire général des Anciens combattants, vous avez demandé à être entendu par la Haute Cour, et vous avez porté le témoignage que vous deviez. Votre programme ministériel était de bon sens, et comme vous l'avez dit, d'expérience. Vous avez su y conformer votre conduite générale. »

Les nostalgiques de Vichy ne lui rendent pas toujours les meilleurs services et c'est d'eux que viendra surtout sa légende ; de cet honnête homme, ils vont jusqu'à faire une espèce de saint. « A l'église, on a vu le président du Conseil céder sa chaise à une vieille dame et assister à l'office debout. A ce degré, la simplicité est émouvante et empreinte de dignité. A force de mesure et d'équilibre et par l'accumulation de signes distinctifs moyens, M. Pinay atteint à l'originalité [1]. »

Peu connu du grand public ou même du petit monde parlementaire jusqu'à son investiture, M. Pinay partagera avec M. Mendès-France le privilège d'avoir identifié une politique à son nom et d'avoir cristallisé sur sa personne des attachements ou des hostilités également tenaces.

Ils sont aussi les seuls à se détacher du peloton nombreux de ceux qui ont pris part pendant douze ans à la course au pouvoir. Ils sont les seuls enfin à ne pas l'avoir recherché, à l'avoir même délaissé quand il s'offrait à eux. Cette originalité-là au moins est incontestable.

1. Les *Ecrits de Paris*, septembre 1952.

TROISIÈME PARTIE

LA IVᵉ SE PERD

1952-1958

CHAPITRE PREMIER

DEUX DRAMES SE NOUENT

1952 : *26 mars : arrestation des ministres tunisiens ;*
27 mai : signature du Traité de la C.E.D.

1952 restera l'année Pinay. Le souvenir de son expérience sera le plus beau titre de gloire de ses amis, et le plus rentable ; de son nom ils feront un drapeau, un slogan, un panneau-réclame.

Mais cette année-là n'est pas uniquement celle d'un succès : la stabilité monétaire ; d'un décès : celui de l'inflation. Elle est aussi l'année d'une naissance : celle de la Communauté européenne de Défense, la C.E.D. — et d'un divorce : entre la France et la Tunisie. Et ces deux événements-là tourneront mal.

Car c'est sous le gouvernement de M. Pinay que se nouent les deux drames qui, aggravant le déchirement des hommes et des partis, affaibliront le régime et conduiront par une série de réactions en chaîne à son effondrement. C'est alors que commence secrètement, mais organiquement, le déclin de la IVe République, son inaptitude à faire face aux tâches de la France du milieu du XXe siècle.

Le 26 mars, le résident de France, M. de Hauteclocque, confie les pouvoirs de police au général Garbay et fait arrêter sans autre forme de procès ni de protocole le premier ministre, M. Chenik, qui est expédié avec plusieurs de ses ministres en résidence surveillée dans le Sud.

Responsable des affaires tunisiennes, M. Robert

Schuman, ministre des Affaires étrangères, apprend la nouvelle à Paris par une dépêche de l'Agence France-Presse ; il ne cache ni son étonnement ni même son indignation. Jamais il n'a ordonné, ni même envisagé l'arrestation et la déportation du premier ministre et de ses collaborateurs. « C'est une gaffe, un crime, un acte de banditisme international », s'écrie M. P.-H. Teitgen lorsque M. de Menthon vient rendre compte au M.R.P. de la visite qu'il a faite à M. Robert Schuman.

Le ministre a simplement laissé entendre que les instructions du gouvernement avaient été largement dépassées par le résident. Le conseil du 22 mars avait bien donné à M. de Hautecloque « tous pouvoirs » pour obtenir le départ de M. Chenik. Mais ni M. Robert Schuman ni M. Maurice Schumann n'avaient imaginé qu'il pût aller jusqu'à la contrainte physique. Dans la journée du 25, avant de passer aux actes, il avait bien pris l'attache du ministère, mais non du ministre lui-même ; M. Martinaud-Deplat était au courant, non M. Robert Schuman.

Le M.R.P., qui dans son ensemble a la prescience des événements qui vont suivre, souhaite que M. Robert Schuman prenne la parole ou reprenne l'initiative. Mais le ministre estime de son devoir d'Etat de ne rien dire ; il promet seulement de s'expliquer « plus tard ».

L'explication viendra à la fin de l'année, le jour où il quittera le ministère.

Depuis qu'il l'occupe, il a suivi d'assez loin le dialogue franco-tunisien et trois épisodes ont conduit malgré lui de l'espérance à la rupture.

Dès le 18 avril 1950, M. Bourguiba était venu à Paris demander la révision du traité du Bardo de 1881. Dans une déclaration en sept points, il réclamait en termes mesurés la constitution d'un gouvernement tunisien présidé par un premier ministre désigné par le Bey et l'élection d'une Assemblée nationale chargée d'élaborer une constitution démocratique. La réaction des Français de Tunisie ne se fit pas attendre ; un mois après, ils réclamaient l'arrestation des chefs du Néo-Destour et protestaient contre l'attitude du résident, M. Mons, d'autant plus favorable aux réformes de M. Bourguiba qu'elles avaient été approuvées par son parti : la S.F.I.O.

Le 31 mai 1950, M. Périllier remplaçait M. Mons. Par toute sa carrière militaire et administrative le nouveau résident est un Africain. Il était alors préfet de la Moselle, département de M. Robert Schuman. Sa nomination avait plutôt rassuré les Français de Tunisie lorsque le 10 juin à Thionville, le ministre des Affaires étrangères déclara que le résident devrait « amener la Tunisie vers l'indépendance, qui est l'objet final pour tous les territoires au sein de l'Union française ». Explosif, le mot était lâché. Le lendemain, le ministre essayait de le rattraper : l'indépendance exigera de longs délais dit-il, et en attendant, la Régence sera progressivement conduite à son « autonomie interne ». Cette atténuation, qui déçut les nationalistes tunisiens, ne retint pas la majorité des Français de donner leur démission du Grand Conseil. Désormais toutes les réformes seront simultanément jugées insuffisantes par les Tunisiens et excessives par les Français de la Régence.

Ce premier épisode, celui de l'espoir, s'acheva le 17 août 1950 par la formation d'un nouveau gouvernement « de négociations » que présidait M. Chenik et qui comprenait notamment le propre secrétaire du Néo-Destour, M. Salah ben Youssef.

Mais plus d'un an après, les réformes se limitaient encore pratiquement à la suppression des conseillers français auprès des ministres tunisiens et du visa — sinon du veto — dont le secrétaire général français disposait. Comment s'en étonner ? Les représentants des colons, qui se refusaient à ce qu'ils considéraient comme « une politique d'abandon et de concession », n'avaient cessé de tempêter tant à Paris qu'à Tunis ; les socialistes avaient quitté le gouvernement et seul le M.R.P. se faisait l'avocat de la politique définie en 1950. Pendant ces quatorze mois, M. Bourguiba souffla le chaud et le froid, prêchant le calme ou parlant de sang et de guerre, se ralliant à l'autonomie interne, tout en se faisant fort d'obtenir l'indépendance plus tard.

Le 17 octobre 1951, M. Chenik arrivait à Paris, avec l'accord du résident et, le 31, il remettait au gouvernement français une note réclamant la constitution d'un gouvernement purement tunisien responsable devant une Assemblée nationale élue au suffrage universel. Bref, la réalisation de l'autonomie interne promise le 17 août 1950. Les semaines passèrent, le Premier ministre fit antichambre, les chefs de la colonie française s'agitèrent, les syndicats tunisiens firent la grève générale. Enfin, le 15 décembre, le gouvernement français répondit à la note tunisienne du 31 octobre.

Ce fut la fameuse lettre du 15 décembre. Signée

de M. Robert Schuman, elle avait été rédigée par M. Maurice Schumann, secrétaire d'Etat [1].

Pourquoi l'a-t-on qualifiée de « stupéfiante » et même de « sotte » malgré les protestations de son auteur ? A ceux qui souhaitaient voir reconnaître la souveraineté tunisienne, elle répondait par l'affirmation de la co-souveraineté franco-tunisienne. M. Maurice Schumann a toujours répliqué que ni le mot ni même le principe n'y étaient contenus. C'est exact. Mais la politique définie était bien celle d'une co-souveraineté. Elle comportait explicitement « la participation des Français au fonctionnement des institutions politiques » et « la reconnaissance du caractère définitif du lien » unissant les deux pays.

Cette thèse pouvait parfaitement se soutenir mais sa présentation et la rédaction de la lettre ne pouvaient être plus maladroites. Ne faisant même pas allusion à l'autonomie interne promise en 1950, elle donnait à penser que le protectorat avait un caractère définitif et se donnait même l'apparence de violer le traité de 1881. Enfin elle constituait *a contrario* une fin de non-recevoir au mémorandum tunisien du 31 octobre, la seule réforme proposée étant celle des municipalités.

M. Robert Schuman et M. Périllier s'employèrent dans les heures et les jours qui suivirent à atténuer l'effet désastreux produit par cette lettre sur les Tunisiens. Le ministre nia qu'elle pût constituer une fin de non-recevoir,

1. Et dit-on, par M. Puaux, fonctionnaire du Quai d'Orsay et fils du sénateur représentant les Français de Tunisie. Mais par la suite, M. Maurice Schumann fut l'un des partisans les plus clairvoyants d'une politique libérale en Afrique du Nord.

affirma que des « compromis » devaient être possibles et, revenant par la bande à l'autonomie interne, déclara ne vouloir réserver à la France que les Affaires étrangères et la Défense nationale. Revenu à Tunis le résident parla même de « lien confédéral » et ses efforts pour éviter le pire furent d'autant plus méritoires qu'il se savait condamné à Paris.

Mais en vain. Ceux qui, dans les coulisses, s'étaient opposés aux demandes tunisiennes n'allaient pas abandonner la partie alors qu'elle était à moitié gagnée. M. Martinaud-Deplat avait sans tarder félicité le gouvernement, et ses amis conseillaient déjà de nommer un « résident à poigne » qui ne craindrait pas d'aller au-devant d'incidents. Le 24 décembre 1951 M. de Hautecloque remplaçait M. Périllier et, se croyant encore à l'époque des coups d'éventail et des canonnières, il arrivait sur un navire de guerre le 13 janvier. Le lendemain, sur le conseil de M. Bourguiba, le gouvernement tunisien saisissait l'O.N.U.

M. Chenik avait pourtant prolongé son séjour à Paris dans l'espoir d'obtenir un mot, un geste lui permettant de ne pas revenir les mains vides à Tunis et de ne pas être débordé par les éléments les plus intransigeants du Néo-Destour. Ayant signé la plainte à l'O.N.U., il s'empressa d'assurer qu'elle n'était pas « une manifestation d'hostilité à l'égard de la France ». La démarche tunisienne prenait néanmoins l'allure d'un défi. Elle offrait inespérément une occasion à ceux qui, avec M. Colonna, dès le 26 novembre, avaient réclamé la destitution de M. Chenik en prenant même la peine d'indiquer le nom de son successeur, M. Baccouche. Bien qu'il n'y eût plus de gouvernement à Paris — M. Pleven venait d'être renversé —, le résident recevait le 15 janvier l'ordre de demander au Bey le renvoi du premier ministre. Le souverain fit alors le mort ou plutôt le malade ; se disant tout à coup souffrant il fit lanterner M. de Hautecloque jusqu'au 24.

Entre-temps, le gouvernement Edgar Faure s'était installé et un débat avait lieu à l'Assemblée nationale. Soutenu et stimulé par les socialistes, personnellement porté à la conciliation, le nouveau président du Conseil avait bien condamné le recours à l'O.N.U., mais il s'était surtout employé à reprendre par-dessus l'Assemblée le dialogue avec les Tunisiens.

Deux mots pouvaient le permettre, l'un qui était rejeté formellement, celui de « co-souveraineté », l'autre qui était opportunément relancé, celui « d'autonomie interne ». « D'autres politiques sont possibles, disait-il, celle de l'abandon et celle du coup de poing sur la table. Nous n'admettons ni l'une ni l'autre ; et elles sont plus proches l'une de l'autre qu'on ne le croit souvent. »

Deux jours après, le gouvernement s'offrait à renouer les conversations en renonçant implicitement à exiger la destitution du cabinet tunisien. Pour plus de solennité et de sûreté la note n'était pas envoyée par le ministère des Affaires étrangères au résident, mais elle était apportée à Tunis par le directeur adjoint du cabinet du président du Conseil, M. Duhamel.

Dès lors, pendant quelques semaines, le climat ou même la politique furent bien différents d'un bord à l'autre de la Méditerranée. A Paris, on s'essaya à donner un contenu aux projets de réforme ; un grand propriétaire tunisien qui jouissait de solides amitiés dans la capitale, notamment au M.R.P., M. Tahar ben Amar, s'y employa tout autant que M. Mitterrand, ministre d'Etat, qui envisageait un gouvernement tunisien homogène, une assemblée représentative, un conseil économique et enfin la double nationalité pour ceux des Français qui voudraient participer aux institutions. Mais en Tunisie, sans que le résident ne fît rien ni ne dît mot pour les apaiser, les esprits s'échauffaient, les sabotages et les incidents se succédaient, les arrestations et les représailles se multipliaient. La répression s'accentua. La méthode du « ratissage » n'épargna ni les femmes ni les enfants, et le plus violent, celui du cap Bon qui, fin janvier, amena le commandement français à prendre des sanctions contre des militaires, fit l'objet d'un sévère rapport des deux ministres tunisiens au début de mars [1]. Le résident qualifia de « manœuvre politique » ce document qui révélait des excès ignorés de la métropole.

Le gouvernement Edgar Faure était renversé depuis quelques jours, M. Pinay venait d'être investi et le changement fut décisif. Non point tant en lui-même que par l'effet qu'il produisit de part et d'autre. A Tunis, les dispositions conciliantes de M. Edgar Faure avaient fait impression et ce n'est pas par hasard si l'enquête tunisienne sur le cap Bon qui datait des 8 et 9 février n'avait été rendue publique que le 6 mars. De sa résidence

1. Le texte en a été publié par M. Jean Rous dans *Tunisie, attention* (Deux Rives).

forcée, M. Bourguiba conseillait de temporiser.

L'arrivée de M. Pinay au pouvoir n'avait rien en soi qui pût l'en décourager. Mais outre que le nouveau président du Conseil n'avait que finances en tête — une seule phrase de sa déclaration ministérielle est consacrée aux « difficultés » tunisiennes —, les débuts d'un gouvernement favorisent l'action des pouvoirs parallèles. Peu de jours se passent avant que renaisse l'idée d'imposer au souverain le renvoi du gouvernement de Chenik. Ni M. Pleven qui est son ami, ni M. Robert Schuman, ni même M. René Mayer, député de Constantine et désireux que le calme règne dans la proche Régence, n'acceptent cette éventualité. Mais dans les gouvernements les affaires d'outre-mer sont alors traitées par prétérition et réglées dans l'équivoque. Nul ne sait exactement ce qui s'y décide et chacun peut s'en aller la conscience tranquille.

C'est alors la démarche du résident auprès du souverain qui proteste dans une lettre au président de la République : « Le ton comminatoire employé au cours de l'audience Nous autorise à douter qu'un tel comportement puisse être celui de la France » ; puis, le lendemain, c'est l'arrestation de M. Chenik et l'étonnante proclamation de M. de Hautecloque, reprochant au premier ministre tunisien de n'avoir pas tenu de conseil alors qu'il était à Paris et mêlant les communistes à une affaire où ils n'ont aucune part ; le surlendemain enfin la nomination de l'aimable et sceptique M. Baccouche qui met quinze jours à chercher des ministres et finit par en trouver parmi les fonctionnaires tunisiens.

Les mois qui suivent voient avorter des tentatives de rapprochement. M. Pinay qui brûle de régler le conflit en tête-à-tête avec M. Bourguiba dépêche, en mai, l'un de ses ministres, M. Temple, à Tunis [1]. Le gouvernement ne le suit guère. Un nouveau plan de réformes est proposé par M. Robert Schuman, et l'Assemblée qui en discute se révèle incapable de clore son débat par un vote positif. Le plan qui confirme ou consacre la « souveraineté tunisienne » est d'ailleurs rejeté par les Tunisiens. Ses dispositions ne correspondaient pas toujours à ses principes et maintenaient, aggravaient même à leurs yeux « l'administration directe » contraire à l'esprit comme à la lettre du protectorat.

Dans le même temps le pouvoir parallèle s'ingénie à infléchir les décisions gouvernementales. En mars, à l'insu de M. Vincent Auriol, l'héritier présomptif avait été embarqué dans l'avion amenant les émissaires du Président de la République auprès du Bey. C'était lui signifier clairement qu'il avait à se soumettre ou à se démettre. En juillet, à l'insu de M. Pinay, le résident n'hésite pas à restreindre la portée des réformes dans les décrets qu'il soumet au Bey.

Les deux hommes sont au plus mal. Le résident est aussi honnête que le souverain l'est peu, et

1. La mission de M. Temple est « d'intercepter » le résident M. de Hautecloque ou en tout cas de lui conseiller la conciliation et de prendre un contact direct avec les Tunisiens. Parlant de M. de Hautecloque, M. Maurice Schumann, secrétaire d'Etat, confie : « Nous sommes inquiets de ce qu'il veut faire ou plutôt de ce que son entourage lui conseille de faire. Nous ne voulons ni nouvelle mesure de force ni déposition du bey. Nous nous battons sur plusieurs fronts contre les nationalistes et contre les « colonialistes » et contre la « résidence ». Dans le même temps l'attention du résident est attirée par le Quai d'Orsay sur les incidences internationales de l'affaire tunisienne, une note américaine transmise par l'ambassadeur ayant attiré l'attention du gouvernement français sur l'urgence des réformes.

l'on comprend qu'il méprise cette cour d'un autre âge qui vit de tous les trafics. Mais lui-même n'est pas de son siècle et cet ambassadeur fait aussi maladroitement que possible un métier qui n'est pas le sien. Le diplomate, en la circonstance, est plutôt le souverain qui, bien conseillé, se joue de lui, bat en retraite ou contre-attaque quand il faut. Ayant succédé à Moncef bey, imprudemment déposé par le général Giraud, le Bey est considéré comme illégitime par une partie de son peuple ; il a beaucoup à se faire pardonner. Moins francophile et moins populaire que son prédécesseur, il n'est qu'un instrument dans les mains habiles du Néo-Destour. Bref, ni à Paris ni à Tunis, au palais comme à la présidence, le pouvoir légal n'est le pouvoir réel. M. Robert Schuman en portera lui-même témoignage :

« Le fait accompli est la grande et constante tentation à laquelle les Résidents généraux ont du mérite à résister, dans la mesure où ils n'y succombent pas. Eux-mêmes, d'ailleurs, se trouvent dans une situation analogue à l'égard de certains services (police, information, etc.) qui jouissent d'une plus grande indépendance et échappent facilement à un contrôle efficace, faute d'une opinion publique qui ailleurs exerce le rôle d'un frein salutaire.

« Au-dessus des Résidents généraux le ministre des Affaires étrangères est responsable de leur gestion qui est censée être conforme à ses propres vues. C'est une de ces fictions sur lesquelles repose le régime démocratique. Lorsque tout est calme, le mérite en est attribué au ministre. Dans le cas contraire, il est présumé fautif parce qu'il n'a pas su agir ou qu'il a mal agi. Cette fiction ne tient pas compte d'abord du fait que de Paris, ainsi que je viens de le dire, on n'a qu'une action et un contrôle limités sur les faits et les hommes qui nous représentent. En outre, le ministre n'est pas seul à déterminer la politique à suivre : elle est affaire de gouvernement, c'est-à-dire d'un collège dont les décisions sont anonymes et au sein duquel l'avis du ministre responsable ne prévaut pas nécessairement.

« J'ai acquis la conviction qu'aucune réforme importante visant les relations entre la France et le Maroc ou la Tunisie ne sera possible sans un retour aux notions exactes de responsabilité et de subordination hiérarchique [1]. »

Responsable nominal des affaires tunisiennes, M. Robert Schuman l'est, en effet, également des affaires marocaines au cours des années 1950-52. Rien de grave ne s'était produit dans le protectorat depuis le discours de Tanger et la nomination du général Juin en avril et mai 1947. Ce n'est qu'en octobre 1950 que, venu à Paris, le Sultan remit un mémorandum au Président de la République. Il y réclamait le retour à l'esprit même du protectorat, c'est-à-dire la fin de l'administration directe et pour commencer l'abrogation du contrôle français sur la nomination des pachas et caïds. La réponse française ne lui ayant pas donné satisfaction, sauf sur l'assouplissement de la censure, le souverain et le gouvernement chérifien posèrent la question de la révision du traité de 1912. Avec un temps de retard, la démarche des Marocains est d'un parallélisme rigoureux avec

1. *La Nef.*

celle des Tunisiens. N'ayant rien obtenu d'autre que la création d'une commission mixte, le sultan quittait la France le 5 novembre, et le ministre des Transports qui l'accompagna jusqu'à Marseille, conversant longuement et se confiant même, s'appelait M. Antoine Pinay.

Mohamed V retrouvait à Rabat à ses côtés, le soutenant, le stimulant à l'occasion, l'Istiqlal — et son fils aîné en liaison constante et étroite avec l'organisation nationaliste — et contre lui le Glaoui, pacha de Marrakech, et la Résidence générale. Une première fois, en décembre 1950, le général Juin lui demandait en vain de désavouer l'Istiqlal. Une seconde fois, en février 1951, le même ultimatum était accompagné et appuyé par la mobilisation des tribus berbères et leur marche sur Fès et Rabat.

Dans la crainte d'être déposé et soucieux de ménager l'avenir, le souverain cédait après en avoir appelé sans succès à M. Vincent Auriol. En son nom, le grand vizir condamnait non pas l'Istiqlal en tant que tel, mais simplement, concession faite par le gouvernement français, « les méthodes d'un certain parti ».

Alors que les socialistes s'étaient faits les défenseurs du Néo-Destour, M. Bourguiba étant à leurs yeux une sorte de socialiste laïque et réformiste, Mohammed V leur semblait être de l'espèce du souverain réactionnaire et médiéval. Seul le M.R.P. s'était opposé aux pressions exercées sur le Palais, aux menaces de déposition, aux « manœuvres perfides », écrivait l'*Aube*.

M. Robert Schuman avait-il évité de justesse la destitution ? Le témoignage du Résident général est formel : « Il n'y eut aucune intervention officielle de la part de M. Robert Schuman. Je savais seulement qu'il souhaitait, comme moi-même d'ailleurs, que la crise n'eût pas un pareil dénouement [1]. » On sait aussi, de la même source, que lorsqu'il fut nommé à Rabat par le gouvernement Ramadier en 1947, les instructions autorisaient le Résident à envisager, en cas d'obstruction du palais, « soit une abdication volontaire, soit une déposition provoquée par l'autorité française elle-même ». Et les consignes de M. Bidault ajoutaient : « ce risque est dès à présent accepté et il paraît désirable que Sa Majesté en ait pleinement l'impression ». Quatre ans après, le Résident était donc apparemment habilité à exercer ce chantage sur le Sultan. Son intention n'était pas d'aller jusqu'au coup de force. L'aurait-il eue que le gouvernement — et ce fut sa seule mais efficace intervention — avait décidé que la déposition exigerait l'accord du Conseil des ministres.

Nommé secrétaire général des Affaires politiques et militaires de la Résidence quelques jours avant ces événements, le général Boyer de la Tour a donné une version qui ne change rien à l'attitude du gouvernement mais présente différemment celle du général Juin : « Le Résident général informa le Quai d'Orsay de la situation et demanda l'autorisation si besoin en était de déposer le Sultan pour pouvoir procéder à des réformes dans le calme. Le gouvernement français refusa et... sur ces entrefaites le Sultan accéda en partie aux demandes de la Résidence [2]. »

1. *Le Maghreb en feu*, Maréchal Juin (Plon).
2. *Vérités sur l'Afrique du Nord*, Boyer de la Tour (Plon).

Le Maroc y gagna une année d'apparente tranquillité mais ce temps fut en fait perdu pour les réformes. Rien de fondamental ne pouvait d'ailleurs être accompli. D'une part les nationalistes entendaient par réformes de véritables transformations de structures alors qu'il ne leur était proposé que des mesures d'administration. D'autre part, du côté français, la plupart des partisans de la force n'étaient en réalité que des adversaires des réformes. Les seuls changements qui les intéressaient visaient non le régime du protectorat mais les personnes et d'abord celles du Sultan et de son entourage. Eloigner les nationalistes du cabinet impérial leur semblait suffisant pour arrêter une évolution dont, en majorité, ils voulaient ignorer les ressorts profonds.

Cette double logique explique l'échec d'une politique en dépit du désir sincère du souverain de demeurer lié de quelque manière à la France et de la volonté du général Juin lui-même d'acheminer progressivement le Maroc vers son autonomie interne. Ses instructions initiales le lui prescrivaient en 1947. Y a-t-il satisfait ? Le 28 avril 1951 alors que, non sans difficulté, sa mission venait sur sa demande d'être prolongée, il écrivait à M. Robert Schuman : « Depuis quatre ans, et nonobstant un parti pris évident d'obstruction, la Résidence ne s'est pas complu dans l'immobilisme... Elle a entrepris les réformes de structure indispensables à l'institution d'un régime nouveau orienté vers l'autonomie interne [1]... »

En vérité, en dehors de la création de conseils de

1. *Op. cit.*

tribus élus et délibérants et de la transformation de la section marocaine du conseil du gouvernement, les pas accomplis sur la voie de l'autonomie interne étaient des plus timides et le Résident n'envisageait que pour un avenir lointain « la formation d'un gouvernement véritablement responsable ».

Pendant un an le Sultan se réfugie dans l'attentisme — ou plutôt dans l'attente du départ escompté et même décidé en principe depuis fort longtemps du Résident qui a été nommé adjoint du général Eisenhower.

Ce n'est qu'en mars 1952, sous le cabinet Pinay, que successeur du général Juin, et imposé par lui [1], le général Guillaume reçoit un nouveau mémorandum de Mohammed V.

Cette démarche ne peut tomber plus mal. En Tunisie, M. de Hautecloque vient d'arrêter et de destituer le gouvernement de M. Chenik. Dans sa note, le Sultan réclame précisément ce qui a été accordé l'année précédente aux Tunisiens : la constitution d'un « gouvernement de négociation ». Mais il le fait à un moment où la politique de fermeté ou même de force l'emporte à Paris. Ni la création d'un véritable exécutif, ni la révision du traité de protectorat, ni même la reprise du dialogue ne peuvent être favorablement accueillies. Le gouvernement français fait attendre sa réponse pendant six mois et quand elle arrive en septembre, c'est une fin de non-recevoir.

Moins de deux mois après, le cycle infernal du terrorisme et de la répression se déchaîne au Maroc comme en Tunisie.

1. Lettre du 10 juillet à M. Queuille, président du Conseil.

CHAPITRE II

LA MACHINE S'ENRAIE

1953 : *7 janvier : investiture de M. René Mayer ; 6 mai : déclaration du général de Gaulle rendant leur liberté aux élus du R.P.F. ; 21 mai : chute de M. René Mayer ; 26 juin : investiture de M. Laniel ; 4-25 août : grèves ; 20 août : déposition du sultan du Maroc ; 4-8 décembre : conférence des Bermudes ; 17-23 décembre : élection présidentielle à Versailles.*
1954 : *4 février : approbation du plan d'expansion de dix-huit mois ; 28 avril : grève de vingt-quatre heures ; 12 juin : chute de M. Laniel.*

I. — LE CADAVRE DANS LE PLACARD

« Si M. Pinay n'avait que le Parlement pour le soutenir il serait mort », avait dit dès avril l'un de ses amis, M. Pierre-Etienne Flandin. L'opinion se lassant de tout, même d'espérer, le moment devait arriver où, son appui se relâchant, elle livrerait M. Pinay sans défense à l'Assemblée. Dès le début de décembre, exposée dans les débats budgétaires, son existence se jouait à quinze voix et même à une voix certain jour. Un gouvernement qui échappe de peu à la mort croit volontiers qu'il a l'éternité pour lui, l'éternité se comptant évidemment en semaines, ou tout au plus en mois lorsqu'il s'agit de la durée d'un ministère. M. Pinay, lui, ne se fait guère d'illusions. Le R.P.F. ne lui a pas pardonné la scission des vingt-sept et pour l'abattre il se fait tentateur ; il promet à qui veut l'entendre son soutien et même sa participation, tantôt au M.R.P., c'est-à-dire à M. Bidault (qui laissera chuter M. Pinay sans le retenir), tantôt aux radicaux, c'est-à-dire à M. René Mayer (qui lui succédera) ; des contacts, des conversations, des complots se nouent dans les coulisses. Lorsque les partis et les professions qui avaient soutenu le gouvernement à ses débuts s'aperçoivent enfin qu'il est temps de l'empêcher de tomber, il est trop tard. Tout est réglé par ses adversaires et quelques-uns de ses amis : l'heure, le cérémonial, le bourreau et la succession. Mais ils ont compté sans la victime. Le M.R.P., puisque c'est lui qui par exception s'est chargé cette nuit-là de l'exécution capitale, n'a pas fini d'annoncer qu'il s'abstiendrait sur un certain article 128[1], que M. Pinay se lève, furieux et, constatant « la défaillance d'un groupe important de la majorité », s'en va tout de go porter sa démission au Président de la République.

Ainsi finit, comme il avait commencé, de façon insolite un règne inhabituel ou plutôt un interrègne dans la succession ou la rotation des présidents du Conseil de la IVe République. Mais pour ne pas manquer à la tradition, la disparition du gouvernement coïncide avec une crise de trésorerie.

Trois lettres donnent la clé de la chute de M. Pinay : C.E.D. Le traité a été signé le 27 mai 1952 ; il n'est même pas encore déposé devant l'Assemblée. Le M.R.P. presse le gouvernement de passer sans plus tarder à cette étape de la procédure de ratification et c'est parce qu'il ne l'obtient pas qu'il abandonne M. Pinay[2]. Le R.P.F. redoute au contraire la discussion d'un

1. Article de la loi de Finances en discussion et en vertu duquel 0,75 % de la cotisation patronale aux allocations familiales est transféré à la cotisation patronale aux Assurances sociales.

2. C'est en octobre que le M.R.P. avait commencé à s'inquiéter sérieusement des intentions véritables de M. Pinay. Au congrès du parti radical MM. Edouard Herriot et Edouard Daladier venaient de

projet qu'il combat violemment et c'est pour éviter l'échéance parlementaire qu'il cherche depuis des semaines à renverser au plus tôt M. Pinay. Les deux partis accomplissent ainsi le même geste avec des intentions diamétralement opposées.

On ne tarde pas à s'en apercevoir. M. Bidault ayant été une fois de plus sollicité par M. Vincent Auriol, la première question et la seule que lui pose le R.P.F. est celle du sort de la C.E.D. « Il faut sortir le cadavre du placard et voir s'il vit encore », dit le leader M.R.P.

Quand, sollicité après M. Bidault, M. René Mayer s'adresse à son tour au R.P.F., une seule question lui est également posée, celle de la C.E.D. [1]. Les voix gaullistes lui sont indispensables puisqu'il ne peut compter ni sur les socia-

renouveler leurs attaques contre la C.E.D., et M. Edgar Faure de déclarer que la France ne devait pas ratifier le traité avant qu'une solution intervînt pour l'Indochine. Partisan du traité, M. René Mayer reconnaissait lui-même qu'il était « critiquable en certaines de ses parties ». Ces déclarations firent déjà sensation. Mais la surprise n'en fut que plus grande lorsque M. Pinay, président du Conseil, déclara : « Je ne puis pas désavouer les leaders radicaux... »

Cette déclaration provoqua une émotion intense à Paris. Quelques heures plus tard, elle était formellement démentie. Le lendemain, le président du M.R.P., M. P.-H. Teitgen, conférait avec M. Robert Schuman et déclarait : « La situation présente ne peut durer. Ou bien le président du Conseil et son gouvernement sont entièrement solidaires de MM. Pleven et Schuman et ils devront l'affirmer dans des conditions qui ne pourront prêter à confusion, et les actes devront suivre, ou bien le gouvernement est divisé sur la politique extérieure et il devra en tirer immédiatement les conséquences. »

Deux jours après, la question était évoquée au Conseil des ministres. M. Pinay, à qui les radicaux reprochèrent d'avoir cédé à un ultimatum du M.R.P., décida de déposer le projet de ratification... lorsque les exposés des motifs auraient été rédigés. Deux mois après, le gouvernement était renversé, mais le projet n'était toujours pas déposé.

1. La question lui avait sans doute été posée avant, s'il est vrai qu'un accord avait été conclu entre le R.P.F. et M. Mayer avant la chute de M. Pinay (*L'Agonie d'un régime* de J.-A. Faucher.)

listes ni, à la différence de M. Pinay, sur tous les modérés et notamment les paysans qui ne lui ont jamais pardonné l'échange des billets de 5 000 francs en 1947. Il commence par affirmer qu'il ne posera pas la question de confiance lorsque l'Assemblée sera appelée à se prononcer sur le traité. Cela ne suffit pas. Les gaullistes exigent « l'assurance que des négociations seront ouvertes sur l'initiative du gouvernement français entre les Etats signataires du traité de Communauté européenne de Défense pour en modifier certaines dispositions afin que soient préservées l'unité de l'armée nationale et l'intégrité de l'Union Française ».

Lorsque l'Assemblée est invitée le 7 janvier 1953 à se prononcer sur l'investiture de M. René Mayer, celui-ci se borne à dire que « des négociations devront être entreprises afin d'aménager, de compléter, de préciser et d'éclaircir par des protocoles additionnels certaines clauses du traité et aussi de préparer une association plus étroite de la Grande-Bretagne et de la Communauté ». Cela ne suffit pas encore. Le R.P.F. menace de refuser ses voix et, pour les obtenir, M. René Mayer, pour qui milite M. Chaban-Delmas, consent à dire un peu plus tard que « ces protocoles devraient permettre de maintenir l'unité et l'intégrité de notre armée et de l'Union Française ». Il fait aussi du règlement du problème de la Sarre une condition préalable de la ratification.

Quand, deux jours après, M. Georges Bidault reprend le Quai d'Orsay à M. Robert Schuman, le R.P.F. se déclare satisfait. M. Bidault passe alors, à tort ou à raison, pour être moins partisan de la C.E.D. que ne l'était M. Schuman. Il a confié plusieurs fois qu'il aurait hésité à signer un tel traité. En ayant hérité, il se fera un devoir d'abord de l'améliorer, ensuite de le défendre. Il considère la *Communauté Européenne de Défense* comme un moindre mal et un mal nécessaire. La technique un peu compliquée du traité le rebute [1]. La philosophie générale — celle de l'intégration ou de la supranationalité — qui a inspiré ses auteurs lui paraît idéale, mais assez irréelle. L'unité européenne est pour lui un acte de raison, non un acte de foi comme chez la plupart de ses amis du M.R.P. Il se montrera rapidement réticent ou même hostile au projet de *communauté politique européenne* [2]. M. Bidault est un « nationaliste ». Ce n'est point M. R. Schuman. Il se méfie de l'Allemagne qu'il connaît mal et apprécie peu. Il est instinctivement opposé à ce que les adversaires de la C.E.D. appellent le « Saint-Empire romain germanique ».

Tourné vers l'Union française, il met au premier plan l'Indochine et l'Afrique du Nord.

Mais le M.R.P. n'a pas renversé M. Pinay pour laisser M. Bidault renier la C.E.D. ; il réclame le dépôt du projet tandis que le R.P.F. demande

1. Signé par les Six, le projet de traité comportait 132 articles, des annexes et six protocoles additionnels. L'intégration des forces se faisait au niveau du corps d'armée qui aurait compris trois ou quatre groupements nationaux. Les institutions comprenaient notamment un commissariat et un conseil des ministres. L'ensemble constituait une architecture politico-militaire minutieuse et compliquée.

2 C'est de ce projet qu'il dit : « Ce n'est pas en hiver que l'on secoue les arbres fruitiers » ; l'arbre étant celui de l'Europe et les fruits les diverses communautés qui mûrissent lentement.

qu'il soit « mis dans un placard [1] » et lorsque le gouvernement, poussé par les républicains populaires, se résoudra à l'en faire sortir pour le déposer, les gaullistes seront d'autant plus résolus à l'y faire rentrer. On assiste à un duel constant entre les partisans de la C.E.D. — essentiellement le M.R.P. — et ses adversaires non communistes (avant tout le R.P.F.). M. René Mayer, comme plus tard M. Laniel, essaiera de tenir la balance égale entre le M.R.P. et le R.P.F. Le jour où l'un et l'autre pencheront du côté du M.R.P., ils seront tous les deux renversés par le R.P.F. sans que les socialistes « européens », enfoncés de plus en plus dans l'opposition, viennent à leur secours.

Le projet est enfin déposé officiellement devant l'Assemblée au début de février 1953. La procédure parlementaire commence mais n'ira pas plus loin. Les deux commissions les plus importantes s'empressent de choisir deux rapporteurs hostiles au traité.

Celle des Affaires étrangères désigne M. Jules Moch par 21 voix contre 16 à un indépendant et 5 à un communiste. Dès l'origine, sa majorité est défavorable au traité puisque M. Jules Moch, socialiste hostile au projet, est élu sans avoir besoin de voix communistes. Il recueille celles de cinq socialistes sur huit, de « gaullistes » orthodoxes ou dissidents, de deux modérés, d'un

1. Expliquant l'entrée du R.P.F. qui, pour la première fois depuis qu'il existe, vient d'entrer dans la majorité, M. Soustelle déclare, le 24 janvier : « Si le soutien accordé à M. René Mayer devait permettre la mise dans un placard du traité d'armée européenne, rien que pour cela le groupe aurait eu raison puisqu'il aurait évité la ruine suprême de la France. »

radical, M. Daladier, et de M. Denis, un M.R.P. qui sera bientôt exclu de son parti.

La Commission de la Défense nationale confie le rapport à son président, le général Koenig, lui aussi hostile, qui, plus tard, devenu ministre de M. Mendès-France, donnera sa démission à la veille de la conférence de Bruxelles pour protester contre la tentative d'y faire amender (et donc accepter) la C.E.D.

Le 1er mars, M. René Mayer se déclare partisan de la ratification. Il demande que l'Assemblée se prononce « le moment venu », c'est-à-dire une fois signés les protocoles en cours de discussion ; et, en relevant la formule dont le général de Gaulle s'est servi huit jours auparavant, il conteste « la prétendue abdication nationale que constituent les traités ». Effet immédiat : le R.P.F. renouvelle son opposition au projet, et le général affirme « qu'avec ou sans protocoles, le traité est entièrement inacceptable ». Le M.R.P. réagit, parle d'en appeler au pays, mais n'en fait rien.

Mars s'achève sur les protocoles additionnels acceptés par les six puissances au traité de Paris et la mise au placard du projet de communauté politique. Avril se passe et déjà les affaires d'Indochine préoccupent davantage le pays et le Parlement. En mai, l'Allemagne ratifie la C.E.D. La France va-t-elle l'imiter puisque les protocoles qu'elle a réclamés viennent d'être paraphés ? [1]

1. Lorsque M. René Mayer s'est rendu en mars avec M. Bidault aux Etats-Unis, M. Dulles s'est étonné qu'aux conditions posées par la France à la ratification ait été ajouté un accord sur la Sarre. Ce voyage outre-Atlantique que le ministre des Affaires étrangères estime peu fructueux aura au moins permis de recueillir cette confidence de M. Dulles : « Je me demande si nous ne nous sommes pas trop pressés de réarmer l'Allemagne et le Japon. »

Le R.P.F. se pose lui aussi la question et sa réponse ne se fait pas attendre. Le 21 mai, M. René Mayer est renversé : 71 députés gaullistes sur 83 ont voté contre lui. Il s'agit apparemment d'un problème intérieur, des pouvoirs spéciaux économiques et financiers ; mais M. Louis Vallon ne cache pas que le R.P.F. ne peut accorder à M. René Mayer « des pouvoirs qui signifieraient la continuation de la politique actuelle dont l'aboutissement est l'armée européenne », et M. Diethelm, qui préside alors le groupe R.P.F., lance un cri désespéré qui devait rester célèbre : « Nous ne sommes donc pas morts puisque nous pouvons encore détruire ! »

La crise de mai est dominée, comme l'avait été celle de janvier, par la politique étrangère.

Partisan de la C.E.D., M. Paul Reynaud n'obtient que 34 voix R.P.F. sur 81. Il propose pourtant un renforcement du pouvoir exécutif qui aurait dû plaire aux gaullistes : il est battu.

M. Mendès-France — c'est alors sa première et infructueuse tentative — propose de renvoyer à l'automne le débat sur la C.E.D. Le M.R.P. s'inquiète aussitôt de « la continuité de la politique extérieure » ; M. Mendès-France propose pourtant un programme social qui aurait dû convenir au M.R.P. ; il est néanmoins battu : 52 M.R.P. seulement sur 89 ont voté pour lui (il ne lui a manqué que 13 voix).

Troisième appelé, M. Bidault prononce cette phrase qui sonne assez bien aux oreilles du R.P.F. : « Il faut faire l'Europe sans défaire la France. » Mais il annonce que son gouvernement engagerait son existence sur le traité de la

C.E.D. ; il est battu : 64 R.P.F. sur 81 ont voté pour.

M. André Marie tente sa chance après un mois de crise. La lassitude devrait jouer. Le R.P.F. en profite pour suggérer que soient purement et simplement réservées « certaines questions extérieures qui peuvent encore nous diviser ». Mais le M.R.P. ne l'entend pas ainsi. Il reproche à M. André Marie de ne proposer que « l'immobilisme » pour les questions européennes. Le leader radical obtient moins de voix encore que M. Paul Reynaud ; il est battu : 12 M.R.P. et 42 R.P.F. seulement ont voté pour lui.

La France est sans gouvernement depuis plus d'un mois. L'Assemblée investit alors sans difficulté l'homme qui, selon ses propres termes, s'est présenté devant elle « avec modestie » : M. Laniel. Il affirme la continuité de la politique extérieure française. Le M.R.P. s'en contente. On s'étonne que le R.P.F. ne cherche pas à obtenir plus de précisions du président du Conseil. On comprendra pourquoi le lendemain.

Car, pour la première fois depuis les élections de 1951, le R.P.F. entre au gouvernement. Etant dans la place, il pourra se dispenser de l'assiéger. De l'intérieur il va continuer le combat contre la C.E.D. Nous sommes le 27 juin. Jusqu'au 17 novembre, on n'entendra plus parler de l'Europe, ni de la C.E.D. Le Parlement se met en vacances du 24 juillet au 6 octobre.

L'attention du pays et du gouvernement puis celle du Parlement sont accaparées par d'autres événements : à l'extérieur les élections italiennes, puis allemandes, le projet de conférence des

Bermudes, l'aggravation de la situation en Afrique du Nord, au Maroc surtout, ainsi qu'en Indochine — et à l'intérieur les mouvements sociaux, les difficultés budgétaires et l'élection de fin décembre à la présidence de la République.

Sans tenter de refaire l'histoire, on peut soutenir qu'en 1952 et même en 1953 le traité aurait été ratifié s'il avait été soumis à l'Assemblée. A l'époque, en effet, seuls les communistes menaient réellement la bataille contre la ratification. Le schisme se développait à peine chez les socialistes. Il commençait seulement à se dessiner chez les radicaux. Les gaullistes, pour la plupart dans l'opposition, ne pesaient pas encore sur la majorité. Enfin ni le maréchal Juin [1] ni le général Weygand [2] ne s'étaient prononcés contre le traité.

Qui donc porte la responsabilité de ce premier retard de huit mois ?

La raison officielle a été donnée trois mois après la signature — par M. Robert Schuman lui-même. Comme on lui demandait si le gouvernement allait présenter prochainement le traité, il répondit : « Il n'y a rien de dramatique dans ce retard qui a été causé par la nécessité de rédiger un exposé des motifs détaillé et de le faire adopter par le gouvernement. »

Cet exposé des motifs, auquel nul n'a jamais prêté la moindre attention, constituait-il la véri-

1. M. Pinay a affirmé que le maréchal Juin avait été consulté plusieurs fois et avait approuvé le traité avant la signature.

2. Sa première manifestation d'hostilité est du mois d'octobre : « La création de l'armée européenne telle qu'elle est conçue démembre l'armée française et conduit la France à des abandons politiques d'une exceptionnelle gravité » (*Revue des Deux Mondes*).

table raison du retard ? On en doute. Trois mois auparavant, le Conseil des ministres avait posé comme condition préalable : « l'extension des solidarités ». M. Robert Schuman s'était bien entretenu avec M. Eden pour tenter d'y intéresser la Grande-Bretagne. Il avait même été question de rouvrir les négociations avec les Six. Mais rien n'était sorti de ces entretiens. Seule une conversation avait été amorcée avec le chancelier Adenauer sur la Sarre, autre condition qui allait devenir *sine qua non* en 1953.

Ne s'agissait-il pas plutôt de raisons d'ordre intérieur ? On a fait état, deux ans après, de l'hostilité de M. Vincent Auriol, alors Président de la République. C'est exact. L'ancien chef de l'Etat a reconnu plus tard qu'il s'était vivement opposé à la C.E.D. Mais s'il a le pouvoir de refuser la ratification d'un traité, un président de la République n'a pas celui d'en empêcher le dépôt devant le Parlement.

En réalité, l'hostilité de M. Vincent Auriol ne faisait que s'ajouter à celle du général de Gaulle [1], de M. Herriot et de M. Daladier qui, tous, manifestèrent avec éclat leur opposition au cours de l'automne de 1952. *Dès cette époque, les défenseurs de la C.E.D. craignaient qu'il ne lui manque quelques dizaines de voix à l'Assemblée.*

1. Le général de Gaulle déclare le 5 juin 1952 à la presse : « Pêle-mêle avec l'Allemagne et l'Italie vaincues, la France doit verser ses hommes, ses armes, son argent dans un mélange apatride. Cet abaissement lui est infligé, au nom de l'égalité des droits, pour que l'Allemagne soit réputée n'avoir pas d'armée tout en refaisant des forces militaires. *Bien entendu la France, entre toutes les grandes nations qui ont aujourd'hui une armée, est la seule qui perde la sienne.* » Le général de Gaulle parlera d'autre part d'un « traité de funambule ».

Leur erreur a été de croire qu'ils les trouveraient en retardant indéfiniment le débat alors que le temps ne cessait de jouer contre eux.

La C.E.D. a divisé les partis et même les hommes contre eux-mêmes. Elle a contribué à « atomiser » la vie politique française et, de ce fait, à préparer l'affaiblissement puis l'affaissement du régime, le déclin et la chute de la IVe.

II. — LES POISONS ET DÉLICES DU SYSTÈME

Mai 1953 constitue à la fois une étape singulière et une étrange saison de la IVe République. Avant de voir s'ouvrir le 21, avec la chute du cabinet Mayer, la plus longue crise ministérielle d'un régime usé avant l'âge, ce mois est celui de l'agonie du jeune et déjà vieux « Rassemblement du Peuple Français ». Ainsi le régime approche-t-il de son automne au moment même où son adversaire prend pour longtemps ses quartiers d'hiver. Paradoxalement, la défaite politique du Rassemblement n'implique pas le succès de la IVe République, tout au contraire, puisqu'il pratiquera la tactique du cheval de Troie.

Le 6 mai, le général de Gaulle rend donc leur liberté aux élus du Rassemblement. « Voici venir, dit-il, la faillite des illusions. Il faut préparer le recours. » Parmi toutes les illusions perdues, les siennes sont les plus certaines et les plus amères. Mai 1953 : c'est la retombée d'un mouvement lancé en 1947 ; l'échec du Rassemblement est la seconde manche perdue par le général de Gaulle dans sa lutte de tous les jours contre la IVe République instaurée sans lui, sa première défaite ayant été l'adoption malgré lui de la Constitution de 1946.

Avant de s'installer dans ce qu'ils n'appelaient déjà plus — ou pas encore — le système, les élus « gaullistes » avaient fait, comme il convient, antichambre ; ils étaient d'abord entrés dans la majorité le 7 janvier 1953 [1], dix-huit mois seulement après le scrutin de 1951.

Au lendemain des élections de 1951, le Général n'avait pas caché son désenchantement : « Dire qu'elles nous comblent serait mentir. » Quant au pouvoir, il se dit prêt à le prendre « mais, ajoutait-il, nous ne comptons pas beaucoup que cette hypothèse se réalise ». En vérité, il croyait moins alors que jamais que le régime fût viable et il voulait se réserver pour le jour où il serait « le recours du peuple ». « Nous avons commencé par être l'esprit, nous sommes maintenant en plus l'organisation et la force. Nous allons être « la victoire », proclamait-il en novembre. En attendant, les autres partis voulaient l'ignorer et c'est lui qui les sollicita : « Au nom de quoi et pourquoi les hommes qui ont leurs capacités et qui ont du patriotisme refuseraient-ils de se joindre à nous ? » Mais en mars 1952, vingt-sept des siens entraient dans le régime par l'escalier de service en votant l'investiture de M. Pinay. C'était la brèche, et pendant toute l'année 1952

1. Le R.P.F. s'était alors opposé à l'entrée de MM. Barrachin, Boisdé et Billotte dans le cabinet René Mayer.

le R.P.F. perdit goutte à goutte, homme par homme, des dirigeants locaux ou même nationaux, des députés, des sénateurs, des conseillers municipaux et par milliers des électeurs [1]. Le Rassemblement était devenu une débandade.

« Le Rassemblement est divisé sur la tactique, mais non sur le fond », avait dit en mars pour se consoler M. Soustelle, et mieux inspiré il ajoutait : « Le gaullisme sans de Gaulle, c'est le néant. » Or à ceux qui, pour s'excuser d'avoir voté pour M. Pinay, estimaient de leur devoir « d'éviter la politique du pire », le général de Gaulle ne se lassait pas de répliquer : « Le R.P.F. ne composera pas avec le régime. »

Dans une première phase après les élections, les élus gaullistes avaient bien manœuvré, cherchant et réussissant à dissocier les points faibles du dispositif de la majorité qu'étaient le problème scolaire (entre les socialistes et le M.R.P.) et l'échelle mobile (entre les modérés et le M.R.P.).

Mais plus ils étaient éloignés du scrutin et des espérances collectives du pouvoir, plus ils cédaient individuellement à ses séductions et se laissaient manœuvrer. Dès novembre, M. Soustelle s'était inquiété de la « manœuvre artificieuse » par laquelle on prétendait « enfoncer un coin » entre les parlementaires et les dirigeants ou même le chef du R.P.F. « Le Rassemblement est un bloc ». Trois mois plus tard, c'était la dissidence, puis la scission, enfin l'effritement. Il

1. Le 22 juin 1952, dans le 2ᵉ secteur de Paris, le R.P.F. obtient 35 803 voix (13,8 %) contre 100 985 (24,2 %) le 17 juin 1951.

fallait que tout le mouvement se sabordât ou qu'il franchît le Rubicon, fût-ce pour pêcher à la ligne, comme le dit M. Malraux, ou que tout entier il se décidât à aller « à la soupe »[1] tout en livrant combat contre la C.E.D.

Mais il le fait en deux temps. Entré dans la majorité avec le cabinet Mayer sans être tout à fait sorti de l'opposition, lui accordant son soutien, mais non sa participation, il est tiraillé entre des devoirs contradictoires, travaillé par de nouvelles dissidences, abandonné par la moitié de sa clientèle aux élections municipales[2] lorsque le Général vient à point rendre leur liberté à ses élus puisque, dit-il, « ils ne peuvent se soustraire au manège ».

Un homme qui n'a jamais voulu désespérer de son pays, ni dans la guerre ni dans la paix, constate son échec. Il oblige du même coup à reconnaître que cette défaite est aussi un peu celle... du régime.

Il est vrai que les espoirs nés de la Libération se sont vite évanouis. A la « révolution par la loi » a rapidement succédé une période de « restauration ». Les hommes de la IVe République, ou bien laissèrent le pas à ceux de la IIIe, ou bien avec eux rétablirent dans les faits et les mœurs le système d'avant-guerre, avec tous ses vices et ses insuffisances. L'histoire allant plus vite lors-

1. « On peut camper sur une position en attendant la soupe, mais on ne peut pas remporter de victoire sans combattre. Ceux qui ne voulaient pas combattre sont allés à la soupe... » — Le général de Gaulle, 10 octobre 1952.

2. De 1947 à 1953, dans les 56 communes où s'applique la représentation proportionnelle, le R.P.F. passe de 25,8 % à 10,6 % des voix et perd notamment Lille et Marseille.

qu'elle se répète, de même que la IIIe finit à Vichy, la IVe, sa fille puînée et bâtarde, restaura bientôt certaines des idées et même des équipes de « l'Etat français ».

Il est également vrai que la gauche classique est favorable à toutes les réformes hormis à celle de l'Etat, et que la droite non moins classique qui réclame régulièrement la révision de la Constitution redoute toujours les novations en matière sociale et économique, et qu'ainsi le général de Gaulle a vu successivement se tourner contre lui la gauche et la droite.

Il est enfin vrai que laissés sans solution les problèmes se compliquent alors davantage chaque jour et que l'impuissance du pouvoir est à la mesure de la « léthargie » soigneusement entretenue de la nation. La politique elle-même se dégrade, et le spectacle offert au cours des crises montre bien que les combinaisons, marchandages, votes de confiance et d'investiture sont bien « les jeux, les poisons et les délices du système ».

Seulement si la description du mal et le diagnostic étaient exacts, le Général était plus discret à la fois sur les responsabilités plus lointaines et les remèdes. Si la nation s'est trop vite rendormie, n'est-ce point qu'elle a été bercée aux chants d'une victoire illusoire et que la grandeur qui lui était proposée ne correspondait ni à sa volonté profonde, ni à ses capacités réelles, ni peut-être à ses vrais mérites. Si le régime est défectueux, inadapté, archaïque, n'est-ce pas en partie parce que dès l'origine les éléments plus populaires de la Résistance ont été écartés au profit de l'ancien personnel de la IIIe ?

Enfin si le Rassemblement a été un échec, c'est parce que, même s'il n'a pas été conçu dans ce but, il s'est immédiatement présenté comme une machine de guerre contre les partis politiques et que son chef a cessé dès ce moment d'être un arbitre national pour devenir un partisan, moins engagé, plus noble qu'un autre, mais un partisan quand même. Se refusant à la fois au coup d'État et au jeu du régime, il était condamné, s'il n'arrivait pas rapidement au pouvoir, à s'user peu à peu ou à s'enliser. Pourtant, nombre d'électeurs de régions conservatrices lui restèrent fidèles. Mais ils votèrent dans une équivoque facilitée par le fait qu'en chemin le gaullisme s'était chargé des slogans de la droite. Les élus, eux, ne s'y trompèrent pas. Lorsqu'en 1952 ils avaient eu à choisir entre le général de Gaulle et M. Pinay, nombre d'entre eux s'étaient reconnus davantage en celui-ci qu'en celui-là, ou plus exactement ils étaient persuadés que leurs électeurs, en votant R.P.F., avaient voté pour une politique que M. Pinay incarnait à leurs yeux tout autant que le général de Gaulle. Un an après, les élections municipales devaient dans une large mesure leur donner raison.

Quinze jours après la retraite du Rassemblement, le groupe, auquel le général de Gaulle avait retiré jusqu'à son nom [1], ouvre une crise de trente-sept jours qui s'achèvera par son entrée au gouvernement de M. Joseph Laniel.

1. Il devient l'U.R.A.S. (Union des Républicains d'Action Sociale).

Cette crise, la plus longue de l'après-guerre, voit comme le final d'une revue, défiler les acteurs, les thèmes et les mythes du répertoire de la IVe République. Comme toile de fond il y a toujours la C.E.D., couleur de muraille et déjà le palais de l'Elysée. Pour être bien placé dans la course, mieux vaut présider le gouvernement que l'une ou l'autre assemblée. Chacun le sait, à commencer par MM. Bidault, Queuille et Laniel. A l'horizon enfin il y a un voyage aux Bermudes où doit se réunir une conférence à Trois [1]. Les visées présidentielles se compliquent d'ambitions internationales. Pour compléter le tableau, des inimitiés vont naître au cours de ces jours et ces nuits interminables. Lorsque le rideau tombera, des haines mortelles se seront ajoutées aux rivalités traditionnelles entre les leaders d'un même groupe, confirmant que l'opposition des personnes comme celle des politiques est souvent moins aiguë entre les divers partis qu'au sein de chacun d'eux, et pour finir, tous se retourneront contre le Président de la République.

M. Vincent Auriol commence ou plutôt continue une petite guerre d'amour-propre et de communiqués avec M. Guy Mollet qu'il sollicite vainement en première ligne deux jours après la chute de M. René Mayer. Usant d'un procédé nouveau et insolite, le Président de la République

1. Président du Conseil, M. René Mayer s'était vu reprocher d'avoir voulu précipiter la réunion de la conférence pour s'en faire un argument au cours du débat où il a engagé son existence. MM. Queuille et Bidault lui avaient déconseillé de lancer cette bombe diplomatique à des fins de politique intérieure, le ministre des Affaires étrangères ne cache pas qu'il supporte mal l'activité de son président du Conseil qui, dit-il, « lui marche sur les pieds ».

appuie ses démarches d'invites qui prennent le ton de mises en demeure. Le parti socialiste et son secrétaire général ne le lui pardonneront pas. Un communiqué de l'Elysée déclare en effet que « n'ayant pu parvenir (à faire revenir M. Guy Mollet sur son refus) il lui a demandé d'insister de sa part auprès de ses amis pour qu'ils ne gênent point l'action de la majorité et du gouvernement qui, demain, se constitueront et que par leur vote, en rejoignant en certains cas les votes d'une autre opposition dont on connaît les mobiles, ils ne rendent pas impossible le fonctionnement de la démocratie parlementaire ». Si la langue n'est pas claire, l'accusation l'est assez : les socialistes s'entendent soupçonner de collusion avec les communistes et de sabotage du régime.

Restant dans la mêlée où il est descendu, M. Vincent Auriol réserve le même traitement au second appelé, M. Diethelm, et à son groupe après qu'il ait à son tour refusé, non sans avoir fait l'aller et retour à Colombey-les-deux-Eglises tant il est vrai que ses amis et lui sont comme des orphelins sans le général de Gaulle. Le Président de la République fait donc observer à M. Diethelm « comme il l'avait fait à M. Guy Mollet, qu'ils ne peuvent dans les circonstances présentes ni l'un ni l'autre constituer autour de leurs groupes et de leurs programmes une majorité de gouvernement mais que, d'autre part, leurs deux oppositions conjuguées et jointes à une troisième, rendent absolument impossible le fonctionnement du régime parlementaire ». Après cette philippique, une entrée s'impose ; celle des

Cassandres : MM. Paul Reynaud et Mendès-France.

M. Paul Reynaud ne s'est jamais lassé de prophétiser la venue d'une catastrophe financière et politique si les pleins pouvoirs n'étaient pas accordés à un ministère d'Union nationale. Montant à la tribune au pas de chasseur, il en redescend battu. Qu'a-t-il dit plus intelligemment qu'aucun membre de l'Assemblée ? Ce que chacun pense : « La France est l'homme malade de l'Europe... Elle a besoin de plus de réformes que celle de 1789... le malthusianisme est l'ennemi public N° 1... »

Qu'a-t-il demandé sans même prévenir le Président de la République ? Une révision constitutionnelle qui reviendrait à lui confier les pleins pouvoirs pour dix-huit mois puisque s'il était remercié avant l'expiration du contrat, les députés se verraient eux aussi congédiés. Cette impudence lui vaut de perdre des voix dans tous les groupes et de céder la place à M. Mendès-France. Après l'heure de vérité, l'heure du choix.

M. Mendès-France est à la gauche de l'Assemblée ce que M. Paul Reynaud est à sa droite. Lui aussi arrive précédé de discours où il a tout dit. Médecin tant pis lui aussi, mais qui ne s'arrête pas au diagnostic et va jusqu'à la thérapeutique : « L'événement a confirmé ce que la réflexion permettait de prévoir : on ne peut tout faire à la fois. Gouverner c'est choisir. » Il n'y a plus aujourd'hui de solution de détail, il faut considérer l'ensemble des problèmes. Et d'abord celui de l'Indochine. Une victoire militaire n'est pas possible, la seule issue est la négociation. C'est plus difficile aujourd'hui qu'hier, mais plus facile aujourd'hui que demain (il ne le dit pas à la tribune, mais il le pense et on le sait).

Il faut ensuite réduire le montant des crédits militaires et mettre sur pied une organisation de la Défense nationale adaptée à nos possibilités.

Ces deux opérations chirurgicales réalisées, il faudra rapidement utiliser les ressources ainsi dégagées pour restaurer le potentiel économique et le patrimoine immobilier de la nation, opérer des transferts : de l'improductif au productif, de l'inutile à l'utile.

Alors, son redressement intérieur accompli, la France pourra retrouver une position internationale. Ce n'est pas sur des conférences diplomatiques, mais sur la rigueur économique que l'on fait une grande nation.

Parlant pendant une heure, cinquante fois applaudi, tour à tour doctoral et humain, le leader radical aurait pu croire la partie gagnée s'il s'était fié à l'accueil des cinq cents députés en séance. C'était ne pas compter avec une campagne de couloirs qu'il devait qualifier de « méprisable ». N'y règne pas qui veut, a-t-on dit. Mais n'importe qui y rôdait ce jour-là. Porteurs de confidences et chuchoteurs de fausses nouvelles s'y affairaient, glissant sous le regard, comme d'autres le font de photos interdites, de pauvres documents. On vit aussi M. Martinaud-Deplat, impavide mais inquiet, congratuler le général Monsabert qui, plus papelard que soldat, mais le drapeau à la main, venait de porter l'estoc à M. Mendès-France. Mais à dire vrai, par habileté un peu trop radicale, le candidat à l'investiture était passé un peu vite sur l'Indochine et la Tunisie, ses deux talons d'Achille. Aucun leader ne vint le dire et tous les partis dépêchèrent des doublures à la tribune. Mais, à huis clos, quel déchaînement !

MM. P.-H. Teitgen et Robert Schuman, qui tremblent pour « leur » Europe et M. Letourneau pour « son » Indochine font campagne contre lui au M.R.P., tandis que sceptique ou calculateur M. Bidault s'absente et s'abstient. Les modérés et avec moins de naturel les « gaullistes [1] », M. de Bénouville en tête, et en accord téléphonique avec le général de Gaulle, ne ménagent pas davantage M. Mendès-France.

La « gauche » n'est pas plus favorable que la droite. Les socialistes lui ont demandé de renoncer à se présenter. Ils sont, dira-t-il, « effrayés de ce que je leur proposais [2] » et sa candidature se heurte à M. Guy Mollet qui l'avait un jour qualifié de « réactionaire social », et à M. Pineau qui le soupçonne de neutralisme.

Il n'est pas, selon une tradition bien établie, jusqu'aux radicaux qui ne se mettent sournoisement en travers de sa route. M. Herriot, qui n'a pas encore comme il le fera un an plus tard « incliné sa personne » devant celle de son benjamin, est alors surtout soucieux de le faire tré-

1. Sauf MM. Léon Noël, Gaston Palewski, Christian Fouchet, Diomède Catroux et du moins jusqu'à l'intervention du général de Gaulle, Jacques Soustelle et Louis Vallon.

2. « Le social, confie-t-il encore, c'est le plein emploi et le logement, le reste, c'est de la démagogie... En supprimant l'allocation de salaire unique, on construirait 60 000 logements de plus par an. » Quant au « neutralisme », il est impossible en temps de guerre. Mais à l'intérieur du pacte Atlantique, on peut être plus indépendant, plus digne, et demander moins d'argent.

bucher. « On aurait dû appeler un professionnel », lui dit-il en manière d'accueil lorsqu'il lui rend visite après avoir été appelé par M. Vincent Auriol. Dans l'esprit d'Edouard Herriot le « professionnel » en question ne peut évidemment être que M. Queuille et, les radicaux ne pouvant décemment refuser leurs voix, tous deux multiplient les démarches auprès des modérés pour qu'ils assurent l'échec de M. Mendès-France.

Deux hommes hors série ayant échoué coup sur coup, la logique veut que l'on ait recours au syndicat des présidents du Conseil. M. Vincent Auriol pressent par téléphone M. Pinay qui estime sur-le-champ préférable de ne pas faire perdre son temps à l'Assemblée, puis il sollicite M. Bidault qui attend à chaque crise que son tour revienne depuis qu'il a été renversé en 1950. Son impatience est d'autant plus grande que la fièvre élyséenne commence à monter.

M. Bidault est l'antithèse de M. Mendès-France. Deux intelligences, mais l'une plus intuitive et l'autre plus rationnelle et parfois raisonneuse : deux caractères, l'un qui sait séduire et l'autre qui ne cherche qu'à convaincre, deux patriotes dont l'un veut conserver la grandeur du passé et l'autre bâtir celle de l'avenir. A la politique du changement qu'il ne juge pas absurde mais prématurée, le nouvel appelé oppose celle de la continuité. Il a choisi pour devise celle de la Maison d'Orange : « Je maintiendrai [1] ». Pas d'abandon en Indochine, pas de démission en

1. « Tout se désintègre, dit-il encore, c'est pourquoi, il faut tenir. Je me sens devenir fasciste. » (2.11.53).

Tunisie, pas de retards indéfinis en Europe. Il répète une formule qui ne déplaît pas à l'ancien R.P.F. ; il veut « faire l'Europe sans défaire la France et l'Union Française » ; Il veut faire aussi de M. Soustelle un ministre de la France d'Outre-Mer, ce qui mobilise aussitôt contre lui M. Herriot. Chez les radicaux il n'a qu'un ami : M. Martinaud-Deplat, et un allié : M. René Mayer. Ses chances paraissent cependant assez grandes pour qu'à la veille du scrutin, M. Albert Bayet s'autorise abusivement de son titre de président de la Ligue de l'Enseignement pour proclamer que l'école serait en péril « si le chef du M.R.P., devenu chef du gouvernement, pouvait, par décret, abroger les textes législatifs sur lesquels repose l'œuvre scolaire de la IIIe République ».

M. Bidault doit finalement son Waterloo à M. Napoléon Cochart. Cet obscur et éphémère député rectifie trop tard son vote et l'investiture est refusée à une voix de minorité au sixième candidat du président de la République, et déjà l'on murmure dans les couloirs contre la stratégie parlementaire du chef de l'Etat, lorsqu'à l'étonnement de tous et au scandale de quelques-uns, il désigne au vingt-huitième jour de crise un aimable cheval de retour, M. André Marie. « L'homme lui-même » est mis en cause par le M.R.P. oublieux des services que l'ancien ministre de l'Éducation nationale a rendus à l'école libre en 1951. Douze républicains populaires seulement votent par charité. Cette fois, c'est une déroute qui risque d'entraîner M. Vincent Auriol, désavoué pour la quatrième fois par l'Assemblée. Le président de la République songe à donner sa démission puis à lancer un appel au pays [1], mais n'en fait rien. Il se contente de faire savoir qu'il ne demandera pas le renouvellement de son septennat. L'élection présidentielle qui doit avoir lieu à la fin de l'année pèse pourtant sur le déroulement de la crise tandis que chaque aspirant au pouvoir traîne ces deux boulets que sont les traités de Rome et de Paris.

M. Pinay, qui s'était réservé au début de la crise, compte sur l'usure pour forcer la résistance du M.R.P. et de l'ancien R.P.F. Mais les gaullistes ne lui ont encore pardonné ni la scission des vingt-sept de 1952 ni la signature de la C.E.D., et d'autant moins qu'il a fait de nouveau alliance avec son ministre des Affaires étrangères de l'époque, M. Robert Schuman. Ce concours ne suffit même pas à lui rallier le M.R.P. où « trop marqué à droite » il est excommunié par MM. P.-H. Teitgen, Robert Lecourt et Paul Coste-Floret.

La France est sans gouvernement depuis plus d'un mois et l'Assemblée sait qu'elle n'a plus le choix qu'entre M. Laniel et M. Queuille. M. Vincent Auriol appelle d'abord le premier au succès duquel il croit si peu qu'il lui laisse le billet sur lequel il a fait à son intention le décompte probable et insuffisant de ses voix — moins de 313. Le 26 juin, au trente-sixième jour de la crise, M. Laniel en obtient cependant 398 ! Le nouveau président du Conseil, qui s'est présenté sans tarder, a bénéficié de la lassitude générale et de

1. C'est du moins ce que les radicaux ont prétendu, alors que M. Vincent Auriol en a attribué l'idée à M. Herriot. Les deux hommes ne s'entendent décidément ni au propre ni au figuré.

trois autres atouts : il a descendu les Champs-Elysées, le 24 août 1944, aux côtés du général de Gaulle ; ce que n'a pas fait M. Pinay ; il n'a rien dit qui puisse le compromettre dans sa déclaration ministérielle — deux ou trois fois moins longue que celle de son prédécesseur, et il s'est même dispensé de répondre aux questions qui lui ont été posées ; enfin il est bien placé pour être élu en décembre à la Présidence de la République. On est donc à peu près sûr que son ministère, que déjà l'on qualifie de transition comme si tous ne l'étaient pas, ne doit pas vivre plus de six mois. Il en durera onze et tombera avec Dien-bien-phu.

Son gouvernement est bien composé et fait penser à celui de Sarrien, pâle figure oubliée de la IIIe République, qui avait su s'entourer. Mais il commet l'imprudence mortelle de se priver du concours du secrétaire général des Indépendants, M. Roger Duchet et il lui en coûtera l'Elysée. De plus en plus, la bataille politique ressemble à une guerilla, à une vendetta même.

La IVe République, qui vient de mettre trente-six jours pour choisir un président du Conseil, s'apprête d'ailleurs à illustrer la paralysie qui la gagne peu à peu en ne réussissant qu'après six jours et treize tours de scrutin à élire un chef de l'Etat.

Ce triste spectacle de fin d'année offert par les parlementaires au monde entier, affligé ou stupéfait, commence par une énorme bévue des radicaux.

Huit candidats sont en présence au premier tour, dont MM. Naegelen socialiste, Laniel indépendant, Bidault M.R.P., Delbos radical. Mais ce dernier n'est là que pour garder la place de M. Queuille. Encore faut-il, pour l'occuper au tour suivant, que les autres s'effacent devant lui et c'est ici que se situe le plan génial conçu, semble-t-il, par M. Martinaud-Deplat : faire voter un certain nombre de radicaux pour M. Laniel afin qu'il devance M. Bidault dont on pense que s'il arrivait en seconde position il céderait plus difficilement le pas devant M. Queuille. La manœuvre réussit. Elle réussit même trop bien. M. Laniel distance M. Bidault, mais il a une avance telle qu'il se maintiendra pendant onze tours. Rien ne l'y amènera, pas même le discrédit que son entêtement vaudra au régime. M. Bidault est d'autant plus mal placé au premier tour que, contrairement à ses espoirs, l'ancien R.P.F. a présenté une candidature de principe, celle de M. Kalb. Une deuxième déception l'attend au second tour lorsque le sénateur gaulliste se retirant, ses voix vont non pas au président du M.R.P., mais à M. Laniel. M. Bidault avait compté sur sa qualité de résistant et d'ancien président du C.N.R. et sur le soutien des anciens M.R.P. passés au R.P.F. Il avait oublié que ce dernier ne pouvait lui pardonner ni son attitude lors du départ du général de Gaulle en 1946 ni surtout son adhésion pourtant fort prudente à la C.E.D.

Les radicaux avaient été les grands manœuvriers et les grands perdants du premier tour, et les gaullistes les meneurs de jeu plus heureux du second tour. C'est un seul homme qui, dans la coulisse, va dominer les onze suivants.

M. Laniel ayant vu confluer vers lui au troisième tour les suffrages des modérés, des gaullistes, du M.R.P., et des radicaux se joignant à eux au quatrième, le président du Conseil paraît assuré de sa victoire : il a 408 voix et M. Naegelen 344. Mais 116 sont dispersées sur d'autres noms alors qu'il n'y a aucun autre candidat. Car dans les couloirs un homme veille : M. Roger Duchet. Il ne vit alors jour et nuit que pour empêcher M. Laniel d'être président de la République. Il veille même pour deux car chacun sait qu'il n'agit pas seulement pour son compte mais aussi pour celui de M. Pinay. M. Duchet, l'une des meilleures têtes politiques du régime jusqu'au jour où il a été saisi du « démon algérien », ne pardonne pas à M. Laniel de l'avoir privé de son portefeuille, lui secrétaire général des indépendants, et M. Pinay se rappelle que M. Laniel ne l'a guère aidé en 1952. Les deux leaders modérés ont pour alliés des radicaux qui jusqu'à la fin ne voteront pour aucun des deux candidats arrivés en tête, au début par tactique pour les faire lâcher au profit d'un arbitre qui par nature ne peut être que radical et par destination doit être M. Queuille, ensuite par des socialistes à « la solidarité républicaine » en faveur de M. Naegelen ni aux appels à la « solidarité gouvernementale » de M. Laniel, et conjuguant leurs efforts avec ceux de M. Duchet, le maître du jeu qui jamais n'aura dépensé autant d'opiniâtreté et d'habileté qu'en cette bataille de Versailles.

Lorsque, au huitième tour, M. Laniel monte à 430 voix, M. Duchet est sur le point d'abandonner, lorsqu'il invente la candidature d'un député modéré, M. Montel. Du coup M. Laniel redescend le lendemain à 413. Ce coup de génie de M. Duchet avait été précédé d'une spectaculaire et trompeuse réconciliation entre MM. Laniel et Pinay. Pour un peu on se fût embrassé pour mieux s'étouffer.

Les tours se suivent et se ressemblent et l'on vient à perdre de vue le but du scrutin. On dose les votes, on use les hommes, on s'ennuie, on s'énerve, on en viendrait aux mains si l'on n'était assez bien élevé. On finit par ne plus très bien savoir où l'on en est, on visite le château pour ne pas perdre tout à fait son temps, et l'on s'en va...

Le M.R.P. et l'U.D.S.R. parlent même de s'en aller tout de bon. « Nous sommes la risée de l'univers, s'exclame M. Bidault. Nous avons fait plus en quatre jour pour l'Allemagne que dix votes contre la C.E.D. [1] ».

Au cinquième jour le congrès décide de faire relâche et renvoie le onzième tour au lendemain. M. Naegelen envisage de s'effacer devant M. Vincent Auriol ou M. Edouard Herriot. Mais les gaullistes ne veulent d'aucune personnalité « incarnant des institutions périmées » ; se considérant près de sa retraite, M. Herriot n'aurait accepté qu'un mandat limité afin, dit-il, de remettre de l'ordre dans la maison, et si plus dispos, M. Vincent Auriol était plus disponible il souhaitait qu'on le vînt en cortège solliciter à l'Elysée. M. Naegelen reste donc sur les rangs, bien qu'à force de présider le Congrès M. le Troquer en

1. La presse mondiale et notamment américaine conclut en effet que « la France est vraiment l'homme malade de l'Europe ». « Les hommes politiques français ont fait la preuve qu'ils étaient indignes du grand pays qu'ils représentent », écrit le *New York Times*.

vienne à penser qu'il pourrait après tout présider la République.

Mais M. Laniel s'efface enfin, non sans difficultés, ayant d'abord souhaité n'être remplacé ni par un modéré l'ayant combattu (voilà pour M. Pinay) ni par un membre de son ministère (voilà pour M. Bidault et M. Jacquinot). C'est ce dernier cependant que les indépendants désignent, à la faveur, il est vrai, d'une panne qui a retenu sur la route un groupe de sénateurs favorables à M. Coty.

Le député lorrain échoue au onzième tour et le spectacle est sur le point de recommencer par le commencement lorsque le sénateur normand se présente. M. Pierre de Gaulle juge insuffisants ses titres de Résistance et fait voter contre lui au douzième tour. Mais les radicaux se ralliant à lui au treizième — et Noël invitant les parlementaires à quitter le palais pour rejoindre leur famille — M. René Coty est élu le 23 décembre par 477 voix contre 329 à M. Naegelen.

« Je ne me fais aucune illusion : si je suis président de la République, c'est parce que j'ai été opéré de la prostate. Cette opération m'a dispensé de prendre parti pour ou contre la C.E.D. »

Cette confidence, faite l'année suivante, qui est un aveu de modestie et une preuve de clairvoyance, est la meilleure conclusion que l'on puisse trouver à cette longue et amère bataille.

M. Laniel, lui, en sortit indemne et gouverna la France pendant six mois encore, jusqu'à la défaite de Dien-bien-phu, en prenant le temps de chercher une issue diplomatique au conflit, de ne pas soumettre le traité de C.E.D. à l'Assemblée, de créer une certaine détente en Tunisie, mais non au Maroc où la déposition du sultan, plus imposée au gouvernement que décidée par lui le 20 août 1953, produit ses effets prévisibles, mais aussi de surmonter une épreuve de force sociale et enfin de déboucher dans une expérience « d'expansion dans la stabilité » due à l'imagination créatrice du ministre des Finances, M. Edgar Faure [1]. Ainsi le règne de près d'un an d'un « président-fainéant » mais bien conseillé, placide mais non stupide, devait-il s'achever par des désastres à l'extérieur et des succès à l'intérieur.

Pourtant rarement gouvernement fut aussi peu populaire. Né sous le signe du chômage et de la récession [2], conséquence immédiate et inéluctable de l'arrêt de l'inflation, il vit déferler contre lui en 1953 une vague de mouvements sociaux et de manifestations paysannes. Ce fut le temps des grèves spontanées dont le déclenchement échappait aux dirigeants syndicaux et des barrages sur les routes où le hobereau fraternisait avec ses fermiers. Ce fut le temps où s'esquissa à gauche un renouveau d'unité syndicale et de front populaire et à droite un regain de fascisme. Puis à partir du printemps 1954 le plan d'expansion commence à porter ses fruits, la production se développant, notamment dans les secteurs pilotes de l'automobile et de la sidérurgie, le chômage reculant et la durée du travail progressant, les salaires augmentant sans que les prix suivent, le déficit

1. Le mot — mais non, faute de temps, le programme — de « relance » avait été lancé par M. Buron dès le cabinet Mayer.

2. Le chiffre le plus élevé des sans-travail est atteint en février : 61 190.

commercial diminuant et la balance extérieure s'équilibrant, même avec la zone dollar, grâce, il est vrai, à une aide américaine encore substantielle. Bref, l'âge d'or, c'est-à-dire l'augmentation lente mais continue du pouvoir d'achat commençait et cependant le pays était mécontent, rejoignant ou approuvant les hommes et les partis d'opposition, applaudissant aux traits d'un alerte polémiste (François Mauriac) contre « la dictature à tête de bœuf » de M. Laniel et ne s'étonnant pas que le président du Conseil et le ministre de la Défense nationale fussent bousculés place de l'Etoile le 4 avril sans que ni le préfet de police ni le ministre de l'Intérieur s'en fussent autrement émus.

Il s'agissait déjà de l'Indochine. Mais l'épisode appartient à l'acte suivant comme toutes les scènes extérieures des mois passés et à venir. Il n'y a point en effet solution de continuité mais relation de cause à effet entre la chute de M. Laniel et l'avènement de M. Mendès-France.

Depuis un an la machine politique a commencé à s'enrayer : la C.E.D. est en panne, la longue crise de l'été et l'élection présidentielle de la fin de l'année ont prouvé que les mécanismes parlementaires sont grippés, les grèves ont paralysé le pays ; les frottements se multiplient outre-mer... Est-il possible de remettre le moteur en marche ?

CHAPITRE III

DE HANOI A TUNIS

1954 : *25 janvier-18 février : conférence à Quatre (avec l'U.R.S.S.) à Berlin ; 13 mars : début du siège de Dien-bien-phu ; 26 avril : ouverture de la Conférence à Cinq (avec la Chine) à Genève ; 7 mai : chute de Dien-bien-phu ; 12 juin : chute de M. Laniel ; 18 juin : investiture de M. Mendès-France ; 21 juillet : accord de Genève sur l'armistice en Indochine ; 31 juillet : discours de Carthage sur l'autonomie interne de la Tunisie; 30 août : rejet de la C.E.D. ; 12 octobre : vote de confiance sur les accords de Londres (réarmement de l'Allemagne) ; 1er novembre : série d'attentats marquant le début de la rébellion en Algérie.*

1955 : *5 janvier : le Gouvernement pour le retour au scrutin d'arrondissement ; 26 janvier : M. Soustelle, gouverneur général de l'Algérie ; 26 janvier : décret antialcoolique ; 5 février : chute de M. Mendès-France à l'issue du débat sur l'Afrique du Nord.*

I. — GENÈVE ET CARTHAGE

M. MENDÈS-FRANCE est investi le 18 juin 1954 et il obtient 419 voix [1]. Pour la première fois une crise est dénouée en quelques jours par le premier appelé — le plus étonné est M. Coty qui, prévoyant l'échec de M. Mendès-France, avait d'ores et déjà décidé de pressentir M. Edgar Faure. Pour la première fois le nouveau président du Conseil est un leader de l'opposition ayant combattu le gouvernement au grand jour et non un membre de la majorité ou même du ministère l'ayant assassiné dans l'ombre. Pour la première fois depuis 1947, M. Thorez et son groupe votent une investiture bien que M. Mendès-France ait refusé de façon sereine et cinglante le cadeau empoisonné des voix communistes offertes par M. Billoux [2]. Pour la première fois enfin, les nouveaux ministres, sauf quatre, n'ont pas appartenu au gouvernement précédent. Il y a déjà en tout cela quelque chose

1. Ses 419 voix se décomposent ainsi : 99 communistes, 104 socialistes, 91 radicaux et U.D.S.R., 10 M.R.P., 15 indépendants d'outremer, 59 républicains sociaux (ex-R.P.F.), 34 modérés et 7 divers.

2. Il eût remis sa démission sur-le-champ s'il n'avait dû sa majorité qu'à l'appoint des voix communistes.

d'insolite qui lui sera difficilement pardonné. Le nouveau président du Conseil n'est pas du « syndicat [1] » et de la gauche à la droite tous les chefs de groupes et de partis lui sont hostiles. Seule la piétaille lui est favorable et c'est parmi elle qu'il choisit la plupart des membres de son gouvernement.

M. Mendès-France se présente comme l'homme de la paix, « d'une paix de compromis, d'une paix négociée » qu'il a préconisée depuis des années, pour l'Indochine, de la reprise des « dialogues malheureusement interrompus » avec la Tunisie et le Maroc, et du rapprochement entre « hommes de bonne volonté pour jeter les bases d'un accord sur la C.E.D. ». Quelle situation trouve-t-il et quelle solution apporte-t-il à ces trois problèmes ? Celui du redressement économique et financier ne se pose pas dans l'immédiat ; il a perdu sa priorité depuis un an et conservé son auteur en la personne de M. Edgar Faure.

Touchant l'affaire indochinoise, les événements et les esprits ont considérablement évolué. En 1951, se dépensant jusqu'à hâter sa fin, le général de Lattre avait opéré un certain redressement militaire, « jauni » le corps expéditionnaire et stimulé le gouvernement viet-namien. En 1952, le commandement confié au général Salan, et M. Letourneau cumulant les fonctions de haut-commissaire et de ministre, c'était de nouveau l'enlisement, les débats succédant aux débats, les entretiens aux entretiens, les replis aux replis.

1. « Douze ou quinze hommes consciencieux et honnêtes, travailleurs mais qui ont voulu maintenir certaines règles du jeu » sont rendus par lui responsables de la situation qu'il trouve.

En 1953, la constatation faite sur place par le maréchal Juin qu'au Tonkin les franco-vietnamiens ne pouvaient tenir le delta, puis l'offensive du Viet-minh contre le Laos ébranlaient enfin l'optimisme de M. Letourneau et justifiaient le pessimisme de MM. René Mayer et Pleven. Les Etats-Unis, qui assumaient déjà 40 % des dépenses, étaient invités sans succès à porter leur aide à 60 %.

Le ministère Laniel avait hérité du cabinet précédent un commandant en chef, un « malaise politique » et une vague idée de négociations, « la recherche d'une porte de sortie honorable » disait M. René Mayer [1]. Mais c'est le nouveau cabinet qui, sous l'impulsion de MM. Edgar Faure, Paul Reynaud, François Mitterrand, Marc Jacquet ou même de MM. Louis Jacquinot et René Pleven, va prendre des décisions capitales dans les domaines militaire, politique et diplomatique.

M. René Mayer avait connu le général Navarre en Allemagne ; il appréciait ses qualités intellectuelles et l'avait jugé particulièrement qualifié du seul fait qu'il n'avait jamais été en Indochine. Ainsi n'aurait-il aucun parti pris. M. Laniel a curieusement écrit plus tard qu'il aurait pu « révoquer » le choix de son prédécesseur. Mal lui en aurait pris, du moins à l'époque, puisqu'enfin pour la première fois depuis six ans et demi un vrai plan de guerre allait être établi ; le seul malheur étant qu'il ne devait pas être appliqué.

1. M. René Mayer déplorait cependant que, surtout depuis le général de Lattre, la guerre ait pris un caractère tel qu'il ait rendu difficile toute négociation ; il regrettait également que le corps expéditionnaire ait alors été enterré dans le béton et perdu sa mobilité.

Le plan Navarre prévoyait deux objectifs successifs : pendant la campagne 1953-1954, contenir le Viet-minh en évitant d'affronter son corps de bataille, c'est-à-dire adopter une attitude stratégiquement défensive, puis se rendre capable de reprendre l'offensive pendant la campagne 1954-1955 et d'infliger au corps de bataille viet-minh des revers susceptibles d'amener l'adversaire à négocier.

Or, le commandement en chef décida de détruire le corps de bataille de l'ennemi dès l'hiver 1953-1954 et il choisit de le faire dans la cuvette de Dien-bien-phu. Double erreur à laquelle s'ajoutèrent de graves fautes tactiques dont la plus fatale fut de préparer une bataille d'infanterie alors que l'adversaire imposa un combat d'artillerie.

Le général Navarre s'est vivement défendu des reproches dont il a été accablé tant par M. Laniel ou le général Cogny que plus tard par le général Catroux [1]. A tout le moins les responsabilités furent largement partagées entre Saïgon et Hanoï, Saïgon et Paris. Le gouvernement commit au moins deux erreurs graves : celle de réduire les moyens réclamés par le commandant en chef sans lui ordonner de reconsidérer son plan et celle de s'en remettre à lui de décider si le Laos devait ou non être défendu. « La conduite de la guerre par le gouvernement se résume en un mot : « néant », a écrit le général Navarre. Le commandant en chef « aurait-il voulu jouer le rôle du président du Conseil et se plaint-il que le président du Conseil n'ait pas joué celui de commandant en

1. *Agonie de l'Indochine* du général Navarre (1956).
Le Drame indochinois de Joseph Laniel (1957) et
Deux actes du drame indochinois du général Catroux (1959).

chef ? » a répliqué M. Laniel. Il n'est dans aucune guerre de partage parfait des responsabilités entre le pouvoir civil et le pouvoir militaire. Le drame indochinois a offert un modèle assez réussi de leur confusion.

Le général Navarre convenait que « de toute manière une grave décision se serait imposée au gouvernement pendant l'été 1954 ». Le tout était de savoir s'il aurait pu y parvenir sans sacrifier vainement quelques milliers d'hommes. La réponse fait peu de doute puisque le commandant en chef ne fixait pas d'autre objectif à son plan que d'aboutir à la négociation. En attendant et pour des raisons militaires — la constitution de forces vietnamiennes — il arrivait à la même conclusion que les politiques, c'est-à-dire à la nécessité de parachever l'indépendance des Etats associés.

Ce fut la deuxième décision du cabinet Laniel. Une déclaration en date du 3 juillet proclamait : « La France juge qu'il y a lieu de parfaire l'indépendance et la souveraineté des Etats associés d'Indochine en assurant d'accord avec chacun des trois gouvernements intéressés le transfert des compétences qu'elle avait encore conservées dans l'intérêt même des Etats, en raison des circonstances périlleuses nées de l'état de guerre.[1] »

1. Cette promesse ne fut, comme à l'habitude, suivie d'aucun effet immédiat et une fois de plus le gouvernement perdit le bénéfice de son geste. Tandis que des accords furent non sans difficultés conclus à la fin de l'année avec le Laos et le Cambodge, il fallut attendre le 8 mars 1954 pour ouvrir la conversation avec le Viet-Nam et le 4 juin — près d'un mois après Dien-bien-phu — pour parapher les onze petits articles de deux traités, l'un d'indépendance et l'autre d'association avec la France. Quelques jours après, les deux signataires cédaient la place, M. Laniel à M. Mendès-France, le prince Buu Loc à M. Ngo Dinh Diem.

C'est de cette déclaration que M. Letourneau, à qui M. Laniel n'avait pas de nouveau confié le ministère des Etats associés, a fait partir la dégradation de la situation politique au Viet-nam ; la dévaluation de la piastre, décidée par le cabinet précédent sans consulter Saïgon ayant déjà créé de son côté ce « malaise » évoqué le jour de son investiture par M. Laniel.

Qualifiée de « solennelle », la déclaration du 3 juillet avait été l'occasion des premiers frottements au sein du gouvernement. Respectait-elle le cadre de l'Union française ? MM. Bidault et Coste-Floret et plus souvent encore M. Vincent Auriol, gardien formel et vigilant de la Constitution, refusaient que l'on parlât même d'en sortir. Mais y sommes-nous encore ? demandaient à l'envi MM. Mitterrand, Edgar Faure, Paul Reynaud, Jacquinot et même M. Pleven, et dans leur esprit la réponse était négative. Il ne s'agissait pas seulement de l'une de ces controverses théoriques dont les politiques français férus de juridisme ont toujours raffolé. La question allait plus loin, au fond même du débat. Car le combat avait-il encore un sens si, d'ores et déjà, l'indépendance du Viet-nam était complète sans même que l'on fût assuré de son maintien dans l'Union française. Aussi les partisans de la thèse de l'indépendance l'étaient-ils également de la négociation. M. Laniel leur avait en outre facilité la tâche en prononçant le mot dans sa déclaration d'investiture du 26 juin.

« Cette guerre sanglante, qui donc oserait dire à cette tribune qu'il n'appliquerait pas toute son énergie à y mettre fin si la possibilité s'en offrait !

Cette possibilité, mon gouvernement s'emploiera inlassablement à la rechercher, que ce soit au cours des négociations qui suivraient la signature d'un armistice en Corée ou par toute autre négociation menée en accord avec les gouvernements des autres Etats associés. »

Quinze jours après, M. Bidault retrouvait ses collègues américains et anglais à Washington ; il éprouvait les plus grandes difficultés à leur faire admettre d'une part le principe d'une conférence à Quatre avec l'Union soviétique avant toute ratification de la C.E.D. alors que les Anglo-Saxons souhaitaient l'ordre inverse et d'autre part, en vertu de cette interdépendance des fronts reconnue dès le mois de mars par les Américains, « l'accrochage » de l'affaire d'Indochine à l'armistice prévu — et bientôt conclu — en Corée. « Le grand souci de l'Ouest, dit-il, doit être d'éviter que les communistes puissent à la fois satisfaire leur désir d'en finir avec une entreprise visiblement manquée et continuer d'entretenir une autre plaie ouverte dans le Sud-Est asiatique. » Tous les efforts du ministère français aboutissaient à la rédaction d'un communiqué des Trois se bornant, le 14 juillet, à émettre l'avis que « l'armistice de Corée ne doit pas avoir pour effet de compromettre le rétablissement ou le maintien de la paix dans une autre partie de l'Asie».

A ce stade, il convient de le souligner, M. Bidault ne songeait pas que la conférence à Quatre avec l'U.R.S.S. pût constituer une étape vers le rétablissement de la paix en Indochine ; dans son esprit les deux questions étaient bien distinctes : la conférence contre laquelle il avait élevé bien des objections au sein du gouvernement français devait avoir pour but d'éprouver le bon vouloir des Soviétiques dans l'affaire allemande et de répondre ainsi à l'une des conditions préalables posées par les gaullistes à la venue du débat sur la C.E.D. Quant à la négociation indochinoise, il ne la concevait qu'après un succès militaire tel que l'adversaire se rendît compte qu'il ne pouvait plus l'emporter.

C'est quatre mois après, du 4 au 8 décembre, à la fameuse conférence des Bermudes que les Trois enclenchèrent l'engrenage qui devait conduire à Berlin, puis à Genève. Prévue pour mai et renvoyée à la suite de la crise française (les « gaullistes » ayant renversé M. René Mayer pour l'empêcher d'y aller défendre la C.E.D.), la conférence des Bermudes mit en scène un président Eisenhower bienveillant mais sceptique sur le « new-look » soviétique, un Churchill tantôt somnolent, tantôt sarcastique, et désagréable pour la France au point que M. Eden dut s'excuser auprès de M. Bidault, et un Laniel muet, puis malade, n'obtenant la parole que pour la passer aussitôt, à la surprise des autres délégations, à son ministre des Affaires étrangères qui, pressé de la recueillir, fut par chance valide et étincelant pendant trois jours alors qu'il s'était effondré trois semaines auparavant à la tribune de l'Assemblée.

M. Bidault avait beaucoup évolué depuis les entretiens de Washington ; il en convint. Ecartant la conversation directe avec Ho Chi-minh, la médiation d'un tiers et la négociation avec la Chine, il se rallia à l'idée d'une conférence à Cinq tout en reconnaissant qu'il l'avait jusqu'alors combattue. Il admit enfin que si on voulait la paix, il fallait négocier avec les adversaires à condition bien entendu de ne pas abandonner à leur sort malheureux les Etats associés. Mais il priait qu'on se rendît compte que la tâche sanglante et indéfinie de la guerre ne pouvait plus se présenter au peuple français sans limite visible, telle une morne et interminable plainte alors qu'ailleurs les hostilités avaient cessé.

Que s'était-il donc passé depuis le 14 juillet pour que M. Bidault changeât d'avis ? En premier lieu l'armistice avait été signé le 27 en Corée sans que, valable pour la guerre, l'interdépendance des fronts le devînt pour la paix ; ensuite les esprits avaient beaucoup changé à Saïgon où le 16 octobre un congrès nationaliste avait rejeté l'appartenance du Viet-nam à l'Union française et où Bao-Daï avait envisagé un règlement avec le Viet-minh, s'offrant même à autoriser le parti communiste à condition qu'il n'emploie que les moyens pacifiques et légaux de l'action politique ; enfin le camp des partisans de la négociation s'était singulièrement accru en nombre, en ardeur et en influence au sein même du gouvernement de Paris. M. Paul Reynaud, vice-président du Conseil chargé de l'Indochine, avait inlassablement préconisé — longtemps contre M. Bidault — la convocation d'une conférence à Cinq, M. François Mitterrand, jusqu'à sa démission (« La France n'est pas d'Asie, elle est d'Europe et d'Afrique »), M. Edgar Faure

(« Vainqueurs ou vaincus, nous ne retournerons pas en Indochine »), M. Jacquinot (« Le combat n'a plus de sens. Nous n'abandonnons ni nos amis ni nos alliés, ce sont eux qui nous abandonnent »), M. Marc Jacquet, secrétaire d'Etat aux Etats associés (« La situation militaire permet de négocier ») défendant tous la négociation contre M. Laniel, M. Bidault, M. Coste-Floret et M. Vincent Auriol. M. Pleven penchant plutôt vers le camp de la paix en Asie dans la mesure où il avait la charge de défendre l'Europe.

Une interview de Ho Chi-minh, remontant au 6 novembre mais rendue publique le 27, quelques jours avant la conférence des Bermudes, devait d'autant plus influencer M. Bidault qu'il ne pouvait ignorer les sentiments de la majorité de ses collègues et notamment de M. Marc Jacquet qui, depuis cinq mois, avait cherché le moyen d'entrer en contact avec le Viet-minh pour « aboutir à une situation électorale » et tenter de sauver la présence de la France [1].

La conférence des Bermudes s'achevait donc, avec l'accord de M. Bidault, sur la décision capitale de réunir la conférence politique à Cinq prévue par l'accord sur l'armistice de Corée et qualifiée par les Trois « de meilleur moyen pour faire des progrès en vue de rétablir des conditions plus normales en Extrême-Orient et dans le Sud-Est asiatique ».

1. « Les Anglais veulent faire du commerce, les Français la paix et les Américains la guerre ; ils s'installent sur nos décombres », disait-il.

Pour sa défense, le général Navarre a soutenu que l'annonce de cette conférence était à l'origine de ses difficultés et finalement du désastre de Dien-bien-phu parce qu'elle avait poussé la Chine à intensifier son effort en Indochine. Dans son plaidoyer en forme de réquisitoire contre le commandant en chef, M. Laniel a répliqué que « c'est en février 1954 que la conférence de Genève fut décidée et c'est le 13 mars que devait commencer le siège de Dien-bien-phu ». Il en concluait que l'intervention chinoise ne pouvait avoir subi de modification massive dans un délai si court. Pour accabler un chef malheureux et abandonné, l'ancien président du Conseil a pris des accommodements avec l'histoire et le calendrier. Les dirigeants chinois étaient tout de même aussi avertis que les ministres occidentaux : ils savaient dès le début de décembre que tôt ou tard la conférence aurait lieu. Ils avaient tout le temps de se ménager les atouts militaires d'une opération diplomatique. On peut essayer de démontrer que tel n'a pas été leur jeu ; on ne peut pas sérieusement soutenir qu'ils n'ont pas eu le loisir de le préparer.

Il en aurait été autrement si, comme l'avaient réclamé M. Paul Reynaud et M. Marc Jacquet, les trois Occidentaux étaient allés directement à la réunion à Cinq avec la Chine sans passer par celle des Quatre avec la seule Union soviétique. L'itinéraire le plus direct qui pouvait aboutir à la paix était celui qui aurait conduit des Bermudes à Genève en brûlant l'étape de Berlin. Mais la méthode des approches successives était trop ancrée dans l'esprit des dirigeants français pour qu'ils se hâtent, et le projet d'armée européenne tenait trop au cœur des Anglo-Saxons pour qu'ils ne s'arrêtent d'abord à ce rendez-vous dont, la démonstration étant faite du mauvais vouloir soviétique, ils attendaient la promesse d'une prompte ratification du traité par la France...

MM. Dulles, Eden et Bidault se rendirent donc du 25 janvier au 18 février à Berlin pour y parler de l'Allemagne avec M. Molotov, mais aussi de l'Asie.

Le ministre fançais était parti avec un blanc-seing et une « patience infinie », simplement résolu à ne faire « aucun marchandage ». Insensible aux appels des sirènes gaullistes, il n'entendit pas troquer la C.E.D. contre Ho Chi-minh, c'est-à-dire vendre le projet d'armée européenne aux Russes pour le prix de l'abandon du Viet-minh. Quant à la Chine, elle n'était pas à Berlin et la seule monnaie d'échange aurait consisté à lui offrir sa reconnaissance et son entrée à l'O.N.U., dont ne voulaient à aucun prix les Etats-Unis.

La réunion de Berlin se solda finalement par un échec pour la question allemande et un succès pour les deux problèmes asiatiques : la Corée et l'Indochine. La conférence à Cinq fut convoquée pour le 26 avril.

A ceux qui jugèrent la date un peu lointaine et redoutèrent que l'adversaire mît à profit ce délai, il fut répondu que la saison des pluies serait alors commencée et amènerait une suspension de fait des combats ! Autant en emporte la mousson qui gênera plus l'aviation française que les coolies chinois !

Une fois à Genève, flanqué de M. Jacquet avec lequel il était en désaccord total, M. Bidault vit une à une ses cartes lui échapper après avoir refusé de jouer celle du « cessez-le-feu » dès l'ouverture de la conférence comme MM. Paul Reynaud et Jacquinot l'avaient suggéré.

Ses atouts avaient, il est vrai, moins de valeur qu'il leur en avait prêté. Aux Chinois, il pensait, dit-il, offrir des « sucreries » et l'on chercha vainement pour une fois le sens de cette énigme car il s'agissait non d'une nouvelle version de la tartine de confitures destinée à séduire l'ennemi mais d'équipements et d'usines, et notamment de sucreries, financés grâce à l'aide des Etats-Unis. Mais jamais on ne lui en parla car l'idée d'acheter un mouvement révolutionnaire avec des dollars est une idée typiquement occidentale. Des Soviétiques, le ministre français, favorablement impressionné par son premier entretien avec M. Molotov, attendait beaucoup tant paraissait grand leur désir de paix, mais M. Bidault s'aperçut assez vite que Moscou avait peu d'influence sur Pékin. Ces cartes maîtresses perdues, les autres allaient suivre.

Militairement les Anglo-Saxons refusèrent définitivement une intervention de leurs forces aéronavales à Dien-bien-phu. La première demande avait été secrètement adressée fin mars à Washington. Les conditions posées par les Etats-Unis et notamment la conclusion d'un pacte du Sud-Est asiatique n'ayant pu être satisfaite, une nouvelle démarche était faite le 24 par M. Laniel à M. Dulles en présence de M. Maurice Schumann. Le secrétaire d'Etat américain ne posait alors qu'une condition : l'accord de la Grande-Bretagne. Mais le cabinet britannique refusa, estimant qu'une intervention anglo-américaine ne sauverait pas Dien-bien-phu mais risquait de déclencher une troisième guerre mondiale [1].

Tactiquement le ministère les Affaires étrangères espérait monnayer auprès de la Chine la présence du Viet-minh à la conférence en faisant état s'il le fallait de l'opposition de Bao-Daï. Mais il apprenait bientôt par la presse que l'Empereur, de Cannes, y avait consenti et dès lors M. Bidault ne pouvait plus obtenir en échange une concession de la Chine. « Il ne me reste plus, dit-il, que le trois de trèfle ou le quatre de carreau. »

Diplomatiquement le Viet-minh ne pouvait plus ignorer dès le début de mai que les Américains et depuis fort longtemps les Anglais étaient ralliés à l'idée d'un partage du Viet-nam. Entre l'inaccessible et l'inacceptable, câbla en substance le président Eisenhower à M. Bidault, il est possible de trouver une formule qui réponde au vœu américain d'empêcher l'extension du communisme dans le Sud-Est asiatique.

Politiquement le gouvernement était harcelé à l'Assemblée et, ne décolérant pas, le ministre des Affaires étrangères fut plus d'une fois tenté de venir à Paris. « Vous avez mieux à faire à Genève », lui conseilla M. Laniel qui redoutait que la seule présence de son ministre, ni plus ni moins accusé de forfaiture par M. Vallon, n'amenât les « gaullistes » à voter contre le gouvernement.

Enfin Dien-bien-phu tombe le 7 mai. M. Laniel survit cependant à ce désastre jusqu'au 12 juin. Dès la chute du camp retranché, le gouvernement

1. Cf. *La fin d'une guerre* (Le Seuil), de Jean Lacouture et Philippe Devillers.

donne pour instruction à la délégation française d'entrer à tout prix en contact avec le Viet-minh et d'autant plus qu'en déclarant que l'Indochine n'est pas indispensable à la défense du Sud-Est asiatique, M. Dulles enlève le trois de trèfle des mains de M. Bidault. Pressé de négocier, le ministre français répond qu'il ne veut pas d'une paix qui serait une capitulation, qu'il vaut mieux retrouver une situation de force ! et dans le malheur, le gouvernement va même jusqu'à taire ses désaccords et tente de soutenir ses négociateurs de Genève. Pour reprendre en main le corps expéditionnaire et faire impression sur l'adversaire, il offre la succession du général Navarre au maréchal Juin qui refuse malgré une démarche du général Ganeval au nom de M. Coty, puis il nomme le général Ely qui avait été envoyé en mission en Indochine après la chute de Dien-bien-phu. La seule consigne qui lui est donnée est d'assurer avant tout la sécurité du corps expéditionnaire. Le Viet-minh menace Hanoï et les unités vietnamiennes se débandent. Le général Navarre, contrairement à ce qu'il devait affirmer plus tard, presse le gouvernement de faire aboutir la conférence de Genève.

Des alliés divisés, des associés réticents, un gouvernement qui s'interroge, une majorité qui s'inquiète, où qu'il se tourne, le ministre des Affaires étrangères ne trouve guère d'appui ni même d'écho. Il y a quelque chose d'admirable et de dérisoire dans l'attitude de cet homme dont la volonté et l'imagination sont impuissantes à modifier la réalité. Pourtant, le moment est venu de la fin des illusions. Depuis trois ans et plus, les présidents du Conseil ont eu, sans jamais l'avouer publiquement, conscience que l'intérêt national exigeait que l'on mît un terme à une guerre qui perdait une à une ses raisons d'être — la reconquête, la construction de l'Union française, la défense du monde libre. Mais ils ont toujours craint d'affronter une opinion, puis une majorité mal éclairées et enfin des alliés qui n'ont cessé d'être mal intentionnés que pour être mal avertis.

Le 16 juin 1954, M. Mendès-France consacre évidemment les premiers mots de sa déclaration ministérielle à l'Indochine : « C'est parce que je voulais une paix meilleure que je la voulais plus tôt, quand nous disposions de plus d'atouts. » Le nouveau président du Conseil fait alors une promesse, un pari dira-t-on : si le 20 juillet aucune solution satisfaisante n'a été trouvée, son gouvernement remettra sa démission au Président de la République. A mi-mot, il s'engage en outre dans cette hypothèse : demander auparavant à l'Assemblée l'autorisation d'envoyer en Indochine des éléments du contingent afin de laisser à son successeur une succession meilleure que celle qu'il a reçue.

Dès lors, présenté tantôt comme l'homme de la paix, tantôt comme celui de l'abandon, M. Mendès-France ne mérite ni cet excès d'honneur ni cet excès d'indignité : d'honneur puisque la solution était déjà amorcée six jours avant sa venue au pouvoir ; d'indignité parce qu'elle ne pouvait guère aboutir qu'au partage du Viet-nam.

La veille même de la chute de M. Laniel, M. Frédéric-Dupont était accouru en grande hâte de Genève et s'était rendu en grand mystère à l'Elysée en compagnie du chef du gouvernement. Le bruit courut qu'il avait la paix en poche ou, tout au moins, une nouvelle importante. Mais nul n'y fit allusion au cours du débat qui devait être fatal au gouvernement.

Ce n'est que le 22 juillet que M. Frédéric-Dupont devait révéler à la tribune de l'Assemblée l'objet de sa visite précipitée du 12 à l'Elysée. Au cours de la nuit précédente à Genève, M. Ta Quang Buu, ministre de la Défense du Viet-minh, avait en effet proposé dans un entretien secret avec le colonel de Brebisson de faire passer la ligne de démarcation du côté de Hué. Il demandait toutefois au négociateur français les compensations qu'il était en mesure d'offrir.

Pourquoi n'en avoir rien dit à l'Assemblée et s'offrir, par ce silence, au reproche mortel de ne pas rechercher sincèrement le succès de la conférence de Genève ? M. Laniel a prétendu plus tard qu'il n'avait pas voulu peser sur le verdict de l'Assemblée. La vérité est autre. Si la conversation du colonel de Brebisson n'a pas été rendue publique au cours du débat, c'est simplement parce que M. Bidault n'avait pas accepté qu'elle le fût. Encore une fois, le ministre des Affaires étrangères ne voulait pas être l'homme d'une solution qui consacrât l'échec de la France. Son intelligence pouvait bien lui apprendre qu'elle était inévitable ; son obstination se refusait à l'admettre, son intuition lui en faisait entrevoir les suites, inéluctables. En reconnaissant que le 10 juin on en était à discuter de la ligne de démarcation et en couvrant le ministre des Etats Associés, il aurait personnellement cautionné le partage de l'Indochine.

Si, en revanche, M. Frédéric-Dupont s'est fait

un devoir de révéler le 22 juillet, c'est-à-dire après la clôture de la conférence, la rencontre de la nuit du 10 au 11, devoir d'autant plus facile à accomplir qu'il s'y mêlait un amer plaisir, ce fut moins pour s'attribuer les lauriers de la paix que pour soutenir que M. Mendès-France les avait payés d'un prix trop élevé. Ses adversaires ont voulu démontrer que la crise ministérielle, dont le président du Conseil portait une part de responsabilité, avait incité le Viet-minh à revenir sur les concessions qu'il s'apprêtait à faire et à reprendre la négociation au point de départ. Bref, la partie était sur le point d'être gagnée par M. Laniel et ce qui fut perdu par la suite l'aurait été en vain par M. Mendès-France. Ce dernier a pu aisément répliquer qu'à l'origine le Viet-minh prétendait non seulement faire passer la ligne de démarcation plus au sud, au niveau du 13e parallèle, mais encore partager en deux, non seulement le Viet-nam, mais aussi le Laos et le Cambodge. Qu'en est-il ?

MM. Chou En Lai et Pham Van-dong auraient été à coup sûr de piètres négociateurs s'ils n'avaient mis à profit la crise française pour faire monter l'enchère malgré le désir, maintes fois constaté, des Soviétiques d'éteindre au plus tôt ce foyer de guerre en Extrême-Orient, et MM. Laniel et Bidault, au cas où ce dernier aurait persisté à s'opposer au partage, auraient été de bien mauvais politiques si, en le refusant, ils n'avaient abouti qu'à retarder la chute de leur gouvernement ou l'échec de la conférence au risque de s'exposer à une offensive du Viet-minh sur Hanoï.

M. Mendès-France ne s'est pas fait pour autant illusion sur le contenu des accords de Genève. « Le texte en est cruel, dit-il, parce qu'il consacre des faits qui sont cruels, il n'était plus possible qu'il en allât autrement. » Grâce non seulement à sa soudaine popularité et à un certain art de la présentation mais aussi à l'entêtement qu'il avait mis à obtenir satisfaction sur des points apparemment secondaires mais importants comme la durée d'évacuation (trois cents jours) et le délai des élections (deux ans), il avait d'une défaite militaire fait apparemment un succès diplomatique, et pour un peu on eût pavoisé. Mais il n'était pas injuste que l'homme qui avait prôné la paix en fût l'auteur et le bénéficiaire. Sans doute avait-il espéré sauvegarder au moins l'appartenance du Viet-nam sud à l'Union Française. Cette consolation, pourtant bien formelle, devait être refusée à la France par le nouveau maître de Saïgon, M. Diem, aussi intransigeant dans son nationalisme et sa foi catholique que dans sa fidélité aux Etats-Unis.

Six ans et demi de guerre, 3 000 milliards de francs, 92 000 morts et 114 000 blessés [1] pour en arriver à partager le Viet-nam un peu plus au sud du 17e parallèle. Se consolera-t-on en pensant que si la France avait traité dès 1946 avec Ho Chi-minh, le Viet-nam serait tôt ou tard tombé tout entier dans l'orbe de Moscou puis de Pékin alors que la moitié lui échappait grâce aux accords

1. M. Jacques Chevallier, qui était secrétaire d'Etat à la Guerre au moment de l'armistice de Genève, a évalué les pertes à 100 000 morts « chez nous et dans les troupes de l'Union Française ». Du 1er janvier 1954 au cessez-le-feu, 100 926 hommes ont été mis hors de combat (tués, blessés ou prisonniers).

de 1954. Mais si cette bataille en retraite du monde libre, dont on n'eut conscience que dans les dernières années, pouvait apparaître nécessaire et en définitive utile, la charge en incombait-elle à la France ?

Sans doute l'opinion n'avait-elle pas jugé si lourd un fardeau qui, en définitive, pesait surtout sur les épaules des soldats de métier et les caisses de bailleurs de fonds américains. Mais, depuis quelques mois, le pays semblait tout à coup découvrir cette guerre de sept ans et, passant d'un excès à l'autre, lui imputait volontiers une part de ses maux. Il sut gré de l'en débarrasser à celui qui venait d'y mettre fin. Une fois de plus, il se déchargeait sur un « homme-miracle » du soin de régler ses affaires au besoin contre le Parlement. M. Mendès-France en était un, à ses yeux, comme l'avait été M. Pinay.

Chacun savait alors que l'homme de la paix, quel qu'il fût, pourrait se permettre beaucoup à condition qu'il agît vite, son capital de confiance étant voué à s'épuiser aussi rapidement qu'il s'était constitué.

Les accords de Genève sont du 21 juillet. Dix jours après, le 31, nuitamment, M. Mendès-France s'envole pour Tunis en compagnie du maréchal Juin. Autant que la soudaineté du voyage et son mystère, la qualité du voyageur étoilé provoque un incontestable effet de surprise.

Les moins étonnés de la présence du Maréchal auraient dû être les membres du syndicat des anciens, car, à cet instant, il prend sur eux une sorte de revanche.

Le gouvernement de M. Laniel, M. Pleven étant

ministre de la Défense nationale, avait décidé de priver le Maréchal de toutes ses prérogatives et fonctions dans l'armée française au cours d'un Conseil des ministres réuni dans la nuit du 31 mai au 1er avril.

Depuis plusieurs mois, chacun de ses discours produisait l'effet d'une bombe. En juin 1952, il s'était prononcé, sans en avertir le gouvernement, pour le transfert des cendres du maréchal Pétain à Douaumont [1], puis, trois jours après, il avait tancé publiquement les Américains et demandé que la France quitte l'O.N.U. s'ils continuaient de « raisonner » comme les Russes « à propos de l'Afrique du Nord » ; en octobre suivant, il avait réclamé, au grand courroux des socialistes, l'entrée de l'Espagne dans l'éventuelle Communauté européenne de Défense. En septembre 1953, il avait démenti vouloir être candidat à la présidence de la République, donnant à entendre qu'il avait mieux à faire [2] et choquant ainsi M. Vincent Auriol qui décidait de ne plus le recevoir à l'Elysée. Le 31 mars 1954, enfin, c'était l'éclat d'Auxerre ; le Maréchal y condamnait le projet d'armée européenne [3] sans prévenir le gouvernement dont il était officiellement le conseiller militaire, puis il refusait par deux fois de se rendre à une convo-

1. A. M. Pleven, ministre de la Défense nationale, qui lui avait rappelé par écrit les règles de la discipline, le maréchal Juin retourna sa lettre avec cette simple mention : « Je ne suis pas un caporal. » M. Pinay, président du Conseil, dut intervenir personnellement pour qu'en sa présence le Maréchal consentît à reprendre cette lettre.

2. « Pourquoi abandonnerai-je mes titres et mes fonctions pour les aléas d'une situation politique. »

3. M. Debré prit ardemment au Conseil de la République la défense du Maréchal qui, dit-il, « avait non seulement le droit de parler mais le devoir de le faire ».

cation du président du Conseil. La forme lui en était apparue « désagréablement comminatoire comme s'il se fût agi d'un trompette ». Quant au fond, c'est-à-dire son hostilité à l'armée européenne, il confiait le soir même : « Je ne répéterai pas deux fois la messe pour les sourds. » Le Conseil des ministres ne l'entendit pas de cette oreille-là. Malgré les réserves de MM. Corniglion-Molinier, Ulver et Martinaud-Deplat, il décidait de retirer au Maréchal ses fonctions de vice-président du Conseil supérieur de la Défense nationale, du comité de la Défense, et de conseiller permanent du gouvernement. Il ne serait plus consulté sur les nominations d'officiers généraux, ne recevrait plus ni rapports ni plans militaires. Il ne conservait que le commandement du Centre-Europe à l'O.T.A.N. Bref, il devenait par décision gouvernementale comme étranger à l'armée française. Foncièrement hostile au traité de C.E.D. et à la guerre d'Indochine, comment n'aurait-il pas accueilli avec soulagement l'arrivée de M. Mendès-France ? Sa satisfaction est telle qu'il accepte sans hésiter un instant de l'accompagner en Tunisie et qu'il prend seulement connaissance dans l'avion de la déclaration que le président du Conseil doit faire devant le bey de Tunis.

Lorsque M. Mendès-France, flanqué du Maréchal et du ministre des Affaires tunisiennes, M. Christian Fouchet, arrive à Tunis, il ne trouve ni gouvernement tunisien — M. Mzali qui a remplacé M. Baccouche en février est démissionnaire depuis le 17 juin — ni résident général civil — M. Voizard nommé en septembre 1953 a été remplacé la veille par le général Boyer de la Tour, commandant en chef des troupes, ni bien entendu M. Bourguiba qui, en exil, s'est rapproché de Paris, transféré par le cabinet Laniel de l'île de la Galite à l'île de Groix, puis par M. Mendès-France dans un manoir près de Montargis.

Depuis deux ans, la France n'avait réussi ni à appliquer une politique — celle de M. de Hautecloque n'ayant abouti qu'au rejet des réformes par le bey et au développement du terrorisme et du contre-terrorisme — ni même à définir une politique, le dernier débat de l'Assemblée n'ayant abouti qu'au rejet successif de tous les ordres du jour. Pour ajouter à ce négativisme, et comme le symbolisant, M. de Hautecloque n'était plus reçu depuis longtemps à l'Elysée, M. Vincent Auriol ayant eu à déplorer deux fois des procédés inattendus, sinon peu corrects, de la part d'un ambassadeur de France.

C'est, comme pour l'Indochine, le cabinet Laniel qui le premier tenta de sortir du cercle infernal où s'était enfermée la France. Il commença par se donner un nouveau résident, M. Voizard, et par perdre un ministre, M. Mitterrand (3 septembre 1953). Estimant que la loyauté exige que lorsqu'on n'est pas d'accord on s'en aille, le ministre d'Etat avait, certes, bien des raisons de se démettre. La déposition du Sultan du Maroc n'était vieille que de trois semaines et si comme tous ses collègues il avait dû s'incliner devant le fait accompli, il lui en coûtait de le couvrir après coup — et il s'était d'ailleurs couvert lui-même en remettant une lettre-mémorandum au Président de la République. Quand, au Conseil des ministres du 2 septembre, M. Bidault proposa son plan de réforme pour le Maroc, il n'admit pas qu'on le discutât ni dans le fond ni dans la forme afin, dit-il, de ne pas retarder sa mise en œuvre fixée au 13. C'était demander une confiance aveugle aux membres du gouvernement qui avaient quelques raisons d'ouvrir les yeux et les oreilles depuis la déposition du sultan. Quand, à ce même conseil, M. Bidault proposa d'envoyer M. Voizard à Tunis, le dialogue rebondit, plus rude encore, non seulement avec M. Mitterrand, mais avec M. Edgar Faure et même M. Pierre-Henri Teitgen. Pour eux, le choix d'un homme aurait dû suivre et non précéder celui d'une politique. En fait, les instructions qui, comme à l'accoutumée, laissaient une large liberté d'action à M. Voizard ne furent arrêtées que le 24 septembre à la veille de son départ pour Tunis.

Il fallut six mois au résident pour rendre public un plan de réformes qui voulait constituer un pas vers l'autonomie interne et, comme d'habitude, il fut jugé trop timide par les nationalistes tunisiens et bien téméraire par les Français de Tunisie. Entre-temps l'expression : personnalité tunisienne, avait été substituée à celle de souveraineté tunisienne. La parole — et le geste — devaient inévitablement revenir aux extrémistes : le résident essuya les injures et les crachats des Français à l'aérodrome de Tunis et le président du Conseil tunisien essuya, lui, les coups de feu d'un Tunisien. Le terrorisme reprit et, transféré en France dans un but de clémence, Bourguiba déclara : « ... Si le peuple tunisien est toujours dans la bataille... si le sang coule encore en Tunisie, si des noyaux de résistance armée apparaissent, çà et là dans le Sud..., c'est parce que, au lieu de l'autonomie interne qu'on lui a promise, on cherche à lui imposer la co-souveraineté de la colonie française, c'est-à-dire par une voie détournée, la suppression de l'Etat tunisien. »

Lorsqu'il s'adresse au bey, dès son arrivée à Carthage, M. Mendès-France ne fait en réalité que réitérer la promesse d'autonomie interne de tous les gouvernements précédents. Il ne fait même qu'appliquer le traité du Bardo, l'administration directe étant née de la convention de La Marsa. Son habileté est d'avoir fait sonder auparavant le Néo-Destour et M. Bourguiba, puis d'avoir donné à sa démarche l'éclat et la soudaineté propres à faire impression sur les Tunisiens. Sa force est d'être cru lorsqu'il dit : « L'autonomie interne de l'Etat tunisien est reconnue et proclamée sans arrière-pensée par le gouvernement français qui entend tout à la fois l'affirmer dans son principe et lui permettre dans l'action la consécration du succès. »

L'action n'ira pas sans délais ni difficultés. La constitution du gouvernement tunisien chargé de discuter les conventions destinées à fixer clairement les droits des uns et des autres ; leur conclusion demandera du temps. La reddition des fellagas n'aura lieu que le 30 novembre (c'est-à-dire un mois après le déclenchement de la rébellion en Algérie). Ce sont les successeurs de M. Mendès-France, parmi lesquels se trouvent nombre de ses censeurs, qui signeront après sa chute les conventions franco-tunisiennes, le 3 juin 1955, sous le ministère Edgar Faure. L'autonomie interne devenait enfin réalité, avant de donner naissance à l'indépendance, le 6 mars 1956, sous le cabinet Guy Mollet. C'est pourtant M. Mendès-France qui passera après coup pour avoir perdu seul la Tunisie [1].

Deux thèses s'opposeront toujours. Pour les uns, seule une politique de force pouvait éviter « l'abandon », et l'indépendance devait naître tôt ou tard de l'autonomie interne. Partisans du tout ou rien, ils sentaient d'instinct — quand ce n'était pas par intérêt — que la première concession serait bientôt suivie d'autres et, bravant la marche du temps, ils étaient bien résolus à maintenir le statu quo en usant au besoin de la contrainte. Pour les autres, au contraire, la politique de force ne pouvait sauver la présence française et si la politique de réforme n'y est pas parvenue non plus, c'est qu'elle est intervenue trop tard ; partisans d'une troisième voie entre le colonialisme et l'abandon, ils se sont fait souvent une vue idéale, presque trop intelligente, de l'évolution des peuples d'outre-mer. Les premiers voulaient ignorer et les autres minimiser la vague irrépressible du nationalisme qui, comme toutes les passions, n'est jamais satisfaite et se nourrit au contraire de ses premiers succès. Pour réussir sans heurt la tâche de décolonisation, il eût fallu ou un pouvoir moins aveugle ou un pouvoir plus stable.

Le général Boyer de la Tour a affirmé que les réformes proposées par son prédécesseur le 4 mars et qui augmentaient le nombre des ministres tunisiens et les pouvoirs du chef du gouvernement « auraient pu nous accorder un répit de

1. Sa politique avait été approuvée le 10 août 1954 par 397 voix contre 114.

quelques années » et auraient été acceptées par le Néo-Destour si la situation ne s'était pas dégradée en Indochine et si un changement n'était pas apparu possible en France [1].

Pourtant, dès le 2 avril, bien avant la chute de Dien-bien-phu et celle de M. Laniel, le Néo-Destour condamnait ces réformes « élaborées en dehors des représentants qualifiés du peuple et portant atteinte à la souveraineté tunisienne ». En vérité, les nationalistes de l'école de Bourguiba n'ont jamais admis d'autre perspective que celle d'une évolution par étapes jalonnées de réformes, mais à condition qu'aucune ne ferme la voie vers l'indépendance, et dont le rythme dépendait, en effet, des événements extérieurs et notamment des aléas de la politique française, chaque crise accélérant le processus alors même qu'elle était provoquée pour le ralentir.

Ayant satisfait aux deux premières échéances qu'il s'était fixées — l'Indochine puis la Tunisie —, « l'homme du calendrier » peut aborder la troisième qui, plus que les autres, lui sera fatale.

1. Dans *Vérités sur l'Afrique du Nord* (Plon), le général y révèle que M. Mendès-France l'avait fait venir dès le 19 juillet à Genève pour lui faire part de son intenion de le nommer résident et de se rendre lui-même à Tunis dès la fin de la conférence de Genève. Il répondit que cette visite « lui semblait peu opportune » et il devait écrire plus tard que le président du Conseil ne se rendait compte ni du « fait islamique » ni du « fait français » en Afrique du Nord. On s'étonne, dans ces conditions, qu'il ait accepté et le poste et la mission qui lui furent confiés par M. Mendès-France.

II. — « LE CRIME DU 30 AOUT »

La guerre d'Indochine avait tué le cabinet Laniel et amené au pouvoir M. Mendès-France. Elle va également tuer la C.E.D. Le dernier débat sur ce traité avait eu lieu le 17 novembre 1953 et s'était achevé par l'adoption d'un ordre du jour qui n'avait aucun sens, par une majorité qui n'avait aucune signification. La question de confiance ayant été posée, les socialistes, que l'on pouvait supposer favorables au traité, avaient voté contre parce qu'ils étaient dans l'opposition, et, bien qu'hostiles au projet, les gaullistes avaient voté pour parce qu'ils étaient dans la majorité.

La complexité de la politique française atteignait alors son degré extrême. En dehors du parti communiste, pas un parti, pas même un esprit qui ne fût partagé, hésitant, presque torturé. « La France, écrivait le comte de Paris, n'a jamais eu à prendre de tels risques depuis le traité de Troyes d'Isabeau de Bavière », traité qui remit le royaume de France à Henry V d'Angleterre. « Aucun vote, déclarait M. Jules Moch, n'aura autant troublé les consciences, depuis celui de l'Assemblée nationale de Vichy en juillet 1940... »

Témoignages d'adversaires de l'armée européenne, mais aussi de partisans : « Du choix que nous allons faire, dépendra le destin de la démocratie en Allemagne, donc de la paix en Europe » (M. Bidault). « Je suis sûr que c'est dans cette voie seulement que se trouve le salut de mon pays » (M. Robert Schuman).

Le doute, l'inquiétude des uns contrastaient avec l'espérance, la certitude des autres. Peut-être aussi se succédaient-ils dans les mêmes esprits. Véritable drame de conscience pour chaque Français. Si au lieu de s'interroger soi-même, il questionnait les autorités morales de son pays, que constatait-il ?

Le maréchal Juin, le général de Gaulle et tous les généraux connus de la dernière guerre sauf un ou deux, le comte de Paris, héritier du trône de France, et M. Herriot, patriarche de la République, M. Maurice Thorez, le meilleur disciple français de Staline, et M. Daladier, l'homme de Munich, M. P.-E. Flandin qui fut ministre de Vichy, et M. Vincent Auriol, le premier président de la IVe République — tous ces hommes d'expérience étaient contre la C.E.D.

M. Paul Reynaud et M. Antoine Pinay, M. Robert Schuman et M. René Pleven, M. P.-H. Teitgen, président du M.R.P., et M. Guy Mollet, secrétaire général de la S.F.I.O., M. Delbos et M. René Mayer, radicaux — tous les hommes responsables immédiats de la politique française étaient pour la C.E.D.

Dans ces conditions, le meilleur dénouement n'aurait-il pas été un compromis ? Ni les adversaires ni les partisans ne s'y prêtèrent. Des solutions de rechange étaient esquissées et au Conseil des ministres du 13 février 1954, M. Corniglion-Molinier lisait une longue déclaration hostile au traité. Car le gouvernement lui-même était partagé.

MM. Corniglion-Molinier, Ulver et Lemaire, ministres gaullistes, ne voulaient pas entendre parler de la date du débat de ratification avant que ses conditions « préalables » fussent satisfaites et, notamment, la signature d'un accord sur la « garantie » de la Grande-Bretagne, ni même avant la conférence de Genève où certains proposaient même d'abandonner la C.E.D. en échange de la paix en Indochine.

Lorsque, le 11 avril, fut convoqué à l'improviste un Conseil des ministres pour approuver la convention franco-britannique dont la signature était prévue pour le lendemain, M. Corniglion-Molinier et les ministres gaullistes[1] s'élevèrent vivement contre le procédé qui consistait, le Parlement étant parti en vacances, à prévenir une heure seulement auparavant les membres du gouvernement qu'ils allaient avoir à en discuter. Les gaullistes ne furent pas les seuls à protester. Deux ministres radicaux prirent la parole, l'un M. Edgar Faure, pour déclarer qu'il était inopportun de ranimer le débat sur la C.E.D., avant la conférence de Genève, l'autre M. Martinaud-Deplat, pour affirmer qu'il était possible d'obtenir des engagements plus substantiels de la Grande-Bretagne.

« Le temps de la réflexion est clos. Voici l'heure de la décision », admonesta M. P.-H. Teitgen, vice-président du Conseil, qui invita ceux des ministres qui n'étaient pas d'accord à donner leur démission, et M. Laniel pencha du côté des partisans de la C.E.D. ; malgré l'opposition de huit ou neuf ministres au moins, le Conseil des ministres autorisa la signature de la convention, dont, selon

1. Aussi bien ceux restés au R.P.F., comme MM. Lemaire, Ferri et Jacquet, que les dissidents : MM. Barrachin et Boisdé.

le mot de M. Edgar Faure, chacun était convaincu qu'elle était une « plaisanterie », et le gouvernement décida « de proposer en toute hypothèse au Parlement qu'une date soit retenue pour l'examen du traité de la C.E.D. ». Mais, aussitôt après, M. Laniel donnait des apaisements aux adversaires du traité : la convention avec la Grande-Bretagne devrait évidemment être approuvée par le Parlement et la fixation d'une date ne pourrait non moins évidemment être demandée qu'à la rentrée du Parlement. Les gaullistes protestèrent néanmoins contre les procédés « à la sauvette » et les « secrets » de M. Bidault, et contre le « fait accompli » du préalable britannique qui n'était réalisé qu'en apparence. Ils se demandèrent si « de nouveaux coups » du même style ne se préparaient pas pour les autres conditions : garantie américaine et règlement sarrois [1]. Les ministres radicaux maintinrent toutes leurs réserves « sur la forme et le fond ». Mais la crise ministérielle était évitée de justesse.

Un nouveau Conseil des ministres eut lieu le jeudi suivant, 15 avril : une vive discussion opposa M. Bidault, appuyé par M. Laniel, et M. Edgar Faure, soutenu par les radicaux et les gaullistes. M. Bidault affirma qu'une décision, même de principe, augmenterait ses possibilités de négociation

1. Pendant toute cette période, MM. Maurice Schumann et P.-H. Teitgen s'efforcent d'obtenir un accord sur la Sarre plus ou moins à l'insu de M. Bidault qui ne veut faire aucune concession à l'Allemagne. M. Grandval menace plusieurs fois de donner sa démission, notamment en mai lorsqu'il se rend auprès de M. Bidault alors à Genève ; d'une façon générale l'histoire de l'affaire sarroise est elle aussi, d'un bout à l'autre, celle des occasions et des illusions perdues.

à la conférence de Genève tant pour le concours attendu des Etats-Unis que pour son dialogue avec l'U.R.S.S., tandis que pour M. Edgar Faure toute décision indisposerait nos interlocuteurs et réduirait les chances d'accord avec les Etats-Unis et de paix en Indochine. Finalement, le Conseil décida : « Si les négociations sur les conditions préalables posées à la ratification ont abouti, le gouvernement demandera à la conférence des présidents de l'Assemblée Nationale du 18 mai de prendre toutes dispositions pour que s'instaure aussitôt le débat portant sur les garanties britanniques et américaines, l'accord sur la Sarre, les protocoles additionnels et les traités de Bonn et de Paris. »

Il ne s'agissait pas de fixer une date pour le débat, *mais la date à laquelle il serait demandé au Parlement d'en fixer une pour le débat !* Les adversaires ne furent pas satisfaits. Les ministres gaullistes menacèrent pour la troisième fois de retirer leurs ministres du gouvernement. Ils n'en firent rien, mais le cabinet Laniel était condamné. Dès ce moment, même s'il n'y avait pas eu la défaite d'Indochine, la C.E.D. était morte [1].

Le 18 mai arrivera d'ailleurs sans que personne au gouvernement ne songe à demander au Parlement de fixer une date pour le débat. La chute de Dien-bien-phu était du 13 ! Les esprits et les cœurs n'étaient pas en Europe : ils étaient en Asie.

Le 18 juin, M. Mendès-France est investi par

1. Le 21 avril, M. Vincent Auriol, simple citoyen, rendait publique rétroactivement son hostilité : « J'ai souffert du silence que m'imposait ma charge. A deux reprises, je me suis demandé en conscience si mon devoir n'était pas de partir »...

l'Assemblée nationale. Il considère que le crime du gouvernement a été d'avoir laissé la querelle en arriver là et que l'échec du traité serait aussi grave que sa ratification. Il renvoie dos à dos adversaires et partisans qu'il qualifie de passionnels et de bornés ; il conclut qu'il faut ajourner la décision et trouver une solution qui assure le réarmement allemand au prix d'abandon de souveraineté et d'une véritable garantie britannique. Telle est sa pensée profonde qu'il traduit en langage parlementaire. Que dit-il en effet ? Après avoir affirmé sa fidélité à l'alliance occidentale et déclaré à propos de l'Europe que « vis-à-vis de ses amis comme vis-à-vis d'elle-même, la France ne peut plus prolonger une équivoque qui porte atteinte à cette alliance », il ajoute : « La C.E.D. nous met en présence d'un des plus graves cas de conscience qui aient jamais troublé le pays. C'est un spectacle affligeant — et auquel nous ne pouvons pas nous résigner — de voir les Français profondément divisés sur une question aussi intimement liée à la sensibilité nationale. Mais n'est-il pas possible de poser avec objectivité un problème dont les facteurs affectifs obscurcissent trop souvent des données réelles ?

« L'une de ces données est la nécessité d'un réarmement occidental imposé par la situation internationale et qui a conduit à envisager — perspective cruelle pour tous les Français — les conditions de la participation de l'Allemagne à une organisation commune de défense.

« Que la nation soit déchirée, dans un pareil moment, par la controverse passionnée qui s'est élevée sur les formes, les modalités et les institutions de cette communauté défensive, que depuis des mois notre pays retentisse d'une grande et douloureuse querelle et que cette querelle risque de se prolonger pendant des années encore, voilà ce à quoi nous avons tous le devoir de mettre un terme, au nom de l'unité nationale elle-même. Je m'adresse aux adversaires comme aux partisans de la C.E.D., pour qu'ils renoncent aux intransigeances qui, en fin de compte, ne peuvent avoir d'autre effet que d'affaiblir durablement le moral du pays et l'armature de sa défense.

« Je ne peux pas croire que des hommes d'égale bonne foi, entre lesquels existe sur l'essentiel un accord assez large, ne puissent se rapprocher, se réconcilier, même s'il leur est demandé de part et d'autre des efforts qui leur paraissent, aujourd'hui encore, difficiles.

« Le gouvernement que je voudrais constituer organisera cette confrontation nécessaire, ce rapprochement que veut le pays. Il mettra en présence des hommes, des patriotes de bonne volonté et il leur demandera pendant le bref délai durant lequel notre action sera consacrée en priorité au règlement du conflit d'Indochine, de jeter les bases d'un accord qui sera soumis au Parlement. Si ces consultations devaient se révéler infructueuses, c'est le gouvernement lui-même qui prendrait ses responsabilités.

« Il s'agit, je l'ai dit, de définir les conditions qui, tenant compte des aspirations et des scrupules du pays, nous permettent de créer le large assentiment national qui est indispensable à tout projet de défense européenne.

« De toutes manières, l'Assemblée sera saisie,

avant les vacances parlementaires, de propositions précises dans ce but.

« Nos alliés sauront ainsi, et dès maintenant, que dans un délai rapproché ils auront de la part de la France la réponse claire et constructive qu'ils sont depuis longtemps en droit d'attendre d'elle. »

A cette « confrontation », deux membres du gouvernement — l'un favorable au traité, M. Bourgès-Maunoury (radical) et l'autre hostile, le général Kœnig (gaulliste) — vont procéder sans succès tandis que M. Mendès-France, qui a décliné l'offre de M. Spaak de se rendre à une conférence des Six à Bruxelles, se consacre en priorité à Paris, puis à Genève à l'armistice en Indochine. Les deux ministres s'efforcent de dégager les principes communément admis par les partisans et les adversaires « de bonne foi » du traité. Les gaullistes en condamnent toujours le principe fondamental, la supranationalité, et réclament une fois de plus l'adhésion de la Grande-Bretagne à la Communauté, et c'est l'un d'eux, M. Debré qui, passionnément, mène l'attaque contre le Traité au Conseil de la République.

Le général Billotte remet dans le même temps à M. Mendès-France, au nom de l'A.R.S. (ex dissidents du R.P.F.), un projet qui exclut toute autorité politique supranationale et limite cette autorité « à une réunion politique des chefs de gouvernement ». Deux autres parlementaires, MM. Bonnefous (U.D.S.R.) et Bardoux (paysan), lui communiquent un contre-projet élargissant la Communauté à l'ensemble des pays de l'Europe occidentale en faisant du Conseil des ministres du Conseil de Strasbourg l'organisme politique de décision. Dix députés modérés proposent que le traité « soit soumis à un référendum ». Le parti socialiste lui aussi est las de la querelle [1].

Lorsque M. Dulles propose en cas d'échec de la C.E.D. de rendre sa souveraineté à l'Allemagne et de retarder son réarmement, l'accueil est assez favorable en France, sauf chez les partisans acharnés du traité de Paris. Ses adversaires en concluent, eux, que son rejet ne provoquerait pas le renversement des alliances et la révision de la politique atlantique.

M. Mendès-France a d'ailleurs averti M. Dulles [2] à son passage à Paris que la C.E.D. ne pourrait être votée dans son état actuel. A son retour de Genève, il prend connaissance du dossier de la confrontation du général Kœnig et de M. Bourgès-Maunoury. Il ne s'agit que d'un vaste catalogue des arguments pour et contre, d'un document « académique ». Aucun accord n'a pu être trouvé entre les deux thèses.

Au début d'août, M. Mendès-France connaît un moment les mêmes difficultés que ses prédécesseurs : il promet au M.R.P. que le débat viendra dans la seconde quinzaine du mois. Sur quoi portera-t-il ? Sur la C.E.D., dit-il, « et autre chose ». Ce « quelque chose » ajoute-t-il, ne peut inquiéter les « Européens », mais répondra à certaines

1. La commission des Affaires étrangères a rejeté le traité par 24 voix (dont 6 socialistes) contre 18 (dont 3 socialistes), et celle de la Défense nationale par 29 voix (dont 4 socialistes) contre 13 (dont 3 socialistes) alors que le congrès du parti socialiste l'avait approuvé par 1 969 mandats contre 1 215 et 265 abstentions.

2. M. Dulles se fie, il est vrai, à d'autres informateurs français qui lui affirment le contraire, ainsi qu'à M. Bruce, ambassadeur des Etats-Unis auprès de la C.E.C.A. qui le prévient fortement contre M. Mendès-France.

appréhensions des adversaires du traité. Les inquiétudes des gaullistes renaissent. La base de notre contrat avec M. Mendès-France, rappellent-ils, exclut « toute solution propre à diviser les Français », c'est-à-dire dans leur esprit que ce contrat exclut la C.E.D.

Cette fois, le M.R.P. n'est pas dans le gouvernement ; c'est là sa faute majeure. Quand il y était, il éprouvait déjà de la peine à faire prévaloir son point de vue. N'y étant plus, il est sans pouvoir, il ne lui reste qu'à se fier aux promesses.

Les 11, 12 et 13 août, M. Mendès-France présente en effet « sa » solution aux membres du gouvernement. La disposition essentielle est la suspension pendant huit ans de toute clause supranationale. Pendant cette période, le Conseil des ministres de la Communauté devrait statuer à l'unanimité sur les recours adressés par un Etat membre contre des décisions du commissariat. Chacun des pays disposerait donc du droit de veto. Une autre des sept modifications proposées limite l'intégration aux forces de couverture, c'est-à-dire aux seules forces stationnées en Allemagne. Il n'y aurait donc pas de soldats « européens » — mais seulement des aviateurs — sur le territoire français.

Cependant, trois des ministres gaullistes — le général Kœnig, MM Lemaire et Chaban-Delmas — donnent leur démission. Leur groupe se solidarise avec eux et les approuve « d'avoir refusé de sanctionner des modifications de valeur contestable qui ne changent rien ni au principe de la supranationalité ni au cadre trop étroit de l'Europe à Six ». On ne peut décidément contenter tout le monde. Les autres ministres gaullistes — MM. Fouchet, Ulver et Catroux — restent au gouvernement en attendant de connaître les résultats de la conférence de Bruxelles où M. Mendès-France se rend sans tarder pour présenter son compromis aux cinq partenaires de la France.

Au moment même où les Six siègent dans la capitale belge où M. Mendès-France est, à dire vrai, accueilli comme un intrus et presque un adversaire [1], deux bombes ou plutôt deux torpilles éclatent à Paris : M. Robert Schuman et M. André Philip, en des articles retentissants, déclarent inacceptable le « compromis » présenté par M. Mendès-France. « Le droit de veto est généralisé de façon telle que tout serait paralysé, écrit le premier ; le traité est vidé de sa substance » ; « toute atteinte à la supranationalité, écrit le second, tout abandon de l'intégration militaire et politique... réaliserait l'unanimité de tous les socialistes dans l'opposition à un texte ainsi tronqué ».

Le parallélisme de ces deux articles, le moment choisi pour les publier, sont interprétés comme une opération concertée des partisans du traité contre M. Mendès-France. Des témoins affirment qu'il eut l'impression de recevoir un coup de poignard dans le dos. Critiqué, abandonné d'un côté par les « anti-européens », il se voyait attaqué

1. A la tribune de l'Assemblée le 29, faisant le point de la conférence, il parlera des « adversaires... » puis se reprendra aussitôt « ... des partenaires de la France ». Lapsus moins involontaire qu'il parut à beaucoup ; M. Mendès-France l'avait déjà commis la veille en commission ! Ni M. Spaak, ni le chancelier Adenauer, ni M. Bruce, aussi peu « coopératif » que possible dira M. Mendès-France et en réalité foncièrement hostile au président du Conseil français, ne sont alors convaincus de l'échec de la C.E.D. « Ne cédez pas, leur dit-on, il cédera. »

d'un autre côté par les « européens » et même accusé d'avoir agi avec une « légèreté déconcertante » (M. Maurice Schumann). Isolé et même humilié, dira-t-il, il en vient vite à se refuser à de nouvelles concessions et à se résigner à l'échec tant de son compromis que de la conférence.

Bien des partisans du traité auraient préféré une C.E.D. amendée à pas de C.E.D. du tout ; ils ont après coup regretté l'échec du « compromis » de M. Mendès-France tout en restant convaincus qu'il ne l'avait conçu et présenté qu'avec l'espoir ou la volonté de le faire échouer à Bruxelles.

N'ayant obtenu pour son compromis ni « le large assentiment national » ni l'accord des Cinq, M. Mendès-France n'avait plus qu'une ressource : présenter le traité tel qu'il était à l'Assemblée nationale. Les partisans du traité passent subitement de la certitude au doute, même à l'effroi. Se rendant compte enfin que la ratification n'est pas sûre, ils proposent *in extremis* des moyens de sauver le traité en péril : M. Pinay suggère de négocier avec les Cinq une « période probatoire de dix-huit mois » après laquelle le traité pourrait être révisé, M. Bidault, « un protocole d'application », et M. René Mayer un accord reportant non la ratification mais son effet, au 1er janvier 1955. Trop tard.

Le gouvernement ne peut que rester neutre. S'il ne l'était pas, il n'y aurait pas de débat pour la raison qu'il n'y aurait plus de gouvernement. Les adversaires du traité provoqueraient plutôt la démission de leurs représentants au gouvernement et au besoin l'ouverture d'une crise. Contre l'avis de M. Coty, le Conseil des ministres du

27 août décide que la question de confiance ne sera pas posée [1] et, sur l'avis du président de la République, gardien de la Constitution, il écarte la proposition des ministres favorables à la C.E.D. qui voulaient que tous les membres du gouvernement donnent leur démission et que son chef se présente seul devant l'Assemblée [2] ! M. Mendès-France se trouve alors dans une situation singulière. Il ne peut prendre entièrement à son compte un traité qu'il désapprouve en partie, puisqu'il a voulu le modifier ; il ne peut non plus se désintéresser complètement d'un débat dont il a dit qu'il engage le destin même de la nation. Il se borne à dire qu'il fera un exposé loyal et complet des négociations. Lorsque, à la veille du débat, il fait cet exposé devant les commissions parlementaires, ses auditeurs estiment qu'il conclut pratiquement au rejet du traité. Il se déclare dès ce jour-là, le 26 août, favorable à une autre forme de réarmement de l'Allemagne que celle de la C.E.D... Pourquoi, lui demande-t-on, ne pas prendre plus nettement parti contre le traité devant l'Assemblée ? M. Mendès-France ne le pourrait qu'en étant abandonné des ministres favorables à la ratification [3], après avoir perdu trois de ceux

1. Il l'aurait posée sans aucun doute, déclare M. Mendès-France, si ses propositions avaient été acceptées à Bruxelles, au moins dans une large mesure.

2. Proposition faite par MM. Bourgès-Maunoury, Emile Hugues, Berthoin, Claudius Petit et Robert Buron qui s'étaient réunis la veille au soir chez M. Bourgès-Maunoury.

3. Effectivement, après le rejet du traité, MM. Claudius Petit, Bourgès-Maunoury et Emile Hugues donneront leur démission qu'ils avaient offerte au conseil du 27 et auraient remise à coup sûr, si M. Mendès-France avait décidé de se déclarer ouvertement contre le traité devant l'Assemblée.

qui lui sont hostiles. Jusqu'à la dernière minute de cette agonie, les présidents du Conseil auront été victimes ou prisonniers de gouvernements divisés.

Le général de Gaulle, le comte de Paris et M. Vincent Auriol renouvellent leur hostilité au traité à la veille du débat. L'Assemblée de l'Union française donne un avis défavorable, de même que toutes les commissions compétentes de l'Assemblée nationale.

Sentant l'échec à peu près certain, les défenseurs du traité font tout à coup l'impossible pour retarder le débat qu'ils ont pourtant si souvent appelé de leurs vœux. Une motion d'ajournement (ou préjudicielle) est préparée. Elle demande le report de la discussion jusqu'à une date fixe pour permettre entre-temps la reprise des négociations avec les Cinq et la signature d'un protocole d'application.

A la motion préjudicielle, les adversaires du traité décident d'opposer la « question préalable » qui, si elle est votée, aboutit non pas seulement à l'ajournement du débat mais au rejet du projet.

Finalement, dans une atmosphère de tension extrême, la question préalable est votée [1] : le traité est rejeté. Le cadavre est bien mort, porté directement du placard où ses partisans l'avaient remisé, à la fosse, où ses adversaires le laissent tomber.

M. Robert Schuman, qui descend de son

1. Par 319 voix (dont 53 socialistes) contre 264 (dont 50 socialistes) : l'indiscipline du groupe socialiste, les chiffres le montrent, a été déterminante pour le rejet du traité.

Olympe, et M. Georges Bidault parlent d'en appeler au pays ou, tout au moins, à leurs électeurs, et la même intention est prêtée à M. Guy Mollet qui, perché à la Montagne, a vu les siens donner de la voix et du geste le coup de grâce à la C.E.D. Tous prévoient le pire : la France abandonnée, le neutralisme triomphant, l'Amérique dépitée, l'alliance rompue, l'Allemagne gagnante et l'Europe exposée...

M. Mendès-France ne s'émeut guère : « Il y aura des vagues, mais elles s'apaiseront. Je ne doute pas que nous trouverons une formule d'accord sur la défense de l'Europe. »

Mais les « Européens » ne lui pardonneront jamais le « crime du 30 août ». Lorsque le 12 octobre, l'Assemblée doit se compter sur les accords de Londres qui donnent à l'Allemagne une armée nationale et la font entrer dans le Pacte atlantique, M. Paul Reynaud, M. Pinay, M. Pleven et presque tout le M.R.P. refusent de voter la confiance. Lorsque le 10 novembre, le premier budget est discuté, et encore ne s'agit-il que de celui des P.T.T., le M.R.P. vote contre la confiance et, le 30, il s'abstient en grande majorité lorsqu'il est appelé à se prononcer sur un projet de réforme constitutionnelle, pourtant sans grande portée, défendu par M. Mendès-France. Dans tous ces scrutins, les communistes votent contre le gouvernement. Le président du Conseil est pris sous les feux croisés du M.R.P. qui se venge du rejet de la C.E.D. et ceux de l'extrême gauche qui s'insurge contre les accords de Londres matérialisés dans le traité de Paris. Sa majorité devient une minorité de faveur lors de la ratification du traité, le 30 décembre : 287 voix contre 260 (dont 98 communistes et 53 M.R.P. sur 84) et 76 abstentions (dont 15 M.R.P.). M. Mendès-France, qui conserve encore l'audience du pays, se sait alors condamné par l'Assemblée.

Il n'est pas d'homme, sauf vingt ans auparavant Léon Blum, qui se soit attiré si vite autant de sympathies, de dévouements, souvent éphémères et, d'autre part, autant d'antipathies, ou même de haines plus durables. Doué d'une volonté rare allant jusqu'à l'entêtement, d'une intelligence solide, bien organisée, dialectique, et quelquefois raisonneuse, dédaignant les moyens ordinaires de la séduction parlementaire, se prêtant mal au travail d'équipe, rendant le dialogue difficile, vindicatif, personnel, il était aussi peu adapté que possible à un système fait de velléité, d'habilité et de collégialité tant dans les partis qu'au gouvernement et au Parlement. Il ne pouvait être que l'homme d'un moment, d'un épisode, non d'une époque. Chirurgien plus que médecin, il était capable de débrider les plaies et d'amputer les membres malades, non d'appliquer une longue et patiente thérapeutique dont il avait pu observer tout au long des neuf années où il s'était tenu en dehors du pouvoir. Trapu, il y a en lui, lorsqu'il est à la tribune, quelque chose d'un lutteur qui sait préparer et porter des coups qui sont durement ressentis, et ses adversaires lui en ont rendu qui, souvent, étaient bas.

Au début de l'été, quelques parlementaires, dont un de bonne foi, colportaient, à travers les salles de rédaction ou de restaurant, avec photocopies à l'appui, « la preuve » que M. Mendès-France s'appelait en réalité M. Cerf et que son gouvernement comprenait un traître en la personne de M. Mitterrand. Les deux accusations s'étayaient : un homme capable de truquer son identité l'était tout autant de laisser filer les secrets de la Défense nationale. Le premier de ces bruits n'était que ridicule ; le second, plus odieux, s'autorisait d'un faux. C'est ainsi que l'affaire dite des fuites a commencé.

De fuites, il y en eut de réelles et de nombreuses ainsi que le procès devait le prouver, mais il devait aussi confirmer que ni de près ni de loin l'auteur en était M. Mitterrand. Elles n'avaient d'ailleurs pas eu lieu au comité de la Défense nationale où siègent ministres et militaires, mais au secrétariat général permanent où figurent seuls des fonctionnaires.

M. Mitterrand, alors ministre de l'Intérieur, fut donc présenté par les amis et les « agents » de M. Baylot, alors préfet de Police, comme l'auteur de la fuite au comité de Défense nationale du 28 juin 1954. Pour corroborer et corser le soupçon, il fut ajouté que déjà une indiscrétion s'était produite lors du comité du 24 juillet 1953 où, comme par hasard, M. Mitterrand siégeait aussi en qualité de ministre d'Etat du cabinet Laniel. Preuve en était que la voiture du ministre avait été vue devant la porte du journaliste qui avait apparemment bénéficié de cette fuite. C'était un faux, et M. Bidault, qui le crut, eut par la suite la loyauté de le reconnaître ainsi que M. Vincent Auriol, lui-même informé par M. Martinaud-Deplat, sans que l'on sût jamais ou que l'on cherchât à savoir qui avait suborné et le ministre de l'Intérieur de l'époque et le Chef de l'Etat.

Entre les deux fuites, il y en avait une troisième, le 26 mai 1954, mais celle-là ne fut révélée qu'au procès, et pour cause, car le 26 mai M. Mitterrand n'était plus — et pas encore — ministre et ne pouvait donc avoir livré des secrets militaires à M. Jacques Duclos. De cette fuite, M. Martinaud-Deplat avait pris soin de ne rien dire, lorsqu'il avait passé ses pouvoirs à M. Mitterrand. Mais il y en eut une quatrième le 12 septembre, et c'est elle qui permit de démasquer la machination montée contre le gouvernement Mendès-France. Le moment était bien choisi pour relancer le monstrueux soupçon : le président du Conseil négociait avec les alliés à Londres après l'échec de la C.E.D. et il avait besoin, comme en juillet à Genève, de l'appui des Etats-Unis. Quel coup plus décisif et plus infamant lui porter que d'informer le monde entier et l'ambassade américaine, en particulier, que le ministre de l'Intérieur trahissait les secrets militaires au profit du Parti communiste ? La « preuve », c'est-à-dire le faux, avait été en septembre comme en juillet fabriqué par un journaliste-policier Baranès et remis à un policier-politique, le commissaire Dides.

La machination s'écroula et, avec elle, l'honneur de quelques hommes, hormis celui de M. Mitterrand. Elle avait illustré l'état de dégradation des esprits et des mœurs. Que des fonctionnaires eussent recopié des procès-verbaux secrets pour les remettre à des amis politiques, c'était un crime que la justice devait punir tardivement [1]. Que des faux eussent été fabriqués par des agents de haute ou de basse police pour déshonorer un homme, un gouvernement, une politique, c'était déjà une honte moins commune qui a pu briser la carrière administrative, mais non politique de ceux qui l'avaient endossée. Mais que des politiciens de bonne foi se soient laissé aller à leur faire confiance, afin d'obtenir d'eux l'arme et la preuve destinées à abattre leur adversaire, c'était une défaillance qui conduisit à s'interroger gravement.

La IVe République a pâti, dans ses mauvais jours, de méthodes empruntées au communisme sans lui faire d'ailleurs aucun mal pour la raison simple qu'elle ne s'en est pas servie contre lui. Elle a pratiqué « l'amalgame » cher aux procureurs staliniens : le non-conformisme ou le neutralisme était identifié au progressisme et celui-ci au communisme ; en 1954, M. Mendès-France était combattu plus durement que M. Maurice Thorez. L'autre procédé typiquement stalinien est la distinction entre la culpabilité objective et la culpabilité subjective. Sans doute laisse-t-on à l'adversaire le bénéfice de la sincérité : il ne croit pas trahir la patrie ; peut-être même, est-il convaincu de la servir. *Subjectivement,* il est innocent. Mais ses actes, ses articles, ses discours, ses silences mêmes desservent la cause du pays ; il est donc

1. Après un procès de deux mois et demi, MM. Roger Labrusse et Turpin, fonctionnaires de la Défense nationale, furent condamnés par le tribunal militaire à six et quatre ans de prison le 20 mai 1956. Poursuivi, lui aussi, le secrétaire général permanent de la Défense nationale, M. Jean Mons, fut acquitté et comme dans « l'affaire des généraux », le directeur inamovible de la Surveillance du Territoire, M. Wybot, joua un rôle spectaculaire au procès où il accusa M. Mons d'être un agent communiste.

objectivement coupable. Et si la preuve manque, on l'invente. Qu'est-ce qu'une fiche égarée, un document habillé, une filature dissimulée lorsqu'il s'agit du salut supposé de la patrie ?

L'opinion, elle, ignorante de cette perversion intellectuelle, retient qu'il n'y a pas de fumée sans feu et l'affaire des fuites est de celles qui ont accru son mépris du régime. Elle entretient en même temps un climat trouble autour du gouvernement à la fin de 1954.

En tant qu'homme, M. Mitterrand a sûrement bien des défauts. En tant qu'homme politique, il a pu commettre des erreurs. En tant que ministre, il n'avait pas trahi et, cependant, la machination, pudiquement qualifiée diversion par ses auteurs confondus, contribua à la chute du cabinet Mendès-France.

Ayant réussi à lever « les hypothèques » — indochinoise, tunisienne, européenne —, il resterait au président du Conseil à rénover la maison. Mais son programme intérieur ne se distingue pas assez de celui de ses prédécesseurs ; il a le même ministre des Finances que M. Laniel, M. Edgar Faure, et dès l'approbation des accords de Londres, il songe à permuter avec lui en lui offrant les Affaires étrangères. Il pense proposer un transfert des dépenses improductives (celles du régime de l'alcool dont la modification achève de lui aliéner nombre de parlementaires) aux dépenses productives (celles de la construction, par exemple, et son gouvernement sera le premier à construire enfin des logements à usage locatif). Mais dans la mesure où il envisage des objectifs à long terme, il se heurte aux revendications immédiates des socialistes. Or, il se rend parfaitement compte qu'il ne peut s'arrêter sur la pente parlementaire qu'il est en train de descendre s'il ne joue sur le frein socialiste ; dans son esprit, le M.R.P. hésitera davantage à renverser un ministère ayant à la fois la caution européenne et sociale de la S.F.I.O. Il offre donc au parti six portefeuilles dont la Défense nationale à M. Robert Lacoste (après avoir songé à confier les Affaires étrangères à M. Pineau). S'estimant constitutionnellement libre de choisir ses ministres, il les a pressentis sans solliciter l'autorisation préalable de leur parti. C'est une première faute, un crime. Aussi le comité directeur renvoie-t-il — ce qui est façon de gagner du temps — le jugement au congrès, lequel rend un verdict négatif. M. Guy Mollet y fait adopter un catalogue, économique et social impératif qu'aucun président du Conseil, même socialiste, n'aurait pu accepter. « Au coup de foudre et au mariage d'amour, dit le leader socialiste, nous préférons un mariage de raison reposant sur un bon contrat. » En réalité, il supporte à peu près le concubinage avec l'homme qui est « le plus proche de nous » dans cette législature ; il est plus sceptique sur les chances d'une entente durable.

Pour combler les vides creusés par les démissions successives des « européens », puis des « anti-européens », M. Mendès-France remanie alors pour la quatrième fois son ministère sans cependant y faire entrer M. Soustelle, comme il y avait pensé, à l'Education nationale, puis à la France d'Outre-Mer. Ces replâtrages ne rehaussent pas une façade qui commence à s'effriter. On sourit de certains choix. Physiquement usé, politiquement menacé, le président du Conseil essaie, tout en se sachant condamné, de se sauver par des actes et des paroles d'autorité qui se retournent contre lui. L'Assemblée s'habitue de moins en moins au style Mendès-France comme elle s'était pliée difficilement à la manière Pinay.

Le 3 février 1955, l'Assemblée nationale commence un débat sur l'ensemble des problèmes d'Afrique du Nord. La veille, le comité directeur des indépendants a constaté à l'unanimité que « la politique gouvernementale » en Afrique du Nord a eu pour effet de provoquer des troubles sanglants en Algérie jusqu'alors parfaitement paisible... » C'est la première flèche. M. Mendès-France, tout arrive, a le calendrier contre lui : la rébellion de l'Aurès accompagnée d'attentats en trente points de l'Algérie, est du 1er novembre 1954. A cette date, et contrairement à ce qui devait être écrit plus tard, notamment par le maréchal Juin, l'accord franco-tunisien sur la reddition des fellagas, avec les honneurs de la guerre et les laissez-passer, n'est pas encore intervenu ; il est du 20 novembre. Mais le Néo-Destour est de nouveau autorisé depuis le 4 septembre et les négociations ont repris depuis le 13 à Paris. Plus tard, il est vrai, on apprendra que les nationalistes algériens ont pris leur décision avant même le discours de Carthage. Pour eux, la défaite de Dien-bien-phu a sonné le glas de la France. Mais outre qu'il est apparemment logique d'établir un lien de cause à effet entre la politique tunisienne du gouvernement et le déclenchement de la rébellion algérienne, le débat trouve M. Mendès-France en état de moindre défense. La flèche du Parthe lui vient, comme il convient, d'un radical, M. René Mayer, dont on ne sait s'il intervient en cet instant décisif comme député de Constantine ou comme délégué de l'Europe. « Je ne sais pas où vous allez, lui dit-il, et je ne puis croire qu'une politique de mouvement ne puisse trouver un moyen terme entre l'immobilisme et l'aventure. » Le mot est lâché, celui d'abandon viendra plus tard.

Seul le M.R.P., qui approuve la politique africaine du gouvernement, pourrait sauver M. Mendès-France. Mais il faut lui faire payer le crime du 30 août et quelques délits apparemment mineurs, mais également mortels aux yeux du M.R.P., car au début de janvier, se sentant perdu, le président du Conseil a jeté, en vue de nouvelles élections, « le pavé du scrutin d'arrondissement dans la mare parlementaire ». « C'est un scrutin où l'argent est roi et le député esclave », s'est exclamé le M.R.P., et M. Bidault, qui a l'ironie amère, a dit : « Nous parvenons au sommet de la politique de rajeunissement et d'espérance. Le scrutin d'arrondissement à deux tours n'existe nulle part. Nous allons être la risée de l'univers. » Puis il y a eu, à l'improviste, la nomination de M. Jacques Soustelle comme gouverneur général de l'Algérie, malgré le maire d'Alger, ministre de la Défense nationale, M. Jacques Chevallier, malgré M. Mitterrand, ministre de l'Intérieur qui proposait M. André Dubois, préfet de Police de Paris. M. Soustelle était à cette époque un ami de M. Mendès-France. Son choix mécontenta tout le monde. « Quitte à désigner un progressiste, il eût été plus simple de recourir à M. d'Astier de la Vigerie », dit un député modéré d'Oran, M. de

Saivre, tandis que M. Naegelen se demanda si c'était « à force de faire appel à des hommes de droite que l'on aboutirait à cette nouvelle gauche dont on parle si souvent ». Le M.R.P. retient, lui, que M. Soustelle a été le maître du R.P.F. et l'adversaire de la C.E.D. Mais il est dès longtemps résolu à provoquer la chute de M. Mendès-France. Le terrain algérien est le meilleur qui puisse se trouver. Ni les gaullistes ni les radicaux n'y sont très à l'aise pour le soutenir. Un scrupule travaille cependant quelques consciences délicates au M.R.P. Car cette politique nord-africaine qu'il s'apprête à condamner n'est-elle pas un peu la sienne ? « Ce soir ou jamais », tranche avec l'âme d'un procureur P.-H. Teitgen. « Quelle étrange majorité, a beau s'écrier M. Mendès-France. Là, des hommes qui veulent des réformes mais qui votent contre le gouvernement qui les applique ; ici, des hommes qui veulent revenir à une politique de répression. »

On vote dans la fièvre. Le gouvernement est renversé par 319 voix (dont 73 M.R.P.) contre 273 et là se passe un incident violent, inusité et qui, pour ses adversaires, ajoutera au masque de dictateur dont ils ont recouvert le visage du président du Conseil. Aussitôt le scrutin proclamé, alors que le brouhaha d'après la curée remplit l'hémicycle, il remonte à la tribune et dit : « Ce qui a été fait pendant ces sept ou huit mois, ce qui a été mis en marche dans ce pays ne s'arrêtera pas. Les hommes passent, les nécessités nationales demeurent... [1]. » Il ne peut finir. L'opposition se

1. Le texte intégral inédit a été publié dans *Gouverner, c'est choisir* par M. Mendès-France (Julliard).

dresse et l'invective : ne la brave-t-il pas et n'en appelle-t-il pas au pays contre le Parlement ? Un gouvernement battu n'a-t-il pas qu'un devoir : celui de se taire et de s'en aller ?

La vérité est plus simple, le président du Conseil avait préparé sa déclaration pour le cas, probable selon lui, où il ne serait pas renversé à la majorité absolue et ne serait donc pas contraint de donner sa démission. Alors, avant de la remettre volontairement, il souhaitait mettre un dernier sceau à son expérience, un dernier mot à ses discours. Il eût fallu n'avoir que 314 voix contre soi, il en avait 319 et ne s'en rendit pas compte. Ces cinq voix lui coûtèrent plus à l'avenir que les erreurs commises pendant les sept mois et dix-sept jours de son expérience. Pas plus qu'à M. Pinay en 1952, cette chute insolite ne lui fut pardonnée par l'Assemblée.

Pas plus que celui du général de Gaulle — ou celui de M. Pinay —, le départ de M. Mendès-France ne provoqua le moindre mouvement d'humeur dans le pays ; il posa seulement un problème complexe à M. Coty qui le résolut de manière simple et sage. Pour que M. Mendès-France n'entraînât pas le parti radical dans l'opposition et ne paralysât pas l'Assemblée, il fallait qu'un radical lui succédât au pouvoir et pour que le feu ne reprît pas en Tunisie, ni ne s'étendît au Maroc et s'éteignît peut-être en Algérie, il fallait que ce radical fût partisan d'une politique libérale en Afrique du Nord. Ce ne pouvait être que M. Edgar Faure. Encore fallait-il aboutir à lui au dernier jour en empruntant d'habiles cheminements. Le Président de la République y réussit en laissant faire successivement, et dans l'ordre qu'il s'était fixé dès le premier jour, à MM. Pinay, Pflimlin et Pineau, la preuve qu'ils n'avaient pas de majorité à l'Assemblée. Moins de deux semaines y suffirent ; le M.R.P. se chargeant de décourager M. Pinay, les radicaux de dérouter M. Pflimlin et les modérés de défaire M. Pineau.

CHAPITRE IV

DE RABAT A ALGER

1955 : *23 février : investiture de M. Edgar Faure ; 27 mars : ratification des accords de Paris ; 2 avril : vote de l'état d'urgence en Algérie ; 23 avril-30 juin : décrets économiques et sociaux ; 16 juin : retour de M. Bourguiba à Tunis ; 21 juin : M. Grandval nommé résident au Maroc ; 20 août : massacre d'Oued-Zem ; 31 août : démission de M. Grandval ; 5-9 septembre : entretien d'Antsirabé ; 1er octobre : départ du Sultan ben Arafa ; 6 octobre : démission des ministres gaullistes ; 31 octobre : ouverture du débat sur la réforme électorale ; 6 novembre : accord de La Celle-Saint-Cloud sur l'indépendance du Maroc ; 16 novembre : retour de Mohammed ben Youssef à Rabat ; 29 novembre : chute de M. Edgar Faure ; 2 décembre : dissolution de l'Assemblée Nationale ; 8 décembre : Constitution du Front républicain.*

1956 : *2 janvier : élections législatives ; 31 janvier : investiture de M. Guy Mollet.*

Le 23 février 1955, M. Edgar Faure est investi par 369 voix contre 210. Seuls les communistes et les socialistes ont voté contre lui comme seuls ils avaient refusé leurs voix à M. Laniel en 1953.

« Les hommes passent, les nécessités nationales demeurent », avait dit après sa chute M. Mendès-France. Mais il est un homme qui reste : M. Edgar Faure, ministre des Finances depuis le 28 juin 1953.

Le Parlement comptait-il alors homme plus intelligent, sinon M. René Mayer ? Car si l'intelligence se définit par la facilité de la pensée à découvrir les liens des choses, l'aisance du discours à les présenter et la faculté agissante de s'y adapter, alors l'intelligence a été surabondamment départie à M. Edgar Faure. De lui, M. Jacques Dumaine a écrit qu' « il peut renoncer au plus brillant paradoxe dès qu'il voit qu'on s'en inquiète et pour rassurer il adopte sur-le-champ un robuste bon sens ». S'il y a du lutteur en M. Mendès-France, il y a de l'escrimeur en M. Edgar Faure. L'un va droit au but au risque de le manquer, l'autre donne l'impression d'hésiter, de biaiser et de prendre son temps mais il atteint plus sûrement son objectif. « Remarquable ministre, dans quatre ou cinq ans, il pourra être président du Conseil, peut-être avant... » avait dit M. Vincent Auriol en 1950. Après l'avoir été par accident pendant quarante jours, deux ans après, il l'est de nouveau en 1955.

« Les nécessités nationales demeurent. » Nationales ou non, au gré des opposants d'hier, devenus les ministres d'aujourd'hui, les nécessités vont imposer leur loi d'airain. La moins dure est celle de poursuivre la politique d'expansion économique dans la stabilité qui depuis bientôt deux ans porte la marque de M. Edgar Faure. Les résultats sont là : depuis l'automne 1953 la production ne cesse de croître (de 10 p. 100 en décembre 1953 à décembre 1954, puis de 9 p. 100). Mieux, celle des biens de consommation, stimulée par les hausses de salaires, se développe parallèlement à celle des biens d'équipement, encouragée par la détaxation des investissements privés et l'aide de l'exportation. Et cependant les prix n'augmentent pas ; ils se maintiennent sur le palier atteint en 1952. Depuis lors et jusqu'à la fin de 1955, le coût de la vie n'a pas varié de plus de 4 p. 100 et l'indice général des prix de gros de 6 p. 100. Certes, la stabilité a été aidée par la baisse des prix agricoles dont les électeurs paysans tiendront rigueur aux partis au pouvoir, certes l'expansion est un phénomène alors général dans les économies européennes. Mais M. Edgar Faure et son ministre des Finances, M. Pflimlin, ont su agir tour à tour sur tous les leviers dont dispose le gouvernement : le relèvement des bas salaires, la baisse autoritaire de certains prix, l'allègement de la fiscalité, le crédit, le plan d'équipement, l'encouragement à la productivité. Cette politique d'augmentation lente mais continue du pouvoir d'achat, dont les électeurs ne tiendront finalement aucun compte à la majorité, ne se ralentit qu'avec l'action du gouvernement de plus en plus accaparé à l'automne par les difficultés politiques et nord-africaines.

Nécessité aussi, dont le caractère « national » avait été plus contesté par l'opposition devenue majorité, que celle d'achever la ratification des accords de Paris signés par M. Mendès-France et de rechercher une détente entre l'Ouest et l'Est au cours d'une conférence à Quatre qui se tient fin juillet à Genève et où, au témoignage de M. Edgar Faure, M. Molotov paraît fort soucieux de se rapprocher de la France.

« Nécessité » enfin devant laquelle les adversaires de M. Mendès-France s'inclinent, M. Pinay plus aisément que d'autres puisqu'il est au fond acquis à cette politique, nécessité dont la droite ne donnera à aucun moment l'impression de souffrir, que celle de continuer et de conclure la discussion des conventions franco-tunisiennes dont le paraphe est immédiatement suivi du retour triomphal de M. Bourguiba, le 1er juin, à Tunis. Une page est tournée ; une autre va l'être. M. Laniel était politiquement mort de la guerre d'Indochine et M. Mendès-France de la révolte d'Algérie et du règlement de l'affaire de Tunisie. M. Edgar Faure périra, sans le vouloir davantage que ses prédécesseurs, de la paix retrouvée au Maroc.

C'est un drame déjà vieux de deux ans quand il entre en scène, encore qu'il en ait suivi de près tous les épisodes, n'ayant jamais quitté le pouvoir pendant cette période.

I. — LA TRAGI-COMÉDIE MAROCAINE

Lorsque rééditant, dans une version améliorée, l'opération manquée de 1951, le Glaoui avait voulu régler enfin en 1953 son vieux compte avec Mohammed V, M. Edgar Faure avait été, avec M. Mitterrand, parmi ceux qui s'étaient élevés contre ce « coup d'Etat ». Le 26 août il avait écrit une longue lettre au président de la République, qualifiant de « lourde erreur » la déposition du Sultan et soulignant qu'il n'avait renoncé à donner sa démission que pour répondre à l'appel à la « solidarité gouvernementale » lancé par M. Vincent Auriol [1].

En fait, aucun ministre n'avait eu le pouvoir ni même la possibilité d'empêcher l'opération puisque, le 20 août, à l'heure même où le gou-

1. « Je comprends mieux que personne en effet — et vous savez pourquoi — votre douloureuse crise de conscience », lui répondait le 29 M. Auriol en accusant réception de sa lettre du 26 dont on trouvera les extraits en annexe.

vernement en délibérait à Paris, le coup de force avait lieu à Rabat. Pourtant, une semaine auparavant, tout en déclarant céder à un ultimatum, le souverain avait accepté les réformes présentées par le général Guillaume. Mais il était trop tard. Le mécanisme mis en branle par la résidence et le Glaoui ne pouvait plus être arrêté comme en 1951. M. Bidault eut beau se dresser contre le Glaoui, envoyer des instructions impératives à Rabat pour « faire obstacle au développement d'une manœuvre qui se couvre de l'amitié française, mais dont les buts archaïques ou financiers n'ont pas la sympathie du gouvernement » ; le ministre des Affaires étrangères eut beau dépêcher de hauts fonctionnaires, puis son propre directeur de cabinet, il ne fit qu'exaspérer l'intransigeance du Glaoui. Rien n'y fit et ne pouvait y faire. « Il est clair que l'intrigue en présence de laquelle nous sommes placés gâche l'autorité et dément la politique traditionnelle de la France », câblait encore, le 19 août, M. Bidault au général Guillaume. Le lendemain le sultan était arrêté et envoyé en Corse [1]. Un malheureux vieillard, Moulay ben Arafa, lui succédait et dès le 11 septembre échappait à un attentat ; le terrorisme s'enhardissant d'autant plus aisément qu'aucune réforme sérieuse n'était entreprise, un engin faisait vingt morts la veille de Noël à Casablanca... Le cycle de la violence était entamé.

Lorsque M. Edgar Faure arrive au pouvoir, il

1. Le gouvernement français, qui ne voulait pas de la déposition, ne put évidemment prévenir le général Franco qui l'apprit par la radio. Oubli qui ne devait pas être sans conséquences par la suite.

trouve, outre des prisons encore bien garnies, un résident en place, M. Francis Lacoste, nommé par M. Laniel [1] et maintenu par M. Mendès-France ; une question posée : la question dynastique car c'est à son règlement que non seulement les nationalistes de l'Istiqlal mais les bourgeois du parti démocrate de l'Indépendance subordonnent leur participation au « Conseil d'Etudes des réformes », et M. Edgar Faure trouve encore une idée en entrant à la présidence du Conseil, celle du « Conseil de Régence ». Mais sa circonspection est telle qu'il ne prononce même pas le nom du Maroc dans la déclaration d'investiture qu'il lit à l'Assemblée. Sa prudence est telle qu'il ne dit rien et ne fait rien apparemment pendant trois mois, préférant déblayer l'obstacle des conventions franco-tunisiennes avant d'aborder au grand jour celui de la crise marocaine ; il se contente de faire lanterner le résident et son plan de réformes qui, l'expression est de son auteur, « commence à prendre de l'âge ». Le président du Conseil est en effet convaincu que ce plan n'aura pas plus d'efficacité que les autres si la querelle dynastique n'est pas préalablement tranchée. Or, elle peut l'être de trois façons : ou par le maintien du sultan ben Arafa, et M. Francis Lacoste est le premier à l'écarter puisqu'il songe à l'un des fils de Sidi Mohammed ben Youssef, ou par l'abdication simultanée des deux sultans et l'institution d'un conseil de régence, ou enfin par la restauration de l'exilé d'Antsi-

1. Trois noms de parlementaires, tous alsaciens, avaient été auparavant prononcés : ceux du général Kœnig, de M. Pflimlin, et de M. Naegelen.

rabé. De cette dernière solution, « il ne saurait être question », dit encore, fin juin, le ministre des affaires marocaines, M. July.

Cependant, il est au moins un homme qui pense au retour du Sultan bien qu'il ne le croie pas possible dans l'immédiat. C'est M. Edgar Faure. M. Grandval, qu'il a nommé résident le 20 juin [1], lui reprochera plus tard de le lui avoir caché et ses instructions approuvées le 6 juillet, à la veille de son départ, écartent en effet « résolument » le retour de Mohammed ben Youssef. Mais c'est au cours du même Conseil que pour la première fois le chef du gouvernement envisage la restauration, comme une hypothèse et sans conclure. Combattue par le maréchal Juin qui rompt de nouveau avec le gouvernement et plus encore par le ministre de la Défense, le général Kœnig, cette éventualité est considérée à la même époque comme la seule issue possible par le général de Gaulle. Mais il faudrait que le gouvernement en prît lui-même, sans tarder, l'initiative. Sa composition, où la droite domine, le tempérament de son chef et la nature même du régime s'y opposent. Les instructions données au résident ne visent donc qu'à aboutir à l'absence, puis un peu plus tard au départ du sultan afin de créer la vacance du trône et de lui substituer un conseil de régence.

Pour y réussir, M. Grandval s'est mis en tête

1. M. Grandval — qui, avant d'accepter sa désignation, alla lui-même demander l'avis du général de Gaulle — fut préféré à M. Dubois, préfet de Police et à M. E. Naegelen. Déjà en 1953, M. Bidault avait offert à M. Grandval de succéder au général Guillaume. Cf. *Ma Mission au Maroc*, par Gilbert Grandval (Plon).

de rallier le Glaoui à l'idée de l'effacement de ben Arafa. Mais dès son arrivée et dans toutes les villes qu'ils visitent, des incidents éclatent que la police laisse dégénérer en désordres quand elle n'y concourt pas. Le résident ne l'ignore pas, la police ne lui obéit guère et ne le renseigne pas. Inquiet de la tournure des événements, le gouvernement lui recommande d'observer « une petite pause ». Mais, le 20 août, jour anniversaire de la déposition de Mohammed ben Youssef, quarante-neuf Français dont quinze enfants sont massacrés à Oued-Zem. Deux jours après, M. Grandval donne sa démission qui n'est rendue officielle que le 31, jour de l'arrivée à Rabat de son successeur, le général Boyer de la Tour qui, sa mission remplie en Tunisie, va jouer un rôle comparable au Maroc, celui de l'exécutant d'une politique qu'il désapprouve alors qu'une tradition constante voulait qu'un résident appliquât une politique contraire à celle du gouvernement.

La scène s'est déplacée entre-temps du Maroc à Madagascar et de Paris à Aix-les-Bains. Le 12 août, le Conseil des ministres avait décidé, malgré l'opposition de M. Grandval, d'imposer une épreuve assez pénible au vieux sultan [1] en démontrant lui-même l'incapacité où il est de constituer un gouvernement marocain représentatif ; on le prévient en effet que s'il n'y réussit pas avant le 18 août la France engagera à Aix-les-Bains des conversations avec les représentants

1. Il est vrai qu'après avoir fait savoir qu'il était prêt à s'effacer, ben Arafa avait, sous la pression de son entourage, écrit le contraire au Président de la République.

de toutes les tendances du Maroc. Le gouvernement a désigné à cet effet un comité des Cinq : MM. Edgar Faure, July, Robert Schuman, Pinay et le général Kœnig. Les trois premiers sont à l'avance acquis au départ de ben Arafa, sinon au retour de ben Youssef. M. Pinay y est rallié au fond de lui-même et s'il hésite, c'est plus pour ménager ses amis que ses convictions. Quant au général Kœnig, il suit « son bras et son cerveau [1] », le général Lecomte, et s'oppose à tout ce qui peut conduire à l'éviction de ben Arafa. La conférence terminée, le gouvernement envoie auprès de l'hôte d'Antsirabé son grand ami le général Catroux et, à défaut de M. Pinay qui y serait allé lui-même si les Affaires marocaines avaient relevé du ministère des Affaires étrangères, son directeur de cabinet, M. Yrissou. Le souverain déposé acquiesce à la constitution d'un Conseil du Trône sans toutefois « rien aliéner » de ses droits.

Commence alors une comédie politico-militaire à l'orientale avec des courses-poursuites, des fausses sorties, des rendez-vous manqués, des serments trahis : la comédie de l'homme introuvable, le troisième homme du Conseil du Trône. Le premier étant un nationaliste et le second un traditionaliste, le dernier doit être un neutre. Depuis un mois le président du Conseil le cherche parmi huit millions de Marocains. Chaque fois qu'il cite un nom, l'un ou l'autre camp le récuse. Le jour où il croit enfin l'avoir trouvé en la personne du seul officier général marocain

1. Expression de M. Grandval.

de l'armée française, le général Kettani, il est joué par son ministre de la Défense nationale qui, le gagnant de vitesse, dépêche le général Lecomte auprès du général Kettani en Allemagne d'où il s'apprête à gagner Paris. L'envoyé du général Kœnig le persuade de décliner l'offre de M. Edgar Faure. Or, dans le même temps, celui-ci a fait venir en toute hâte du Portugal le général Noguès, toujours inculpé de trahison mais à même de convaincre son ancien chef de cabinet, aujourd'hui le général Kettani. Finalement le général ne se sent décidément pas la vocation de troisième homme : « Je ne veux pas me trouver un jour dans la situation d'être contre mon pays et pour la France ou pour mon pays et contre la France. » « Enfin un général qui ne veut pas se mêler de politique. Il est vrai que ne c'est pas un général français », soupire un ministre au Conseil du 20 septembre.

C'est à ce Conseil que le chef du gouvernement se fâche : « Je ne discute plus. Que ceux qui ne ne sont pas d'accord me donnent leur démission. » Il est temps en effet, depuis un mois ou même deux, il est aux prises avec sa propre majorité et ses propres ministres. L'offensive est menée sans relâche chez les républicains-sociaux par M. Schmittlein qui s'en prend à sa personne, chez les indépendants par M. Jacquinot qui revient sans cesse à la charge auprès de M. Pinay au point que le ministre des Affaires étrangères claque la porte du Centre national des indépendants le 9 septembre, et enfin par M. Bidault qui, son intuition nourrissant sa passion, pressent depuis longtemps que le président du Conseil est partisan de la restauration de l'ancien sultan, s'y refuse, non sans paradoxe, avec une énergie égale à celle qu'il avait mise à s'opposer à sa déposition deux ans auparavant, conteste que le Conseil de régence soit conforme au traité de Fès et à la loi de l'Islam [1] et ne croit à aucune solution de compromis, ajoutant simplement en grinçant un peu : « Je ne vois guère là-dedans de compromis que le Maroc. »

Pour être plus ouatée, l'opposition n'est pas moins âpre au sein du gouvernement. L'intrigue est menée par M. Triboulet et le général Kœnig, et les répondants ne manquent ni à Rabat ni à Marrakech. Comme lors de chaque crise nationale ou politique, le pouvoir est en quenouille et deux ministres agissent ou font agir, écrivent ou font écrire à l'insu et à l'encontre de leur chef de gouvernement [2].

En réalité, le général Kœnig est en dissidence depuis Aix-les-Bains. Lorsque MM. Edgar Faure et July participent seuls la nuit à Rambouillet à la rédaction de la lettre destinée à ben Arafa [3] — elle sera transmise mais non remise puis retardée et récrite — le général se déclare publiquement « contraint de préciser que pour sa part

1. « Il ne peut pas y avoir plus de Conseil de régence à Rabat, dit-il, que de conseil d'administration au Vatican. »

2. M. Gaston Palewski, autre ministre gaulliste, se tiendra davantage sur la réserve, discutant plus l'exécution que la conception de la politique marocaine et demandant sans succès avec M. Duchet au conseil du 12 que le gouvernement s'engage à ne pas restaurer ben Youssef.

3. Elle ne demande pas au sultan de s'en aller, mais lui en donne acte et l'en remercie !

il avait marqué son désaveu ». Jamais ministre ne s'était désolidarisé à ce point d'un gouvernement sans donner sur-le-champ sa démission. Lorsque M. Montel s'envole pour Rabat où il se propose de conforter ben Arafa dans sa résistance au général Boyer de la Tour qui s'emploie à obtenir son départ volontaire pour Tanger, c'est sur un ordre de mission signé du général Kœnig, mais c'est sur un ordre du résident dont il avait imprudemment mis en cause l'honneur militaire [1] que le même M. Montel retrouvera ses valises sur le trottoir et son billet pris pour le premier avion pour Paris. Car les scènes militaires sont plus surprenantes encore que l'imbroglio politique.

Que ceux qui ne sont pas d'accord s'en aillent. S'ils sont restés jusqu'alors, c'est qu'il est plus aisé de contrarier et de saboter une politique à l'intérieur qu'à l'extérieur du gouvernement et s'ils n'ont pas été mis dehors c'est que le président du Conseil sait que leur présence est une caution indispensable au succès de sa politique. Malheureux gouvernement : lorsqu'il est irrésolu, on le presse d'agir ; lorsqu'il passe à l'action, on le soupçonne de s'égarer.

« Je ne discute plus », avait-il dit encore à ce Conseil des ministres du 20 septembre. La leçon s'adressait aux ministres. Restait le résident, le président du Conseil en vient à bout après une conversation qui dure toute une nuit et à laquelle s'est joint l'éminence grise des Affaires maro-

1. Il l'avait accusé « d'avoir négocié en Tunisie à des conditions humiliantes la reddition de 2 000 repris de justice armés de vieilles pétoires ! »

caines, M. Emile Roche. Le général Boyer de la Tour offre sa démission — et ce n'est ni la première ni la dernière fois — puis il cède, sans doute avec l'arrière-pensée d'imposer, le moment venu, un troisième sultan afin d'éviter le retour de ben Youssef. En vérité, il hésite constamment entre la démission et la désobéissance, et le président du Conseil confie qu'il redoute plus la seconde que la première. Mais le général Boyer de la Tour a affaire à plus fort et plus habile, et de M. Edgar Faure, il écrira : « Il avait une grande intelligence et possédait une puissance de force de persuasion pour rallier les gens à ses conceptions. Il ne les dévoilait d'ailleurs pas au début ; il vous interrogeait pour connaître vos réactions, cela afin de mieux diriger une manœuvre, souvent de longue haleine pour arriver au but. »

Le but est atteint le 1er octobre : ben Arafa s'envole pour Tanger et, le 25, le Glaoui lui-même demande la restauration de ben Youssef qui arrive en France le 31. Trois semaines après, le 16 novembre — deux ans et trois mois après son arrestation et son exil, Sa Majesté Mohammed V rentre triomphalement à Rabat.

Entre-temps, le regain de l'agitation nationaliste et les menaces de crise ministérielle ont incité le gouvernement à presser le mouvement et à brûler les étapes.

Le 6 novembre, M. Pinay et le sultan ont signé à La Celle-Saint-Cloud une déclaration commune prévoyant des négociations ultérieures « destinées à faire accéder le Maroc au statut d'Etat indépendant uni à la France par les liens permanents d'une interdépendance librement consentie et définie ».

Le but était atteint, mais dans quel état se trouvait l'équipage ? Les ministres républicains-sociaux, à une exception près [1], ont donné leur démission le 6 octobre et les ministres indépendants ont été invités à les imiter par les trois groupes modérés. « Abandonner le gouvernement dans les circonstances actuelles serait une mauvaise action », a répliqué M. Pinay. Au M.R.P., M. Robert Schuman, si placide d'ordinaire, s'est emporté lorsque M. Bidault a voulu lui donner une leçon de droit international sur le traité de Fès et l'acte d'Algésiras : « Vos arguments, lui dit-il, sont truffés d'erreurs. » Bref, la division et la polémique sont partout.

M. Edgar Faure est alors dans la même situation qu'un an auparavant M. Mendès-France ; la tragi-comédie marocaine l'a usé autant que le drame tunisien, son prédécesseur. Il en tire la même conclusion : faire des élections.

Deux raisons sont avancées, l'une se revêt de noblesse : « Ce n'est pas cette Assemblée, dit-il, qui pourra régler l'affaire d'Algérie. » L'autre est plus égoïste : les partis de la majorité se sentent menacés par une double et nouvelle opposition, tant à gauche qu'à droite. Pour la gagner de vitesse, il faut avancer la date du scrutin normalement prévu pour juin 1956.

1. Le général Corniglion-Molinier qui entend rester solidaire d'une politique qu'il n'a guère approuvée, mais qu'il a laissé appliquer. M. Palewski, lui, n'en désapprouvait pas les buts mais jugeait qu'un gouvernement d'union userait de meilleures méthodes. M. Triboulet enfin n'appréciait pas toutes les démarches du général Kœnig, « meilleur tacticien militaire que tacticien politique ».

Dès le 18 octobre, le Conseil des ministres a envisagé le 4 ou le 11 décembre. A peine l'a-t-il fait qu'un nouveau conflit surgit : faut-il ou non modifier la loi électorale ? Les radicaux, à commencer par le ministre de l'Intérieur, exigent le retour au scrutin d'arrondissement ; le M.R.P. et M. Pinay ne veulent pas en entendre parler et déjà le M.R.P. songe à brusquer la décision en suggérant au gouvernement de se faire renverser dans des conditions lui permettant d'utiliser le droit de dissolution de l'Assemblée.

M. Edgar Faure est près de connaître le sort de M. Laniel. Comme celui-ci au moment de sa chute, il a contre lui les communistes, les socialistes, M. Mendès-France et la majorité de l'ancien R.P.F. Comme toile de fond, l'Afrique du Nord a simplement remplacé l'Indochine. Une guerre succède à l'autre. Et l'histoire se répète.

II. — L'ÉLECTION-SURPRISE

Cette assemblée élue en 1951 et dont on avait dit qu'elle était la plus à droite depuis celle de 1871 avait depuis dix-huit mois fait exactement le contraire de ce qu'elle avait fait ou laissé faire jusqu'en 1954. Elle avait voté la C.E.C.A., puis rejeté la C.E.D., accéléré puis arrêté l'inflation, écarté puis admis les gaullistes, chassé puis rappelé le Néo-Destour en Tunisie, exilé puis restauré le sultan du Maroc. Elle ne pouvait disparaître sans se contredire une dernière fois. Tout le mois de novembre est consacré à la discussion de la loi électorale : les députés repoussent en deux jours onze modes de scrutin et les sénateurs leur renvoient quatre fois le scrutin d'arrondissement. Bien des radicaux qui sont pour l'arrondissement en principe et contre en pratique supplient en secret les autres partis de l'écarter et les républicains-sociaux qui sont contre en fait et en doctrine le votent malgré tout avec l'espoir de provoquer une crise, et c'est ainsi qu'un beau matin, le scrutin d'arrondissement est enfin « pris en considération ». Mais l'après-midi il est renvoyé aux calendes dans l'attente problématique d'un nouveau découpage des circonscriptions. Pour ajouter au paradoxe, les communistes votent deux fois la confiance à un gouvernement qu'ils combattent à seule fin d'éviter un mode de scrutin qu'ils redoutent. C'est la maison à l'envers.

Où qu'il se tourne le gouvernement trouve sa route barrée ; il ne peut rester, ni partir, il tourne en rond et s'use à chaque tour. « Qu'il se fraye donc lui-même une sortie en provoquant éventuellement un refus de confiance », ne cesse de répéter M. P.-H. Teitgen, qui n'éprouve aucune peine à convaincre M. Edgar Faure. Mais pour ne pas manquer à la tradition, c'est sur une question de procédure, les propositions de la conférence des présidents, que la question de confiance est posée le 25 novembre. Neuf mois de pouvoir : la crise arrive à son terme.

Le 29 novembre, M. Edgar Faure est renversé par 318 voix contre 218 ; 318 ! C'est quatre de plus qu'il n'en faut pour que le gouvernement prononce la dissolution de l'Assemblée. Deux crises survenues en moins de dix-huit mois à la majorité absolue lui en donnent le droit. Mais dans ce régime aucune décision ne peut être prise sans drame, ni démission. Cinq ministres radicaux, celui de l'Intérieur en tête, tempêtent. En passant outre, le président du Conseil accepte le risque de s'opposer à ses propres amis politiques. Aussi prend-il une contre-assurance. Le Conseil des ministres est suspendu : M. Edgar Faure reçoit dans un bureau voisin les indépendants stimulés par M. R. Duchet puis le M.R.P. entraîné par M. P.-H. Teitgen, l'un et l'autre fébriles partisans de la dissolution de l'Assemblée ; il leur fait valoir qu'il est en cet instant fidèle à sa majorité, mais infidèle à son parti. Aussi jurent-ils de rester à jamais à ses côtés « pour le meilleur et pour le pire ». A peine le Conseil repris, la dissolution est décidée, cinq ministres radicaux sur sept se lèvent et s'en vont [1]. Sombre présage, le décret de dissolution paraît au *Journal officiel* du 2 décembre, et fâcheux précédent, la dissolution n'a pas réussi au maréchal de Mac-Mahon. Elle va être fatale à M. Edgar Faure. Le

1. La scène a été racontée par M. J.-R. Tournoux dans ses *Carnets secrets de la politique* (Plon). Les deux ministres radicaux qui sont restés avec M. Edgar Faure sont MM. Bernard Lafay et Vincent Badie.

lendemain il est exclu du parti radical ; et il perdra le pouvoir le 2 janvier, victime à retardement du sceptre et du spectre de M. Mendès-France.

La dissolution, dont le motif raisonnable est le problème algérien, est l'effet d'un double divorce plus passionnel.

L'un a marqué toute la législature. Amorcé lors du vote de la loi Barangé, consommé lors de l'investiture de M. Pinay, définitif lors du gouvernement Mendès-France, irrémédiable lorsque le sort du leader radical s'est trouvé lié à celui de la S.F.I.O., le premier conflit a opposé d'une manière de plus en plus vive le parti socialiste aux modérés et au M.R.P.

Président du groupe socialiste, M. Lussy se faisait prophète lors du vote final de la loi Barangé le 10 septembre 1951 à l'Assemblée nationale : « Nous constatons avec regret que le divorce est déjà presque accompli... Nous avions conclu des alliances électorales dans le pays. Il n'a jamais été question, lorsque nous nous apparentions, du débat scolaire... »

Loin de taire leurs divergences, les deux partis les accusent. La S.F.I.O. célèbre au cours de la campagne électorale les funérailles prématurées du M.R.P. « Un parti qui ne devrait pas exister », dit M. Guy Mollet. « Le M.R.P. est mort, écrit M. Christian Pineau ; tant pis pour lui... tant mieux pour la France. »

L'autre conflit est celui qui divise le parti radical. Amorcé dès la fin du cabinet Mendès-France, consommé lors de la constitution du ministère Faure, définitif lors du congrès radical de novembre 1955, irrémédiable lors de la dissolution, le divorce entre les deux leaders radicaux achève de diviser les partis qui s'étaient associés en 1951.

MM. Mendès-France et Edgar Faure ont des caractères ou des ambitions difficilement conciliables. Aucun d'eux n'a la vocation du brillant second.

Son gouvernement renversé, M. Mendès-France n'a jamais admis que son ministre d'hier devînt précisément président du Conseil ; sa préférence allait alors à un gouvernement de droite qui lors de la campagne électorale aurait pu servir de cible, tant à lui-même qu'aux socialistes. En perpétuant la majorité modérée sous la caution radicale, M. Edgar Faure désamorçait ou rendait plus difficile l'entreprise que dès sa chute conçut M. Mendès-France.

La dissolution a donc pour premier but de gêner l'action du leader radical, ou plus généralement celle d'une « nouvelle gauche » qui se cherche autour de lui. Devenu apparemment le maître de son parti au congrès de novembre, il avait besoin de quelques mois pour développer sa propagande. Partant de cette base de départ, il lui fallait parcourir le pays, conquérir une clientèle, s'entendre avec le parti socialiste. En brusquant les élections, la dissolution compromet de toute évidence cette entreprise.

Le « Front républicain », slogan publicitaire plus que formule politique, est lancé à la hâte sans contrat ni programme. L'expression a été forgée par les amis de M. Mendès-France. Sa seule manifestation officielle a été la publication de deux communiqués signés par les chefs des quatre partis théoriquement associés : M. Mendès-France, pour le parti radical ; M. Guy Mollet, pour la S.F.I.O. ; M. Mitterrand, pour l'U.D.S.R., et M. Chaban-Delmas, pour les républicains-sociaux. Ces quatre protagonistes se gardent d'ailleurs bien de donner l'exemple et de conclure d'alliance dans leur département ! Faute de temps pour trouver de meilleurs candidats, le parti radical doit en outre accorder son investiture officielle à des députés sortants hostiles à sa nouvelle direction.

Le maintien de la loi d'apparentement achève de contrarier les buts du leader radical. Seul un scrutin plus personnel et plus local pouvait lui permettre de présenter des candidats en dehors des cadres des partis, à commencer par le sien. Sur son nom, et le mythe créé autour de sa personne ou de sa politique, des hommes jeunes ou nouveaux pouvaient espérer se faire élire plus facilement. Le scrutin d'arrondissement offre une souplesse, une maniabilité que n'a pas le scrutin de liste départemental. Il est en outre le seul mode électoral qui puisse dégager une majorité de gauche sans les communistes.

Mais la dissolution a également pour but de gagner de vitesse cette nouvelle droite que l'on sent renaître dans le pays. Les leaders des partis du gouvernement n'ignoraient pas tous la montée du poujadisme. Mais victimes d'une optique purement parisienne, ils avaient tendance à la minimiser. Ils redoutaient beaucoup plus le « rassemblement national » dont les affiches et les réunions commençaient à apparaître à Paris. Ce mouvement de tendance vichyste, cette « droite qui ose dire son nom » paraissait beaucoup plus menaçante pour les indépendants. M. Roger Duchet avait les yeux fixés sur MM. Montigny et Tixier-Vignancour et ne voyait pas M. Poujade. Celui-ci l'intéressait d'autant moins qu'il se manifestait dans des régions où les modérés avaient peu de positions à défendre et moins encore à conquérir.

La discorde de la gauche et celle de la droite donnent le résultat prévu : les apparentements sont moins nombreux de part et d'autre ; la représentation proportionnelle s'applique dans un plus grand nombre de départements ; les communistes en profitent largement. La majorité de centre-droit a accepté le risque, elle l'a même voulu car à ses yeux peu importe que M. Maurice Thorez gagne pourvu que M. Mendès-France perde. Mais c'était compter sans M. Poujade.

M. Poujade est le type même du fasciste bon enfant ; il est anticapitaliste et antiparlementaire, nationaliste et xénophobe. Ce qui chez d'autres inquiéterait divertit chez lui tant il y met de la faconde ou de la truculence. Il est « contre les fonctionnaires, les intellectuels fatigués et les polytechniciens abrutis par les mathématiques ». Mais il est pour les braves gens, « la classe moyenne, épine dorsale de la nation », il est pour « le bon peuple des boutiquiers » mais aussi pour « l'humble ménagère qui n'est pas diplômée des hautes études et sciences politiques ». Incarnant la première des vertus nationales, la rouspétance, il se déclare « pour tous ceux qui sont contre ». Enfin il s'avoue incapable de « dire le jour même ce qu'il fera le lendemain [1] ». Bref, il a tout pour réussir.

Dans la nuit du 2 au 3 janvier, les états-majors de partis et de la presse, les préfets plus encore se frottent les yeux : les listes poujadistes ont recueilli deux millions et demi de voix dans l'ensemble du pays. Viticulteurs mécontents du Midi, petits paysans du Centre-Ouest, commerçants marginaux d'un peu partout, ils viennent tantôt de la gauche, tantôt de la droite, tantôt de l'un et de l'autre [2] ; ils votent pour le mouvement d'opposition du moment qui leur offre un exutoire. Feu de paille ou d'étoupe, il importe peu. L'événement est bien que le mouvement Poujade dépasse d'emblée les radicaux ou le M.R.P. Mais l'important est qu'il prive les partis de la majorité de l'héritage des voix du R.P.F. Voilà qui fausse en effet tous leurs pronostics et déçoit leurs espérances. Déjà moins nombreuses et moins étendues que lors des élections de 1951, les alliances conclues entre les partis du centre se voient encore privées d'une masse de suffrages qui leur préfèrent M. Poujade ou... M. Mendès-France. Le M.R.P. qui avait perdu en 1951 la moitié de ses voix n'en retrouve pratiquement pas en 1956, et les modérés qui depuis 1945 espé-

1. C'est en vertu de ce même principe qu'il présente partout des candidats après avoir déclaré qu'il n'en présenterait nulle part. Il dira plus tard que c'est à l'annonce de la dissolution qu'il a pris sa décision, prévoyant la « pagaïe » qu'elle ne manquerait pas de provoquer.

2. De la droite: dans le Maine-et-Loire, les poujadistes ont 56 216 voix et le R.P.F. perd 59 195 par rapport à 1951 ; de la gauche, dans le Vaucluse, ils ont 37 279 voix et communistes-socialistes et radicaux en perdent 12 651 ; d'un peu partout : dans la Drôme, tous les partis perdent et les poujadistes obtiennent 40 889 voix ! Dans tous les départements, il y a davantage de votants.

raient fixer enfin les électeurs flottants qui ont été M.R.P. puis R.P.F. n'en récupèrent que 700 ou 800 000. Les autres vont aux listes poujadistes ou dans les zones industrielles, plus spécialement dans la région parisienne, aux listes mendésistes. Ils expriment d'une façon différente un sentiment identique : le désir de changement.

Des alliés du Front républicain, un se maintient : le parti socialiste qui gagne en valeur absolue mais non en pourcentage car il y a près d'un million d'électeurs de plus, un autre s'effondre : le parti républicain-social, successeur du R.P.F., et un seul progresse : le parti radical qui gagne près d'un million de voix dans la France industrielle du Nord et de l'Est. Electeurs fort peu radicaux qui se prêtent plus qu'ils se donnent à un homme ou à une tendance comme la suite le montrera. Car il y a deux radicalismes au moins : celui des villes qui est instable et celui des campagnes qui est stable.

Le Parti communiste, qui depuis les précédentes élections, a été travaillé par de sérieuses crises internes, consécutives à la maladie de Maurice Thorez, à l'éviction de son adversaire, M. André Marty puis de son dauphin, M. Auguste Lecœur — confirme lui aussi sa stabilité, sa progression au nord de la Loire compensant son recul au sud où il paie lui aussi un léger tribut au mouvement Poujade. Son gain de sièges n'est dû qu'au mécanisme électoral.

La double poussée poujadiste et mendésiste change du tout au tout le résultat des élections sans modifier en profondeur le rapport des forces.

La dissolution avait été décidée par les partis du centre droit pour conserver ou même consolider leur majorité ; ils la perdent. Il n'y a pas davantage de majorité de gauche ou de centre gauche ; il n'y a plus que des minorités.

Socialistes et radicaux en constituent une parmi d'autres et la victoire du Front républicain n'est faite que de l'échec des communs adversaires. Les deux groupes n'ont que cent cinquante députés, il en faut deux fois plus pour gouverner ; mais ils refusent de négocier avec les partis situés sur leur droite ou sur leur gauche. M. Philip est seul à vouloir tendre la main au M.R.P. et M. Vincent Auriol seul à vouloir ressusciter la 3e Force. M. Guy Mollet ne veut pas « d'embrassade générale ». Il ne peut empêcher que l'équivoque ne s'insinue dans le Front républicain comme le ver dans le fruit. « Otage de la réaction » pour l'extrême gauche et « prisonnier des communistes » pour la droite. Pour les communistes, un choix s'imposera tôt ou tard. Mais il y a pire. Le Front républicain entend prendre le pouvoir « avec son équipe et son programme ». Or, il n'a pas d'équipe autre que de rencontre et il a deux leaders. Quant au programme, il se réduit à un calendrier pour les radicaux et à deux ou trois mesures sociales immédiates pour les socialistes. Pris par le temps et déjà paralysés par le besoin d'avoir des alliés, les deux partis n'ont aucune perspective à long terme sur les grands problèmes nationaux.

MM. Guy Mollet et Mendès-France se rencontrent, il est vrai, plusieurs fois après le 2 janvier. Très vite ils se découvrent en désaccord ; ils évitent les sujets de discorde — notamment économiques — et parlent de tout sauf de politique. Il paraît simplement entendu que celui qui sera appelé à constituer le gouvernement laissera à l'autre le choix de son portefeuille. M. Mendès-France croit qu'il a autant de chances que M. Guy Mollet. M. René Coty n'a pourtant pas hésité au lendemain du 2 janvier ; il est décidé à appeler M. Guy Mollet. Est-ce parce qu'il est secrétaire général du parti le plus important du Front républicain ? L'argument a sa valeur, mais la raison est ailleurs. Outre que M. Guy Mollet est mieux à même d'obtenir l'appoint des voix du M.R.P. et d'éviter ainsi que la balance penche vers les communistes, le président de la République croit qu'il est mieux placé pour faire la paix en Algérie. Car c'est bien de cela qu'il s'agit. M. Mendès-France a contre lui Genève et Carthage, puis pour régler l'affaire mieux vaut ne pas être juif. Le leader radical, à qui on le laisse gentiment entendre, ne le comprend pas et il pensera trouver ailleurs le pourquoi de l'interdit dont il semble être l'objet.

L'équivoque ne s'arrêtera pas là en effet. M. Guy Mollet accepte officiellement le 26 janvier de former le gouvernement. Mais il a été pressenti officieusement depuis quelques jours et il a offert aussitôt la responsabilité des affaires économiques et financières à M. Mendès-France. N'est-ce pas là sa compétence et son rêve de toujours ? Il refuse. Outre qu'il se déclare partisan d'une politique de rigueur peu compatible avec les engagements pris par le parti socialiste au cours de sa campagne électorale, il soutient que le ministre des Finances doit être du même groupe que le président du Conseil si l'on ne veut pas aller au-devant de graves conflits.

M. Mendès-France demande alors le ministère des Affaires étrangères, plus noble peut-être et en tout cas plus autonome. M. Guy Mollet refuse. Outre qu'il l'a promis à M. Christian Pineau, il se souvient de ce crime du 30 août que les « Européens », à commencer par lui-même, n'ont pas encore pardonné à M. Mendès-France. Ce dernier proteste et rappelle que seuls jusqu'ici les communistes se sont vu interdire les Affaires étrangères, mais il ne plie pas sous l'affront. Il insiste, le M.R.P. dit non, et M. Mendès-France qui décline une nouvelle fois l'offre d'aller rue de Rivoli se contente d'être ministre d'Etat.

Sans le vouloir, en désirant même le contraire, comme si une fatalité s'attachait à ses pas, le leader radical va doublement conduire l'affaire algérienne dans une voie sans issue.

Avant qu'il refuse définitivement le ministère des Finances, celui de l'Algérie avait été attribué à M. Robert Lacoste. Tous les postes étaient pourvus. La défection de M. Mendès-France contraint M. Guy Mollet à confier les Finances à M. Robert Lacoste et à chercher un autre ministre résidant à Alger. C'est au cours d'une réunion restreinte des dirigeants socialistes que fut lancé le nom du général Catroux. M. Guy Mollet ne le connaissait pas mais l'idée le séduisit aussitôt tant en raison du passé que de la personnalité du grand chancelier de la Légion d'honneur.

Les groupements européens d'Alger, qui s'étaient résignés à la venue au pouvoir de

MM. Guy Mollet [1] et Mendès-France, explosèrent à l'annonce de la nomination du général Catroux, qualifié de « bradeur d'Empire ». Le maire d'Alger, M. Jacques Chevallier, qui a pourtant été ministre de M. Mendès-France, déclare lui-même qu'il ne recevra ni le général ni M. Guy Mollet.

Le président du Conseil ne renonce pas pour autant à son intention qui est d'installer lui-même le nouveau ministre résidant à Alger. L'idée de ce voyage n'est pas de lui. Elle est de M. Mendès-France. Dans un discours prononcé le 26 décembre à Marseille, il avait suggéré que le futur président du Conseil prenne lui-même en main le règlement du problème algérien et séjourne à Alger « pour y maîtriser les oppositions de toutes sortes ». Le projet est repris par M. Guy Mollet et discuté au Conseil des ministres du 3 février. M. Mendès-France, que le professeur Mandouze est venu avertir de ce qui se trame à Alger, conseille au chef du gouvernement d'y partir le soir même afin de prévenir les manifestations tandis qu'à l'inverse le ministre de l'Intérieur, M. Bourgès-Maunoury est plutôt d'avis de reporter le voyage à une quinzaine de jours. M. Guy Mollet prend une solution moyenne ; il partira lui-même le lundi et le général le rejoindra le vendredi. Ainsi pourra-t-il tâter le terrain, détendre l'atmosphère et affirmer par sa présence qu'il est « le patron », le seul, dit-il. A M. Mendès-France, il reproche son incorrigible pessimisme et se dit convaincu qu'il sera acclamé

1. Qui cependant a parlé au cours de la campagne électorale de « guerre imbécile et sans issue ».

à Alger. Par prudence, il y envoie cependant en détachement précurseur M. Max Lejeune, secrétaire d'Etat à la Guerre, qui se portera avec raison garant de la discipline des troupes et du loyalisme républicain de leur chef, le général Lorillot. L'orage viendra d'ailleurs.

CHAPITRE V

LES 13 MAI

1956 : *6 février : manifestation d'Alger contre M. Guy Mollet et démission du général Catroux ; 12 mars : vote des pouvoirs spéciaux en Algérie ; 12 avril : premiers contacts secrets avec le F.L.N. ; 23 mai : démission de M. Mendès-France ; 26 juillet : nationalisation du canal de Suez ; 22 septembre : dernier contact avec le F.L.N. ; 16 octobre : MM. Guy Mollet et Eden décident d'intervenir en Egypte ; 22 octobre : capture de l'avion de Ben Bella ; 5 novembre : débarquement à Port-Saïd ; 6 novembre : cessez-le-feu.*

1957 : *7 janvier : le général Massu responsable de l'ordre à Alger ; 25 mars : signature des traités du Marché commun et de l'Euratom ; 14 mai : le Gouvernement demande 750 milliards d'impôts ; 21 mai : chute de Guy Mollet ; 12 juin : investiture de Bourgès-Maunoury ; 26 juin - 12 août : mesures financières ; 13 septembre : le Gouvernement adopte la loi-cadre pour l'Algérie ; 30 septembre : chute de Bourgès-Maunoury ; 5 novembre : investiture de M. Gaillard.*

1958 : *31 janvier : vote définitif de la loi-cadre pour l'Algérie ; 8 février : bombardement de Sakhiet en Tunisie ; 17 février : la France et la Tunisie acceptent les bons offices anglo-américains ; 2 mars : MM. Duchet, Debré, Soustelle et Bidault réclament un Gouvernement de salut public ; 15 avril : chute de M. Gaillard ; 26 avril : manifestations à Alger ; 9 mai : M. Coty sollicite M. Pflimlin ; 13 mai : insurrection d'Alger ; 1er juin : investiture du général de Gaulle.*

I. — ALGER ET SUEZ

Lorsque M. Guy Mollet arrive le 6 février 1956 à Alger, la rébellion dure depuis quinze mois. Décidée le 10 juillet 1954 par le Comité Révolutionnaire d'Unité d'Action (C.R.U.A.) lui-même issu d'une organisation remontant à 1947, elle a débuté le 1er novembre dans l'Aurès tandis que des bombes éclataient en divers points de l'Algérie. M. Mendès-France était au pouvoir et son ministre de l'Intérieur, M. Mitterrand, déclara : « Je n'admets pas de négociations avec les ennemis de la patrie, la seule négociation, c'est la guerre », et un peu plus tard : « L'Algérie, c'est la France. »

La France découvrait alors peu à peu l'Algérie ; sous-administrée : « l'administration flottait comme un radeau sans gouvernail à la surface d'une mer profonde qu'elle ne savait pas sonder [1] ; sous-équipée : « il y a des zones de

1. J. Soustelle dans *Aimée et souffrante Algérie* (Plon).

100 000 habitants où il n'y a ni une route ni un bureau de poste [1] » ; sous-alimentée : « il y a en additionnant le secteur urbain et le secteur rural un million de chômeurs [2] ». L'Algérie était encore plus mal défendue. Le 1er novembre, il y avait 48 000 hommes pour un territoire grand comme les deux cinquièmes de la France. Aussi le premier réflexe du gouvernement était-il d'envoyer des renforts, le second de faire des réformes. Lorsque M. Guy Mollet arrive à Alger, il y a 110 000 hommes. Mais aucune réforme.

En 1954, M. Mendès-France avait eu l'intention d'appliquer le statut de 1947. Cette audace n'avait pas été étrangère à sa chute. Son ministre de l'Intérieur avait auparavant prétendu sans succès donner le droit de vote aux femmes musulmanes, réduire l'écart entre les salaires algériens et les salaires métropolitains, adjoindre un maire élu aux communes mixtes gérées par un administrateur. Ces mesures furent aussitôt considérées « comme des primes à la rébellion » par les maires européens d'Algérie.

En 1955, la rébellion s'étant étendue, notamment en Kabylie, de nouveaux renforts étaient envoyés et M. Soustelle soumettait un plan de réformes et envisageait l'institution du Collège unique. Le même scénario se répétait. « Le refus ou le retard des réformes, disait M. Edgar Faure, offrirait une justification ou tout au moins un prétexte à l'agitation ». « L'annonce des réformes donne les plus grands espoirs aux agita-

1. S. Bromberger dans *Les Rebelles Algériens* (Plon).
2. Ch.-H. Favrod dans *La Révolution Algérienne* (Plon).

teurs », lui répliquait le général Aumeran, député d'Alger.

Ces réformes étaient aussi peu révolutionnaires que les précédentes. Soigneusement étudiées par le Gouvernement général, elles visaient le régime foncier, l'accession des musulmans à la fonction publique, l'indépendance du culte... Examinées de conseil en conseil, elles ne virent jamais le jour. Le « collège unique » y était impliqué et se heurtait — déjà — à l'hostilité des « ultras ».

En septembre, « la rébellion était plus forte que jamais dans le Constantinois [1] » et M. Soustelle réclamait vainement 60 000 hommes de plus. A Alger, 61 élus musulmans de l'Assemblée Algérienne se déclaraient pour « l'idée nationale algérienne » ; à New York, M. Pinay ne pouvait empêcher l'inscription de l'affaire à l'ordre du jour de l'O.N.U. et à Paris enfin on se battait autour du mot intégration qui, pour M. Edgar Faure, ne signifiait que le contraire de la désintégration et qui, pour M. Soustelle, n'était pas l'assimilation mais le refus de l'indépendance.

C'est alors que le gouvernement décida de dissoudre l'Assemblée et, sur les instances de M. Soustelle, de ne pas procéder aux élections en Algérie.

La tentation de tout gouverneur ou résident est de soutenir qu'il était sur le point de gagner la partie au moment où le pouvoir lui a été retiré. Nommé par M. Mendès-France, passant pour progressiste, M. Soustelle avait d'abord dû faire face à « une campagne sournoise menée contre lui tant

1. *Aimée et souffrante Algérie.*

à Paris qu'en Algérie [1] », puis il avait espéré en un règlement pacifique du conflit en même temps qu'en une transformation progressive du pays. Il semble que les atroces massacres du 20 août l'aient comme retourné, en tout cas marqué, et de cette rébellion dont il ne pouvait venir à bout, il devait insensiblement expliquer la durée par des facteurs extérieurs à l'Algérie : l'étranger, le jeu politique métropolitain, la presse et surtout les élections anticipées. « Je n'hésite pas à dire que la conjoncture électorale entraîne des effets comparables à ceux de la sanglante journée du 20 août, moins spectaculaires mais plus profonds. »

Cette conjoncture lui vaut (en attendant) de perdre un poste qu'il quitte sans humeur mais non sans éclat. Cet homme dont les vertus majeures, c'est-à-dire les forces, sont l'intelligence et le travail ressemble aussi peu que possible à sa légende. Il a plus le désir du pouvoir que la volonté de puissance ; il y a dans son regard quelque chose d'inquiétant et de craintif à la fois ; dans sa voix quelque chose d'inquiet, d'interrogatif, mais aussi d'impératif. Il est de ces intellectuels que l'action attire et rebute tout ensemble ; on admire ses titres et son passé ; on s'interroge sur son avenir.

Lorsque le lundi 6 février M. Guy Mollet atterrit à Maison-Blanche il arrive dans une ville mise en condition par le départ triomphant de M. Soustelle et la nomination du général Catroux ; il y a été précédé par des agitateurs aptes à saisir et à utiliser le moindre frémissement d'une foule et notamment par M. Biaggi. Il est venu avec sa

1. *Aimée et souffrante Algérie.*

bonne foi, un peu candide, d'apprenti du pouvoir et de pupille de la nation. Il est accueilli par des tomates et des pierres. Socialiste, il voit des ouvriers le menacer ; patriote il entend des anciens combattants l'insulter : « Guy Mollet au poteau ! » « Catroux à la mer ! » Il doit, non pas à la police qui désobéit et n'obéira pas pendant quatre jours, mais à l'armée demeurée impassible, de pouvoir gagner le Palais d'Eté et d'y téléphoner aussitôt au président de la République.

Il est à peine 17 heures, et depuis une demi-heure le général Catroux est aux côtés de M. Coty. Prévenu à 16 h 10 des incidents par le préfet d'Alger, le général a déjà résolu de donner une démission qu'il avait d'ailleurs offerte avant les manifestations au Conseil des ministres du vendredi. M. Guy Mollet n'a donc pas à la demander au général ; il ne fait que l'accepter. La démarche n'est pas la même, le résultat est identique et il est double : le fossé est approfondi entre les Musulmans qui avaient fait confiance au général Catroux et les Européens qui, exploitant aussitôt l'avantage moral qu'ils ont obtenu, créent un « Comité de salut public algérien » et sans perdre de temps, s'élèvent contre l'éventuelle institution du collège unique.

A Paris, la responsabilité collective du gouvernement se trouve engagée sans qu'il ait pu être informé. En partant, M. Guy Mollet n'a pas confié l'intérim de la présidence du Conseil à M. Mendès-France. Aucune décision ne peut être prise, ni aucun arbitrage rendu dans aucun domaine. Néanmoins tous les ministres font confiance au chef du gouvernement. « Quelles que soient les erreurs passées il faut s'en rapporter à l'homme qui est sur place, au cœur de l'action, et le laisser faire », estime notamment M. Mendès-France.

Même s'il n'a pas été, comme l'a prétendu M. André Philip « l'effondrement de l'Etat républicain dû à l'effondrement intérieur d'un homme », le 6 février, que M. Guy Mollet a ressenti durement et presque physiquement sur le moment, n'a évidemment pas été sans conséquence sur le destin de l'Algérie et celui de la IVe République. La plus immédiate a été la nomination comme ministre résident de M. Lacoste qui retrouve ainsi inopinément le poste qu'il avait accepté avant que M. Guy Mollet le confie au général Catroux. L'homme a du courage et de l'intelligence. Parce qu'il est issu du syndicalisme et qu'il a combattu le réarmement allemand, il a été classé à gauche. En réalité, il est mû par deux sentiments : le goût de l'autorité et le nationalisme auxquels un tempérament impétueux donne souvent une expression brutale, sinon commune. Ses opinions importent moins, car cette place qu'il va occuper, on y entre toujours par la gauche et l'on en sort par la droite. C'est une tradition qu'avant lui ont déjà illustrée MM. Naegelen et Soustelle. Alger, plus que l'Algérie, c'est un climat, une mécanique qui altère comme à vue d'œil les résolutions au départ les plus fermes.

La politique gouvernementale change-t-elle pour autant ? Le 31 janvier à la tribune de l'Assemblée, M. Guy Mollet l'avait ainsi définie : rétablir la paix ; promouvoir l'évolution démocratique des institutions ; organiser la coexistence des deux éléments de la population ; maintenir et renforcer l'union indissoluble entre l'Algérie et la France métropolitaine ; reconnaître et respecter la personnalité algérienne et réaliser l'égalité politique totale de tous les habitants de l'Algérie. En entendant cet énoncé du programme gouvernemental les nationalistes algériens les plus modérés n'avaient pas caché leur déception. Au moins attendaient-ils des signes pouvant justifier leur confiance, leur attente.

Le 6 février, c'est le signe contraire. La perspective n'est pas changée mais elle apparaît déjà plus lointaine, plus illusoire. Car les manifestations font qu'au conflit franco-musulman s'ajoute et dans l'immédiat se substitue un différend « franco-français ». En reconnaissant, ce qui est vrai, que « les douloureuses manifestations de lundi comportaient une part saine », le président du Conseil renverse l'ordre de ses préoccupations ; il s'est moralement engagé à ne rien dire ni ne rien faire qui puisse être incompris de cette part-là qu'il distingue de cette autre que « l'on a voulu dresser contre la République ». Il ne le cache pas au Conseil de cabinet qui se réunit dès son retour à Paris ; il était parti avec l'idée de réaliser l'apaisement chez les musulmans et l'événement le contraint à le chercher d'abord chez les Européens. L'énoncé théorique de sa politique ne varie guère — encore que la reconnaissance de la personnalité algérienne qui en fait l'originalité est désormais celle d'une personnalité s'épanouissant « à l'intérieur de la communauté française ». Mais la possibilité s'éloigne d'appliquer concrètement cette politique, et quand son ministre résident parle d'une « politique de ralliement », c'est aux

Européens qu'il pense et non aux musulmans. Chaque fois qu'il sera pressé d'agir, en vue de retrouver la confiance de la masse musulmane, par son parti ou par tel ou tel ministre, il répondra qu'il y est prêt mais à condition qu'il ne perde pas du même coup la confiance de la communauté européenne.

Le gouvernement conduit alors plusieurs politiques parallèlement : une action militaire renforcée par le vote de pouvoirs spéciaux, le rappel de disponibles et l'envoi du contingent ; à plus longue échéance une action administrative et économique, « un grand programme de petits travaux », et enfin une action diplomatique et clandestine qui vise à obtenir l'arrêt des hostilités. Le ministre des Affaires étrangères parcourt le monde et s'arrête notamment au Caire. Des émissaires officieux mais mandatés rencontrent alors de nombreuses fois, en Algérie — en février et mars — puis à l'étranger, les représentants du F.L.N.

Une première série de trois entretiens secrets occupe le mois d'avril ; le premier a lieu le 12 au Caire entre M. Bégarra représentant M. Guy Mollet et M. Mohammed Khider agissant pour M. Ben Bella. Ils échouent : du côté français on ne parle que de la personnalité algérienne, de l'autre on pose une condition politique : la reconnaissance du droit à l'indépendance [1]. Le 21 avril M. Ferhat

1. Le contact pris est néanmoins conservé jusqu'à la fin avril. Le 27 M. Guy Mollet commet la seule indiscrétion sur cette période en disant qu'il ne désespère pas d'obtenir le cessez-le-feu et en laissant entendre « qu'il pourrait y avoir des surprises dans les semaines à venir ». Le lendemain il recevait M. Gorse qui, tout en se tenant en marge des entretiens, les avait suivis de près et avait fait l'aller et retour Le Caire-Paris.

Abbas, qui partageait son temps entre Alger et Paris, rejoint le F.L.N.[1]. Reçu quelques jours avant par M. Lacoste il s'est déclaré favorable à la négociation à condition que soit reconnu « le fait national algérien » affirmé publiquement par les 61 élus musulmans après le 6 février.

Mais le ministre résident n'est pas mêlé directement aux contacts. « Je suis là, confie-t-il, pour créer les meilleures conditions de négociations. Mais ce n'est pas à moi à le faire. » Il pense à cette époque qu'il vaudrait mieux partir « s'il n'y avait pas un million de Français ».

Les contacts avec le F.L.N. sont mal connus des autres membres du gouvernement ; ils ne retiennent pas M. Mendès-France de donner le 23 mai sa démission de ministre d'Etat. Sa décision est prise depuis un mois et il en a informé à ce moment MM. Coty et Guy Mollet ; il l'a simplement retardée pour qu'elle ne passe pas pour une condamnation du rappel des disponibles. Il approuve en effet les mesures militaires mais il aurait voulu qu' « une concomitance » fût établie entre elles et les mesures politiques. En outre, les réformes, touchant notamment l'agriculture, lui semblent de toute façon insuffisantes[2]. La guerre continue.

Le 21 juillet, M. Commin, bras droit de M. Guy Mollet dont il assume l'intérim comme secrétaire général de la S.F.I.O., et son adjoint M. Herbaut rencontrent MM. Yazid et Francis à Belgrade. Ce contact est aussi infructueux. Cinq jours après le

1. On apprendra beaucoup plus tard qu'en réalité M. Ferhat Abbas s'était rallié secrètement au F.L.N. dès 1955.

2. Il a ce mot : « Elles prouvent simplement que M. de Sérigny continue de régner à Alger. »

colonel Nasser nationalise le canal de Suez et c'est au Caire que M. Guy Mollet pense trouver les clés de la paix en Algérie. Deux autres rencontres, aussi clandestines que les précédentes, ont lieu le 2 et le 22 septembre à Rome [1]. « Le fossé séparant les propositions parut infranchissable » devait déclarer le 4 février 1957 à l'O.N.U. M. Pineau. Cette appréciation visait la première mais non la seconde entrevue au cours de laquelle une procédure et un compromis auraient été esquissés ; le mot indépendance est remplacé par le « droit du peuple algérien à disposer librement de lui-même ». Est-ce la paix ?...

Un mois après, jour pour jour, le 22 octobre, l'avion emmenant Ben Bella, Khider et leurs compagnons à Tunis où ils devaient conférer avec Mohammed V et Bourguiba est contraint d'atterrir à Alger à 19 heures.

Prévenu ou non, M. Lacoste qui se trouvait en Dordogne était revenu à temps en avion pour pouvoir couvrir l'opération et veiller à ce qu'elle ne fût pas connue tant à Paris qu'à Tunis avant que les chefs rebelles fussent en sécurité à Alger.

Cette décision avait été prise à l'insu de M. Guy Mollet, qui l'apprit à 22 heures alors qu'il assistait au dîner d'adieu du général Gruenther [2]. Le président du Conseil pâlit, entrevoyant les consé-

1. Aucun contact ne fut pris par la suite jusqu'en juillet 1957 ; d'ordre de M. Bourgès-Maunoury, M. Goëau-Brissonnière rencontra officieusement à Tunis des représentants du F.L.N. et notamment Yazid. Un nouvel incident, l'arrestation de l'avocat tunisien de Ben Bella à son arrivée à Paris, met un terme à cette tentative.

2. Seul M. Max Lejeune, secrétaire d'Etat à la Guerre, aurait été prévenu et aurait donné le feu vert au général Lorillot, commandant la Xe Région (cf. « *Secrets d'Etat* » de J.-R. Tournoux).

quences d'une telle capture dans de telles conditions.

Elles furent graves et même tragiques. Trente Français, odieusement massacrés, la payèrent de leur vie à Meknès. Le secret bien gardé n'avait pas permis de prendre les mesures élémentaires de sécurité. Deux hommes d'honneur : l'ambassadeur de France à Tunis, le comte de Leusse, et le secrétaire d'Etat aux affaires marocaines et tunisiennes, M. Alain Savary, placés malgré eux dans une situation humiliante, donnèrent leur démission. Les relations avec les anciens protectorats, devenus Etats indépendants depuis le printemps, furent pour longtemps compromises et l'espoir, fondé ou non, qui était né de la conférence de Tunis, s'évanouit à jamais. Tel fut le bilan de cette initiative qui ne devait pas par ailleurs abréger d'un jour le conflit algérien.

Ce « coup » apparemment bien joué, dont le côté sportif plut à l'opinion qui l'applaudit et au Parlement qui l'approuva, nul ne pouvait le reprocher aux officiers qui l'avaient si bien conçu et réussi. Laisser échapper l'occasion de se saisir sans difficulté du plus important des chefs rebelles et des documents qu'il transportait avec lui eût été incompréhensible, stupide, impardonnable.

Mais en dehors des suites négatives ou funestes de l'événement, il y eut ce fait que, dans un domaine militaire cette fois, Alger agissait en maître et bravait de nouveau Paris, que le gouvernement se trouvait placé devant le fait accompli et s'inclinait. « Les bruits de négociations énervent l'armée », avait déjà dit au printemps M. Lacoste.

En automne ils pouvaient l'inquiéter davantage encore.

Le 22 octobre 1956 se situe dans la même ligne que le 6 février. D'autres dates devaient s'y inscrire, d'autres étapes du déclin de la IVᵉ République.

La suivante est proche : le 5 novembre l'armée française lave plus d'un affront, plus d'une humiliation dans les eaux du canal de Suez. Mais le lendemain la diplomatie lui vole sa victoire et le 24 décembre le dernier soldat devra quitter Port-Saïd. Comment n'obéirait-elle pas au monde entier et comment n'aurait-elle pas la rage au cœur ?

M. Guy Mollet aurait-il réagi d'une manière aussi radicale, et au gré de certains aussi peu socialiste à la nationalisation du canal le 26 juillet s'il n'y avait pas eu la guerre d'Algérie. Il l'a affirmé. Pour lui Nasser était une nouvelle incarnation de Hitler et « la philosophie de la Révolution » une nouvelle version de *Mein Kampf*. Pour son garde des Sceaux, M. Mitterrand, la mainmise sur le canal rappelait celle de l'Allemagne sur la Tchécoslovaquie. Pour son ministre des Affaires étrangères M. Pineau, il y avait en plus, comme pour M. Daladier en 1938, un abus de confiance puisqu'il avait recueilli en passant au Caire la « parole de soldat » du colonel Nasser. Et M. Lacoste qui ne cessait de prévenir que le moindre acte de faiblesse à l'égard de l'Egypte aurait des conséquences désastreuses en Algérie se trouvait pour une fois d'accord avec M. Deferre, qui seul ministre à avoir toujours préconisé la négociation avec le F.L.N. n'en était pas moins favorable à une intervention contre Le Caire ; ministre de la France d'Outre-Mer il était bien placé pour savoir le retentissement que le défi de Nasser avait eu en Afrique Noire. Jamais depuis sa constitution le gouvernement n'avait été aussi unanime. Sauf à l'extrême gauche et chez les poujadistes, où l'on proclamait « de pas vouloir se battre pour la reine d'Angleterre », aucune voix ne s'élevait en dehors du gouvernement contre une politique de fermeté. M. Mendès-France lui-même en était partisan à condition qu'elle n'allât pas jusqu'à mettre la paix en péril et seuls des hommes comme MM. Pinay et Pfimlin confiaient en privé qu'ils n'auguraient rien de bon de cette politique qui ne leur semblait pas correspondre aux rapports des forces dans le monde ni même en Méditerranée. Mais du haut de la tribune le ministre des Affaires étrangères pouvait parler, aux applaudissements des députés, du « rire quasi hystérique » du colonel « maître ni de ses actes ni de ses nerfs ». L'objectif était de « dégonfler le prestige d'un faux héros » ; le gouvernement français ne pouvait se laisser prendre ni aux arguments juridiques ni aux artifices diplomatiques. Il était résolu à avoir gain de cause de gré ou de force.

Si l'intervention militaire en principe décidée n'avait pu avoir lieu au début d'août, ce n'était pas pour laisser aux diplomates le temps de la rélexion, c'est uniquement parce qu'elle était techniquement impossible. Ayant fait l'inventaire des moyens et des forces dont ils disposaient, les états-majors anglais et français, réunis dès le surlendemain de la nationalisation du canal, avaient dû convenir qu'ils n'étaient pas en mesure d'entreprendre une action immédiate sur un théâtre d'opérations aussi éloigné [1]. Lorsque, vers la mi-septembre, les préparatifs sont achevés, les deux pays sont engagés dans l'engrenage des conférences et du Conseil de sécurité. Les diplomates ont dessaisi les militaires.

Tout porte à croire que Français et Anglais ont laissé passer l'occasion d'abattre le colonel Nasser. Leur dernier espoir s'est évanoui lorsque malgré le retrait des pilotes étrangers, le trafic a continué comme avant ; les deux gouvernements avaient compté sur un embouteillage ou même un accident qui, démontrant que la liberté de navigation n'était plus assurée, aurait justifié une intervention militaire. Les bateaux passent ; l'usage de la force n'est plus fondé ni en droit ni en fait.

Mais le 15 octobre, le général Challe, major général, se rend à Londres où il révèle à M. Eden un secret inespéré pour les Français et quelque peu inquiétant pour les Anglais. Depuis la veille Israël, qui sent se refermer sur elle l'étau de ses voisins arabes, est résolu à lancer un raid dans le Sinaï : dès le lendemain le Premier britannique est à Paris : après cinq heures d'entretiens auxquels ne participent que les deux chefs de gouvernement et les deux ministres des Affaires étrangères, l'intervention franco-britannique est non moins secrètement décidée [2].

1. Lorsqu'au Conseil des ministres M. Bourgès-Maunoury déclare : « Nous n'avions pas prévu de dispositif contre l'Egypte », il s'attire cette réplique : « C'est vraiment étonnant de la part d'hommes qui préconisent depuis six mois la guerre contre l'Egypte. »

2. Quatre hommes sont les artisans de l'opération de Suez : M. Guy Mollet et son chef de cabinet, M. Emile Noël, M. Bourgès-Maunoury et son directeur de cabinet, M. Abel Thomas qui assure

Le prétexte choisi serait cynique s'il avait pu tromper le plus innocent des diplomates. La France et l'Angleterre, une fois lancée l'attaque d'Israël, adressent à Tel-Aviv comme au Caire un ultimatum leur enjoignant de retirer leurs troupes à dix milles du Canal. Comment traiter de la même façon l'allié, le complice israélien et l'adversaire égyptien et l'attaqué ? Il importe peu. Le seul but est de se heurter au refus de l'un et de l'autre et de justifier l'entrée en jeu des forces franco-britanniques.

Bien conçu, le scénario ne tenait pas compte de deux erreurs d'application. L'une imputable aux Français puisqu'en toute cette affaire M. Guy Mollet « a tenu à bout de bras M. Eden ». Elle a consisté à ne pas vouloir se rendre compte que la situation avait beaucoup évolué depuis le 26 juillet ; ce qui était raisonnable au lendemain de la nationalisation du canal ne l'était plus trois mois après. Le colonel Nasser n'avait pas commis la moindre faute, offert le moindre prétexte à une intervention ; les bateaux français et anglais continuaient de franchir le canal tout en payant les droits de transit à la compagnie de Suez. M. Dulles qui n'avait pas écarté au début d'août, lors de la première conférence de Londres, l'envoi d'un bateau-test dans le canal, quitte à l'appuyer par un bâtiment de guerre, n'avait cessé depuis lors de mettre en garde les Anglais

la liaison avec Israël. M. Pineau pour la partie diplomatique, M. Max Lejeune pour l'exécution militaire sont également dans le secret. Les autres ministres ont été eux-mêmes tenus constamment dans l'ignorance de l'état des préparatifs au point de s'en plaindre auprès du Président de la République. La IVe avait semble-t-il retrouvé un Etat.

et les Français contre toute intervention militaire. Le sultan du Maroc ne demandait plus chaque matin quand les Français allaient se décider enfin à passer à l'action contre Nasser. L'opposition britannique s'était faite de plus en plus vive et les conservateurs eux-mêmes étaient divisés. Enfin les Soviétiques, qui avaient pourtant fort peu réagi au lendemain de la nationalisation, ne pouvaient admettre de perdre la face en Egypte, alors qu'ils risquaient de la perdre en Hongrie puisque par malheur la comédie de Suez coïncida avec la tragédie de Budapest.

Mais le gouvernement français s'était bâti un raisonnement et une sécurité en forme de syllogisme : l'Union Soviétique n'intervient en un point du monde que si les Etats-Unis y interviennent aussi. Or, les Américains ne feront rien avant le 6 novembre, date de leur élection présidentielle, donc les Soviétiques ne bougeront pas. L'erreur consistait à ne pas imaginer que Moscou et Washington pussent avoir un intérêt commun au maintien de la paix dans le Proche-Orient, ou même à ne pas laisser s'y réinstaller les Anglais.

La responsabilité de l'autre erreur incombe davantage à l'état-major britannique, mais s'agissant du Proche-Orient est-il un chef militaire anglais qui ne soit en même temps un homme politique ? C'est le 29 octobre que les troupes du général Dayan envahissent le Sinaï, le 31 que, l'ultimatum franco-britannique ayant été repoussé, les premiers bombardements commencent sur l'Egypte et le 5 novembre seulement que les parachutistes sont lâchés à Port-Saïd. Pendant cette course de lenteur calculée, le président Eisenhower [1] a eu le temps de supplier MM. Guy Mollet et Eden de laisser les Israéliens en découdre seuls avec Nasser ; le maréchal Boulganine a eu le temps de se reprendre ; l'opinion mondiale de se mobiliser, et l'opposition britannique de partir en guerre contre M. Eden.

Dans la nuit du 5 au 6 novembre à 23 h 30, « pleinement résolu à employer la force contre les agresseurs », le maréchal Boulganine envoie un ultimatum à la France, à la Grande-Bretagne et à Israël. A. M. Guy Mollet il demande « dans quelle situation se trouverait la France si elle était l'objet d'une agression de la part d'autres Etats disposant de terribles moyens de destruction moderne ? » Le message à M. Eden était plus explicite encore et parlait de fusées destinées clairement à effrayer les insulaires. Menace ou manœuvre ? Le président du Conseil français téléphone au Premier britannique et tous deux opinent pour l'hypothèse du bluff. Mais à tout hasard, M. Guy Mollet interroge l'ambassadeur américain qui l'assure de l'appui des Etats-Unis au cas où la France serait attaquée par l'U.R.S.S. Les ministres français qui délibèrent ensuite jusqu'à trois heures du matin n'en sont que plus à l'aise pour conclure à un chantage soviétique.

1. Le président Eisenhower en voulut longtemps aux franco-britanniques de ne pas l'avoir prévenu de leur intervention, et si M. Guy Mollet a dit le contraire à la tribune de l'Assemblée nationale, il faisait allusion non pas à l'ultimatum du 31 octobre, lancé sans demander l'avis des Etats-Unis, mais au fait que M. Dulles avait été averti depuis trois mois que Français et Anglais ne renonçaient pas à utiliser la force. Plus gravement, le président Eisenhower fut convaincu que la date du 5 avait été choisie pour le faire échouer aux élections fixées au 6.

Le 6, au début de l'après-midi, alors qu'on ignore, tant à Paris qu'à Londres, où en sont les opérations (le secret, toujours le secret), M. Eden appelle au téléphone M. Guy Mollet et lui apprend tout de go qu'il a décidé l'arrêt des hostilités pour 17 heures. La pression américaine et l'opposition intérieure au sein même de son gouvernement ont eu raison de la résistance, d'heure en heure faiblissante, du Premier britannique, M. Guy Mollet supplie de repousser le cessez-le-feu de vingt-quatre heures afin que les troupes alliées occupent au moins la plus grande partie du canal ; il obtient seulement de M. Eden, c'est-à-dire en réalité du président Eisenhower, dont à cette heure le Premier britannique n'est que le porte-parole, qu'il soit retardé jusqu'à 0 heure.

Depuis le 6 novembre, la direction des opérations politiques, et même militaires, est en effet passée de Paris et Londres à Washington. La politique de force a échoué au Moyen-Orient. Lorsqu'au Conseil des ministres du 7, le gouvernement français en prend acte, un ministre surtout ne cache pas sa fureur : M. Lacoste. Car si Israël a été sauvée de l'anéantissement, l'Algérie ne l'a pas été de la guerre.

L'intermède de Suez a, tout au contraire, aggravé la situation en Afrique du Nord. Militairement il a privé le commandement de troupes d'élite alors que l'insécurité s'est généralisée. Fixé à 7 000 en février par M. Max Lejeune, le nombre des rebelles est évalué six mois plus tard par M. Guy Mollet à 15 000, disposant d'armes de guerre, auxquels s'ajoutent 20 000 supplétifs munis de fusils de chasse. M. Robert Lacoste se déclare néanmoins optimiste et se promet d'en finir avant l'été puis avant la fin de l'année. « Entre les rebelles et moi, dit-il, c'est à qui tiendra le dernier quart d'heure. » Faussement interprété, le mot vaudra au ministre la réputation d'un mauvais prophète. En réalité il joue tantôt du pessimisme lorsqu'il veut des renforts (de 250 000 hommes en mars les effectifs passent à 357 000 en septembre) ou lorsqu'il ne veut pas de la venue du Président de la République [1], tantôt de l'optimisme lorsqu'il sent l'inquiétude gagner le gouvernement, son parti ou le Parlement, ou encore des deux lorsqu'il entend rester libre de ses décisions : « La situation est meilleure, mais la chaudière peut sauter si l'on commet des imprudences. »

Politiquement, M. Lacoste est pressé depuis le printemps par le gouvernement et son propre parti de préparer un statut de l'Algérie. Ministres et experts en discutent interminablement, voyagent dans le temps et l'espace, parcourent l'Europe, iraient jusqu'à la lune pour trouver la constitution la mieux adaptée à l'Algérie. On sait ce qu'elle ne doit pas être. Ni Etat musulman (parce qu'il y a un million de chrétiens), ni Etat arabe (parce qu'il y a des Européens, des Juifs, des Berbères), ni province française (parce qu'il y a huit millions de musulmans). On parle

1. Les grâces ou même les lenteurs de la procédure provoquent une sourde hostilité entre le ministre résident et M. Coty dont le nom est conspué certains jours à Alger. Puis lorsque deux condamnés sont exécutés et que le F.L.N. y répond par de nouveaux attentats, l'insécurité est mise en avant pour retarder le voyage du chef de l'Etat qui ne se rendra pas une seule fois en Algérie.

alors d'une solution suisse, d'une solution sicilienne, d'une solution israélienne, de toutes, sauf de la solution algérienne. Puis lorsque survient Suez, le ministre résident déclare ne plus vouloir entendre parler de statut jusqu'à la défaite de Nasser.

Depuis le 10 juillet il a bien derrière lui les décisions du congrès socialiste. Mais il s'en embarrasse fort peu. « Peu importe les motions, j'ai sauvé l'Algérie », dit-il désinvolte et péremptoire. On lui a prescrit la lutte sur les deux fronts « contre les rebelles et contre les ultras du colonialisme » ; il réplique : « J'ai le feu devant moi, je ne veux pas l'avoir en arrière. » On l'invite à créer des « institutions internes disposant d'un pouvoir exécutif et d'un pouvoir législatif », il répond : « Le statut est d'abord mon affaire. » M. Mendès-France parti, c'est M. Mitterand et M. Jean Masson qui ont pris le relais de l'opposition au sein du Conseil des ministres tandis que M. Defferre y reçoit de plus en plus le renfort de M. Gazier. L'atmosphère des conseils est plus d'une fois tendue à l'extrême. M. Guy Mollet n'est pas loin de donner raison sur le fond à MM. Mitterand et Defferre comme il a donné plus d'une fois l'impression de pencher vers M. Mendès-France. Mais il attend que les esprits soient mûrs à Alger et non sans froideur tranche finalement en faveur de M. Lacoste. Tacticien éprouvé, le ministre résident cède sur les principes lorsqu'il craint la rupture puis une fois reparti pour Alger, n'en fait plus qu'à sa tête. En janvier 1957, il y confie, sans en référer à Paris, les pouvoirs de police au général Massu, un ancien de Suez. Comment le lui reprocher ? Depuis les décrets pris en vertu des pouvoirs spéciaux — votés en mars par 451 voix (dont les communistes) contre 76, le ministre et l'armée ont en droit tous les pouvoirs en Algérie. Comment lui en faire grief lorsque le terrorisme a l'effet démoniaque non seulement de tuer des innocents mais encore de déchaîner la fureur populaire qui frappe alors d'autres innocents. Aux bombes aveugles répondent les « ratonnades », dont sont victimes de paisibles passants ou de simples suspects. En dessaisissant le pouvoir civil, le ministre ne se débarrasse pas pour autant de sa responsabilité morale. Ce socialiste n'est pas sans cœur, ce résistant sans âme. Il proteste quand on le dit indifférent aux excès de la répression et des interrogatoires ; il peut en souffrir. Mais il ne dit mot en public et ne révèle aucune des sanctions prises. Sa crainte est d'autant plus grande de fournir un prétexte au complot permanent des activistes qu'il les sait maintenant en contact avec des officiers.

Au début de janvier 1957, le général Jacques Faure, adjoint au général commandant la division d'Alger, ami de M. Michel Debré, qu'il voit à Paris, est frappé de trente jours d'arrêt de rigueur par M. Bourgès-Maunoury. On lui reproche d'avoir son franc-parler et il le fera entendre au ministre de la Défense nationale qu'il traite d'incivile façon. On le dit aussi en relation avec des comités extrémistes, dont l'un a invité les étudiants d'Algérie à « relever le flambeau de la patrie qu'assombrit un peu plus chaque jour l'hypocrisie et la trompeuse mollesse de MM. Guy

Mollet et Robert Lacoste... » Le ministre en rierait s'il n'apprenait que l'un de ces comités avait envisagé de le kidnapper, avec la complicité d'officiers, lors d'un voyage dans le Sud. A la fin du mois, c'est l'attentat manqué contre le général Salan mais non contre son chef d'état-major, le commandant Rodier. Le nom du général Cogny est également prononcé. Mais s'il n'a été qu'utilisé par des assassins en quête d'alibi, l'épisode et celui du général Faure [1] concourent à faire de l'attitude de l'armée une donnée fondamentale du problème algérien, de ce problème qu'en mars le ministre résident déclare « grave mais soluble dans un terme relativement peu éloigné ». L'armée est en train de devenir une force politique. Mais il est de bon ton — et de déplorable méthode — de n'en parler qu'à mots couverts.

Lorsque le gouvernement à direction socialiste est renversé en 1957, l'actif est léger. Seules la dissolution des municipalités et la création de

1. Le Conseil des ministres du 3 avril examinera pendant deux heures le cas du général Faure en le liant dans un esprit de symétrie contestable à celui du général de Bollardière qui avait écrit à M. J.-J. Servan-Schreiber une lettre approuvant son livre *Lieutenant en Algérie* qui dénonçait des excès de la répression.

Le « plan de subversion » prêté au général Faure fut qualifié d'« insensé » par M. Guy Mollet, d'« extravagant » et de « puéril » par M. Lacoste.

MM. Pineau, Defferre, Mitterrand et Billères défendirent le général de Bollardière qui avait dit dans sa lettre : « l'effroyable danger qu'il y aurait pour nous à perdre de vue, sous le prétexte fallacieux de l'efficacité immédiate, les valeurs morales qui seules ont fait jusqu'ici la grandeur de notre civilisation et de notre armée ». Cet incident et celui que M. Capitant avait provoqué en suspendant son cours à la Faculté de Droit pour protester contre le « suicide » de Mᵉ Ali Boumendjel à Alger, amenèrent le gouvernement à créer la commission de « sauvegarde des droits et des libertés individuelles » dont l'idée avait été avancée par M. Defferre.

nouvelles communes s'inscrivent au bilan des réformes et seule l'action des paras est venue à bout du terrorisme à Alger tandis que la définition d'un « triptyque » — cessez-le-feu, élection, négociation — dissimule difficilement le néant de la solution politique.

La crise ministérielle a mûri longuement car les communistes se sont détachés lentement de la majorité. Ils ont d'abord voté sans se poser aucune question pour un gouvernement qui réalise ses promesses sociales (troisième semaine de congés payés, réduction de zones des salaires et fonds national vieillesse) et qui se promettait, au risque de déplaire aux Occidentaux, de pratiquer une « politique constructive » à l'égard de l'Union soviétique. Ils se sont ensuite davantage interrogés et si, non sans drame, ils ont voté en mars les pouvoirs spéciaux en voulant croire que ces pouvoirs permettraient de rétablir la paix, ils se sont abstenus en juin lors d'un scrutin de confiance sur la politique algérienne [1]. Enfin, ils sont passés sans hésiter dans l'opposition lorsque l'Assemblée est appelée à approuver l'affaire de Suez et la signature de l'Euratom.

Le M.R.P., pratiquant le pardon des injures, n'avait cessé de soutenir M. Guy Mollet, par dévotion pour l'Europe, mais surtout par une sorte de dépit amoureux à l'égard de la S.F.I.O., par souci de l'empêcher de verser vers le parti communiste et le Front Populaire, par la certitude que tôt ou tard le Front républicain volerait

1. C'est le comité central qui décida de l'abstention, la majorité du groupe parlementaire étant pour le vote hostile.

en éclats et que les socialistes n'auraient que le choix entre le Front Populaire et la bonne vieille troisième Force.

Seuls les modérés pouvaient donc, en conjuguant leurs voix avec celles des communistes, renverser ce gouvernement à direction socialiste qui était à leurs yeux un défi permanent. Accablant de leurs sarcasmes le ministre des Affaires étrangères et le ministre des Finances, ils n'attendaient depuis le début de l'année que le moment où ayant rempli son office algérien, l'équipe socialiste pourrait être remerciée. Aussi quand on leur présente de nouveaux projets fiscaux, les indépendants perdent patience : « Nous n'avons pas été élus, disent-ils, pour voter un milliard d'impôts par jour. » M. Paul Reynaud leur conseille bien d'attendre encore un peu, au moins jusqu'au moment où l'échec financier sera plus patent, où par exemple l'Etat serait obligé de demander au Parlement l'autorisation d'utiliser le stock d'or de la Banque de France.

Ce moment-là ne saurait apparemment tarder : les réserves de devises dépassent à peine vingt milliards et le fonds de stabilisation des changes n'en dispose plus que de dix-neuf. Quelques semaines encore et il faudra instituer « une économie de guerre », avertit le gouverneur de la Banque de France.

Son diagnostic est implacable : « L'expansion risque de déborder les facultés du pays ... l'épargne ne peut à elle seule combler le déficit budgétaire ... l'excès de la demande intérieure est un des facteurs principaux de la diminution des devises... »

La politique socialiste a consisté pendant quinze mois à maintenir et à développer le pouvoir d'achat en agissant à la fois sur les salaires, et surtout sur les prix et l'emploi. Le premier facteur n'était pas inflationniste dans la mesure où il correspondait à une augmentation de l'offre de marchandises et de produits ; le second l'était davantage puisqu'il était l'effet de détaxes fiscales venant en diminution des recettes budgétaires alors que, d'autre part, les dépenses sociales et militaires se gonflaient anormalement ; enfin, le développement de l'emploi, c'est-à-dire de l'activité économique, était fondé sur deux éléments inflationnistes : le gonflement excessif du crédit et le déséquilibre croissant de la balance commerciale encore aggravé par les importations de produits agricoles dues aux mauvaises récoltes (et aux importations de choc destinées à peser sur les prix).

M. Ramadier n'aurait pas pris les risques de cette politique s'il n'avait pas reçu l'assurance que la guerre d'Algérie serait terminée au cours de l'hiver 1956-1957. C'est là sa seule défense et la plus solide. Les difficultés de trésorerie qu'il avait pu éviter grâce à l'emprunt de 1956 ne pouvaient plus être esquivées au printemps de 1957. Le déficit commercial qui avait été de 82 milliards en 1955 et de 413 en 1956 devait atteindre 221 milliards pour les quatre premiers mois de 1957. Une réduction massive de la demande intérieure par l'accroissement de la fiscalité et le resserrement du crédit pouvait seule ralentir l'hémorragie de devises.

Les modérés qui n'ont cessé de mettre en garde

le ministre des Finances n'ont plus aucune raison de jouer les utilités, d'accepter des sacrifices financiers au bénéfice d'un gouvernement en qui ils n'ont pas confiance.

M. Guy Mollet va au-devant d'eux ; le 15 mai 1957, à l'issue du Conseil des ministres, il avait offert sa démission à M. Coty. Il se savait condamné par les modérés et abandonné de la majorité des radicaux dont le congrès vient de lui poser des conditions impératives dont l'une — tout arrive — est le départ de M. Lacoste. Mais ce jour-là il veut aussi quitter le pouvoir pour ne pas avoir à souscrire lui-même à la défaite de Suez puisque les usagers du canal s'apprêtent à l'utiliser de nouveau en acceptant le règlement imposé par l'Egypte. Son amour-propre s'y refuse. Mais avant de tomber sur les projets financiers le 21, il redevient ce qu'il est avant tout, chef du parti ; il en refait l'unité en sombrant pavillon haut et en tirant quelques coups au but contre les communistes et les modérés, ses alliés d'hier, adversaires d'aujourd'hui.

S'il avait appliqué ses qualités et notamment celles de chef de parti à une politique correspondant mieux à son temps, M. Guy Mollet eût été un grand homme d'Etat. Son physique est trompeur, impersonnel et presque banal, mais il enveloppe une volonté calculatrice et une ambition souvent vindicative qui ont fait de lui une des fortes personnalités de la politique française. Son regard a la pureté d'un ciel un peu délavé mais il s'allume soudain d'éclairs qui foudroient l'adversaire. M. Guy Mollet a fait patiemment ses classes à la direction de la S.F.I.O. Il y a acquis l'art de manier, de manœuvrer les hommes ; d'y conduire un débat à la conclusion qu'il lui a d'avance assignée et lorsque, de guerre lasse, M. Mendès-France donne sa démission, il s'avoue vaincu par plus fort ou plus habile que lui. Mais ayant appartenu jusque-là à peu de gouvernements et jamais à des postes de responsabilité, il n'a manqué au leader socialiste, avant d'être président du Conseil, qu'une expérience consommée des affaires publiques. Tacticien éprouvé, épousant l'opinion majoritaire de son parti qui reflète assez bien le sentiment moyen du pays, il ne s'est pas suffisamment donné, au pouvoir, une stratégie, une perspective à long terme.

M. Guy Mollet sait qu'aucun gouvernement n'est possible sans le concours ou les voix de la S.F.I.O. Maître de son parti, il l'est aussi de toute majorité. Plus que le président de la République qui en a le droit, c'est lui qui, en fait, a le pouvoir de choisir son successeur : M. Pleven est d'abord chargé d'une mission d'information : ce qui est une façon de le dédouaner en vue de la crise suivante. M. Guy Mollet et M. Pinay s'étant ensuite récusés, restent à essayer un radical ou un M.R.P. M. Coty commence par ce dernier en la personne de M. Pflimlin. Les règles du jeu sont donc bien respectées. Mais la S.F.I.O. ne peut décemment admettre une présidence M.R.P. quinze mois seulement après le succès du Front républicain. Ce sera donc un radical, M. Guy Mollet en indique un qui réunit les trois conditions souhaitées : avoir fait partie de son gouvernement afin de ne pas désavouer sa politique ; ne pas avoir trop de personnalité afin de faire regretter le leader socialiste, et enfin s'effacer, le moment venu, pour permettre son retour au pouvoir. Ce sera donc M. Bourgès-Maunoury. M. René Coty ne désirant pas l'appeler, un petit manège le lui imposera ; M. Guy Mollet indique M. Billères, lequel ne se sentant pas le « radical le plus qualifié » renvoie à M. Bourgès-Maunoury. Le jeu s'enrichit d'une règle de billard.

Les socialistes s'empressent de ne lui poser aucune des questions et conditions qu'ils avaient infligées à M. Pflimlin et l'investiture lui est accordée le 12 juin 1957 par une Assemblée goguenarde et désabusée [1]. Les opposants à la politique de M. Lacoste, MM. Mitterand et Defferre s'en vont et le ministre résident reste et il reste à Alger, bien que pour conserver la collaboration de M. Defferre, M. Bourgès-Maunoury avait imaginé de faire résider le ministre de l'Algérie à Paris.

M. Robert Lacoste n'est d'ailleurs plus le même homme après plus d'un an de combat et de proconsulat en Algérie. Se dépensant sans compter, il vit sur ses nerfs et s'en prend tour à tour aux membres du gouvernement ou à ses camarades de parti, à la presse et au Parlement ou même au chef de l'Etat. A tous il reproche de ne pas prendre conscience du caractère révolutionnaire de la guerre ; il se croit incompris ou même victime de campagnes orchestrées en des sens opposés à Alger et à Paris. Il se sent peu en confiance avec les ultras ou même les Français d'Algérie. « Ils ne sont attachés à moi, dit-il, que

1. Par 240 voix contre 124.

parce qu'ils savent que tant que je serai là, on ne négociera pas » ; il méprise les politiques du F.L.N. qui « plastronnent » au Caire ou à New York et n'estime que les combattants du maquis et les doctrinaires de la guerre révolutionnaire. Confessant volontiers qu'il s'était trompé en condamnant avant les élections la politique algérienne de M. Soustelle, il soutient qu'il n'y aura ni cessez-le-feu, ni négociation, ni statut et que « l'Algérie nouvelle se fera en marchant ». Il se rend bien compte qu'il est à contre-courant de son parti. Mais que faire ? « Partir, ce serait lâche, dit-il et mon successeur ne fera rien d'autre... Les Français d'Algérie sont décidés à tout refuser. Ils proclameraient plutôt la République algérienne à la manière sud-africaine et l'armée marchera avec eux. » Et de cette armée, il n'est pas sûr et partage à son sujet les inquiétudes que le secrétaire d'Etat à la Guerre, M. Max Lejeune, lui exprime régulièrement tout au long de l'année 1957. Il justifie du même coup son refus de condamner publiquement les excès de la répression et la torture qu'il n'ignore pas. L'armée ne l'admettrait pas. Où va-t-elle ? « On lui a appris la politique : elle a été humiliée, elle ne veut plus l'être. A toutes ses difficultés, je ne veux pas ajouter un trouble de conscience. »

L'intermède du gouvernement Bourgès-Maunoury dure deux mois et demi (dont un mois et demi de vacances parlementaires), le temps de voter plus d'impôts qu'en demandait M. Ramadier (les crises sont des moyens coûteux de résoudre les difficultés), de faire ratifier les traités de Marché commun et d'Euratom (la continuité de la politique étrangère est un fondement du régime) et de commencer de sérieuses disputes sur les dépenses militaires (la bataille classique entre radicaux, autre loi du système, oppose M. André Morice, ministre de la Défense nationale, à M. Gaillard, ministre des Finances, sous le regard de M. Bourgès-Maunoury) et sur le projet d'une loi-cadre qui, si elle avait vu le jour, aurait peut-être permis de régler l'affaire d'Algérie [1].

Car si le jeune et timide président du Conseil est démuni d'éloquence et d'autorité, il est homme de bon sens et d'esprit libre. Il retrouve donc contre lui, tel M. Mendès-France, M. André Morice et M. André Marie [2] qui sont voués à la défense des positions les plus intransigeantes sur l'Algérie et reçoivent le renfort de M. Soustelle, qui fait sans relâche le siège du président du Conseil, et de M. Duchet qui est accouru des Amériques. Pour l'ancien gouverneur général, le projet conduit plus ou moins « à la sécession à très bref délai ». Quant au leader des indépendants il se heurte à M. Guy Mollet autour d'une « table ronde », tant et si bien que M. Edgar Faure observe qu'après tout le texte est destiné « à convaincre moins les indépendants que les musulmans », lesquels, en effet, sont fort oubliés

1. L'Algérie était découpée en plusieurs territoires (sans doute huit) dotés de l'autonomie administrative élisant au Collège unique une assemblée qui investissait un Conseil de Gouvernement. A Alger, un Parlement fédératif progressivement étendu investissait un Conseil fédératif.

2. M. André Marie dit : « Nous avons un gouvernement Mendès-Maunoury là où nous avions espéré un gouvernement Bourgès-France » (J.-L. Faucher, *op. cit.*).

en l'affaire et, faute d'élus, complètement absents du débat !

Ayant péniblement sauvé son projet au prix de retouches qui le défigurent, le gouvernement se hâte de le présenter à l'Assemblée convoquée en session extraordinaire le 17 septembre et de précipiter la décision et... sa chute le 30 après que le coup de grâce lui ait été porté par M. Soustelle [1].

Pour comble d'ironie, M. Bourgès-Maunoury obtient plus de voix au moment de sa chute (253) qu'au moment de son investiture (240).

Dix-huitième crise de la IVe République, celle qui s'ouvre sera l'une des plus longues : trente-cinq jours ! Parce que, d'une part, s'il n'y a de majorité sans les socialistes, il n'y en a pas non plus contre les indépendants et parce que, d'autre part, le Président de la République veut ramener au pouvoir M. Guy Mollet. C'est d'ailleurs par lui qu'il commence. Mais le leader socialiste se heurte aussitôt au veto des modérés : « Je ne refuse pas le pouvoir, dit-il, ce sont les autres qui me le refusent. » Et renonçant il déclare : « Nous en sommes au stade de la République de Weimar. » Car de crise de gouvernement en crise de gouvernement chacun a bien l'impression que l'on se dirige vers une crise de régime. La réforme constitutionnelle revient donc à la mode dans tous les partis. Mais il faut jouer le jeu jusqu'au bout.

Les radicaux qui pensent bien recueillir tôt ou

1. Le général Massu considère le rejet de la loi-cadre comme un échec pour la pacification de l'Algérie.

tard la succession font donc renoncer M. Pleven, le M.R.P. qui ne veut pas « se marquer à droite » fait échouer M. Pinay charitablement poussé en avant par M. Duchet [1] et les modérés qui ne veulent pas « confier à un second cabinet socialiste le soin de réparer les fautes et de solder la faillite du premier » font battre M. Guy Mollet, imprudemment exposé par M. Coty. Au trente-cinquième jour de crise alors qu'on attend M. Pflimlin, c'est M. Félix Gaillard qu'appelle M. René Coty [2].

Le nouveau gouvernement marque le véritable tournant de la législature. Feu le Front républicain laisse la place à la troisième Force ressuscitée et le M.R.P. revient pour la première fois au gouvernement depuis 1956. Les modérés votent massivement l'investiture et font ainsi leur rentrée dans la majorité. Il fallait un jeune radical pour réaliser cette « concentration » du plus vieux style !

M. Gaillard se retrouve devant les deux mêmes questions que ses deux prédécesseurs : l'inflation et l'Algérie. La première lui est familière. Ministre des Finances du cabinet Bourgès-Maunoury, il a usé de remèdes massifs. Président du Conseil il les complète. Pour aveugler la brèche par où s'échappaient les dernières devises, cent millions de dollars avaient déjà dû être empruntés en janvier à des banques américaines ; puis en juin,

1. « Je ne suis pas à la disposition de M. Duchet. S'il veut former un gouvernement qu'il le fasse lui-même », avait dit M. Pinay peu disposé au départ.

2. L'investiture est votée par 337 voix contre 173 (dont 131 communistes et 30 poujadistes).

la libération des échanges avait été suspendue tandis que cent milliards d'or avait été prélevés sur le stock de la Banque de France; enfin le franc avait été dévalué en août de 20 p. 100.

Pour renflouer la Trésorerie complètement à sec [1], l'Etat s'était fait avancer 350 milliards en juin par la Banque de France et 200 en novembre le jour même de la présentation du gouvernement à l'Assemblée. Ayant ainsi paré aux effets du désastre qui menace les finances intérieures et extérieures, le gouvernement s'attaque aux causes. Pour tenter de rétablir la balance des comptes il réduit le programme des importations et développe celui des exportations, et il se prépare à négocier des emprunts extérieurs pour un montant de 650 millions de dollars. Pour freiner la poussée inflationniste (de janvier à décembre l'indice des prix passera de 100,7 à 111,1), il opère en décembre une nouvelle ponction fiscale de 101 milliards, diminue les subventions économiques [2] et augmente, au nom de « l'opération vérité », les tarifs des services publics afin de réduire l'impasse à 600 milliards. A ce prix la faillite est évitée et, sans être totalement retournée, la situation cesse de s'aggraver au début de l'année. Mais en deux ans, et surtout dans le courant de 1956, les réserves de devises accumulées à la fin de 1955 — 1 645 millions de dollars

1. M. Pflimlin, ministre des Finances, confie à ses amis : « Je n'y ai pas trouvé 10 000 francs. »
2. Sous la menace de leur démission, les ministres socialistes obtiennent le maintien de la plupart des subventions des produits alimentaires.

— avaient été dissipées sans que fussent corrigés les déséquilibres fondamentaux de la balance commerciale. Dans le même temps la fiscalité avait été considérablement alourdie — de près de cinq cents milliards — et les investissements dangereusement réduits sans que les dépenses « improductives » fussent comprimées notamment en raison de la guerre d'Algérie.

M. Gaillard a hérité de la « loi-cadre » qui, déjà retouchée avant de disparaître avec le cabinet Bourgès-Maunoury, a été plus ou moins défigurée avant d'être de nouveau présentée à l'Assemblée. Elle a perdu une bonne part de son caractère évolutif. Un conseil des communautés a été accolé à chaque assemblée territoriale et le caractère fédératif des organes centraux a été sérieusement affaibli. Le collège unique est maintenu mais singulièrement altéré dans ses modalités d'application. Enfin le tout ne doit commencer à voir le jour que trois mois après le retour au calme ! La droite se rallie alors sans difficulté à cette loi dont nul ne sait, ni quand ni comment, elle pourra servir de cadre à l'Algérie. Au surplus l'intérêt est ailleurs.

Quelques jours avant le débat, Mohammed V et M. Bourguiba ont proposé leur médiation à la France. Il y est question de concrétiser « la souveraineté algérienne ». Qu'est-ce à dire ? « Nous avons employé le mot de souveraineté pour tenir compte de la crainte des mots qui caractérise en ce moment l'esprit français », répond M. Bourguiba. Le préalable de l'indépendance est-il vraiment abandonné par le F.L.N. ? On en doute. S'agit-il d'autre part d'une négociation sur le cessez-le-feu (possibilité toujours admise) ou bien sur le statut (hypothèse toujours écartée) ? On en discute. Bref, « tout cela est tellement obscur que c'est parfaitement clair », conclut M. Bidault.

Au gouvernement, les partisans du refus catégorique — MM. Lacoste et Max Lejeune — s'étaient opposés à ceux du refus nuancé — MM. Pflimlin et Gaillard. Finalement c'est un « non », poli pour Mohammed V, et plus sec pour M. Bourguiba.

Dans sa déclaration ministérielle, M. Félix Gaillard avait bien sacrifié au rituel de l'offre du cessez-le-feu : « Mon gouvernement sera prêt à prendre tous les contacts nécessaires à tout moment avec ceux qui nous combattent. » Mais les moins modérés des modérés ne l'entendent pas ainsi. « Un accord d'armistice ne se négocie qu'entre armées régulières. Avec les bandes subversives, la seule procédure honorable et valable est celle de l'aman. Les indépendants sont plus vigilants que jamais. C'est à l'heure où la victoire est proche que ne doit être tolérée aucune défaillance quels qu'en soient la manière, le prétexte ou l'auteur », proclame M. Duchet.

L'envoi d'armes par les Anglais et les Américains à la Tunisie, l'offre de médiation marocotunisienne, la caution qui lui en est donnée aux Etats-Unis, l'appui qu'elle a rencontré à l'O.N.U., le langage conciliant de M. Pineau (dont M. Soustelle se demande publiquement pourquoi il est encore ministre des Affaires étrangères [1]) nourrissent la colère de M. Michel Debré. « La conviction est faite, écrit-il, qu'il existe un vrai complot quand on voit sur quelle pente notre affreuse diplomatie s'est laissé glisser ces temps derniers... »

Pourtant la situation militaire s'est améliorée. Les rebelles ont subi de lourdes pertes ; trois mille par mois en moyenne. Ils n'ont pas cependant perdu toute initiative. Ils disposent encore d'un armement important. Le bouclage des frontières est efficace. Mais des armes lourdes passent par le Sud. Les accrochages sont sévères dès que les bandes cherchent à sortir des zones interdites. La pacification connaît des hauts et des bas, selon les époques et les régions. La répression est sévère, souvent cruelle : la torture n'est pas rare tandis que de nombreux musulmans (trente à quarante chaque semaine) continuent de payer de leur vie leur fidélité à la France.

Les réformes, elles, se heurtent toujours aux résistances des « ultras » des deux camps. M. Lacoste n'a pas toujours trouvé les concours qu'il espérait. Le fossé n'est pas comblé entre les deux communautés. Des excès l'ont quelquefois creusé. Pour retrouver la confiance des mulsulmans, le ministre compte sur la loi-cadre. Il voudrait procéder, dès l'adoption définitive de cette

1. M. Balafrej, ministre marocain, a déclaré dans les couloirs de l'O.N.U. : « J'ai la conviction que M. Pineau est animé du désir de défendre la situation pour créer un climat favorable à des pourparlers avec les responsables algériens afin d'arriver à une solution pacifique du problème.

« M. Pineau m'a promis qu'il déploierait tous ses efforts, dans ce sens. Ce que nous souhaitons, c'est qu'une solution intervienne avant la prochaine session de l'O.N.U. C'est notre intérêt à tous. »

panacée, à l'élection de municipalités, et à la désignation d'assemblées territoriales en attendant qu'elles puissent, elles aussi, être élues.

« Nous entendons profiter de cette amélioration », a dit M. Gaillard, et nous recherchons une solution politique pour l'Algérie, solution du même genre que celle adpotée pour les territoires d'Afrique [1]. »

Ni le président du Conseil ni le ministre résident n'auront le temps de faire passer leurs bonnes intentions dans leurs actes.

M. Gaillard avait dit en accédant au pouvoir : « Je suis le chef d'une majorité qui va de l'avant ; je la conduirai à la victoire. » Cette majorité va d'une droite qui pour les socialistes est « la plus bête du monde » à la S.F.I.O. qui pour les modérés « a vidé toutes les caisses » ; les mesures financières, la révision constitutionnelle, la réforme électorale, tout est motif à désaccord et menace de crise ou de démission. L'échéance approche.

★

II. — SAKHIET

Le samedi 8 février, entre onze heures et midi, onze bombardiers *B-26* et six chasseurs bombar-

1. Allusion à la loi-cadre dite loi Defferre qui, adoptée en 1956 et appliquée en 1957, a institué l'autonomie interne dans les territoires d'outre-mer avec une assemblée territoriale et un conseil de gouvernement dont le vice-président est élu par l'Assemblée.

diers escortés de huit chasseurs bombardent et mitraillent le village frontière de Sakhiet Sidi Youssef. Soixante-neuf Tunisiens sont tués dont vingt et un enfants. L'émotion est considérable à l'étranger comme en France. Ce qui est une « réaction légitime » aux yeux de certains est pour d'autres « un crime, une erreur et une faute ». Chacun pressent que l'incident aura de graves conséquences mais nul n'imagine qu'il ira, par l'enchaînement des événements, jusqu'à la chute du gouvernement puis du régime.

Le 11 janvier, non loin du même village mais sur le territoire algérien, seize soldats français avaient été tués et quatre capturés par une bande F.L.N. venue de Tunisie. Les quatre prisonniers y avaient parcouru un long circuit, avec leurs gardiens, avant d'être ramenés dans une zone rebelle en Algérie. Cette sanglante embuscade avait été suivie d'un affront diplomatique, Tunis ayant rejeté la protestation de Paris, M. Félix Gaillard avait chargé son conseiller militaire, le général Buchalet, de remettre en main propre une lettre d'ailleurs fort modérée à M. Bourguiba qui refusa de le recevoir ni même de le voir entre deux portes, sous prétexte que le général avait été en service sous le protectorat en Tunisie.

Le gouvernement français voulut bien oublier cette nouvelle version de coups d'éventail puisque la mode n'était plus à la politique de la canonnière. Mais les incidents aériens se multiplièrent, des appareils étant plusieurs fois mitraillés à partir du territoire tunisien. Tout porte à croire que la riposte finale ne fut pas accidentelle. L'erreur est d'avoir choisi le samedi jour de marché — mais le matin même un avion de reconnaissance avait été atteint — et d'avoir cru que l'école du village était vide. La faute est d'avoir transgressé les ordres du gouvernement. En effet aux conseils des ministres des 15 et 29 janvier il avait été décidé — et sans doute porté à la connaissance du commandement — que les raids *terrestres* de représailles pourraient être opérés des kilomètres au-delà des frontières. Encore fallait-il une décision gouvermentale.

M. Gaillard n'avait donc pas été prévenu du bombardement de Sakhiet [1]. On le presse, notamment chez les socialistes, de le condamner ; il s'y refuse. « L'armée, dit-il, ne l'admettrait pas. » Il se contente de proposer l'indemnisation des victimes. Le 8 février 1958 répète donc le 22 octobre 1956 : des initiatives du commandement local aux conséquences incalculables sont couvertes par le pouvoir central qui, au fond de lui-même, les condamne.

La riposte de M. Bourguiba est comme à l'habitude disproportionnée avec ce malheureux événement ; dès le lendemain il exige l'évacuation de toutes les troupes françaises y compris de Bizerte, il leur interdit tout mouvement [2] et il saisit le Conseil de sécurité de l'O.N.U. Mais Paris et Tunis acceptent le 17 février l'offre des bons offices des Etats-Unis et de la Grande-Bretagne.

Pendant cinquante jours, les « bons officiers »

1. Ni M. Chaban-Delmas, ministre de la Défense, ni M. Lacoste, ni M. Pineau, de qui dépendent les affaires tunisiennes, n'ont été tenus au courant.

2. Aucun incident ne se produira cependant grâce au commandant des troupes que le gouvernement tout entier félicitera pour son sang-froid et son autorité — le général Gambiez.

font la navette d'une capitale à l'autre, renouent les fils entre les deux gouvernements, règlent à la satisfaction commune l'évacuation des troupes et des aérodromes et reviennent au point de départ de la crise : à la frontière. Les Tunisiens rejettent tous les moyens de contrôle qui leur sont offerts, et dont aucun ne figure dans le projet d'accord. Le gouvernement français est sur le point de renoncer aux bons offices lorsque le président Eisenhower envoie le 11 avril un message à M. Gaillard. Cette lacune et cette démarche lui seront fatales en même temps qu'à la IVe République.

L'absence de contrôle aux frontières donne l'impression d'un marché de dupes et l'existence du message donne au gouvernement l'air de céder à une pression américaine. Puis, ne reposant sur rien, pas même sur une présomption, il y a ce soupçon auquel seule la logique prête l'apparence de la vérité, ce procès d'intention que le « lobby algérien » sait à merveille entretenir dans les couloirs ou les antichambres : après la Tunisie, murmure-t-on un peu partout, les « bons officiers » s'occuperont de l'Algérie.

Le 15 avril, deux mois après avoir accepté les bons offices et pour en avoir admis les résultats, M. Félix Gaillard est battu par 321 voix contre 255. Son gouvernement, pratiquement le dernier du régime, donne sa démission, comme l'avait fait le premier, celui de M. Ramadier, en violation de la Constitution. La question de confiance n'a pas été posée. Comme les deux premiers de la législature, ce ministère est néanmoins renversé par la conjonction des communistes et des modérés. Comme le précédent il tombe sous les coups de la froide passion de M. Soustelle. « Si vous ne marquez pas un coup d'arrêt aujourd'hui, vous ne le ferez jamais et vous serez emporté par le torrent des abandons. » Mais en plus de ce procureur qui n'est jamais plus lui-même qu'à l'heure des exécutions capitales, M. Gaillard a deux adversaires implacables pour une fois d'accord : MM. Roger Duchet et Antoine Pinay. Le premier est avec MM. Soustelle, Bidault et Morice l'un des quatre parangons de « l'Algérie française ». Le second poursuit le président du Conseil d'une inimitié ancienne qu'est venue revigorer la dévaluation manquée de l'été. Partagé entre son hostilité au gouvernement et son désir d'approuver les bons offices, M. Pinay avait bien dissuadé les ministres modérés [1] de donner leur démission puis décidé de voter lui-même blanc lorsque, le sachant, M. Gaillard distilla élégamment l'insulte du haut de la tribune : « J'espère que personne n'aura la lâcheté de s'abstenir. » Il n'y eut pas ce soir-là une seule abstention ; il n'y eut plus non plus de gouvernement.

M. Coty a d'abord le choix entre les quatre mousquetaires de l'Algérie française. Car la crise ne peut évoluer avant de savoir s'il y a ou non une majorité pour leur politique. M. Soustelle est écarté d'emblée par les radicaux à la fois comme « tombeur » des cabinets Bourgès-Maunoury et

1. Le conseil du 11 avril avait été l'un des plus longs et des plus dramatiques de la IVe République, les ministres modérés n'acceptant pas l'abandon des aérodromes de Tunisie dont chacun convenait cependant qu'ils étaient sans danger pour l'Algérie et réclamant que la France dépose une nouvelle plainte à l'O.N.U. dont il était pourtant démontré qu'elle risquait d'y faire rebondir le débat sur l'Algérie.

Gaillard et, ainsi qu'ils le disent au chef de l'Etat, comme « fourrier » du général de Gaulle. M. André Morice s'efface de lui-même et M. Roger Duchet, par qui M. Pinay a conseillé de commencer, pousse en avant M. Bidault. Le M.R.P. s'emploie aussitôt à le retenir et MM. Pflimlin, Teitgen, Robert Schuman, R. Simonnet et Maurice Schumann ne sont pas de trop pour l'amener à renoncer tant ils redoutent que sa politique n'étende la guerre à toute l'Afrique du Nord [1]. Gardez-moi de mes amis. Au surplus les socialistes font savoir qu'ils voteraient contre un cabinet Bidault comprenant MM. Soustelle et André Morice.

En vérité « la question algérienne empoisonne toute la politique française », comme le dit M. Pinay. Elle domine et commande en effet toutes les autres difficultés. Non seulement elle a été à l'origine des deux dernières crises ministérielles, mais en outre elle aggrave les divisions entre les partis. Elle y ajoute surtout les discordes qui opposent les membres d'un même parti. Elle rend plus impossible encore la constitution de toute majorité.

1. M. Pflimlin l'écrit dans un journal alsacien : « La majorité de ses amis et lui-même » refusent en effet de se « laisser engager dans une voie qui conduit à la reconquête des anciens protectorats et aux conséquences désastreuses qu'elle pourrait entraîner sur le plan international ».

« Or, a ajouté M. Pflimlin, au sujet de la Tunisie et du Maroc, comme à l'égard de nos alliés, les hommes dont voulait s'entourer M. Bidault n'ont cessé de préconiser des attitudes de rigueur et de durcissement qui nous placeraient un jour dans l'aternative de capituler de manière humiliante ou de prendre le risque d'un embrasement général de l'Afrique du Nord, tandis que les puissances du monde se coaliseraient contre la France. »

M. Pleven, dont M. Coty [1] veut depuis un an faire un président du Conseil, centre donc sa tentative sur l'Algérie. Les mécanismes du régime étant visiblement enrayés, il lui faut inventer de nouvelles procédures. M. Gaillard avait imaginé celle des « tables rondes » autour desquelles les problèmes se faisaient un plaisir de tourner sans jamais aboutir. M. Pleven suggère une « charte commune » sur l'Algérie que l'Assemblée aurait à approuver avant même d'avoir à se prononcer sur l'investiture. M. Le Troquer juge le procédé contraire à la Constitution [2] et bien que M. Coty qui en est le gardien n'en ait pas jugé ainsi, M. Pleven renonce à cette solennité puis à une autre, contraire celle-là au principe de la séparation des pouvoirs et qui aurait consisté à lire la charte commune en présence de tous les chefs de partis réunis par le Président de la République à l'Elysée.

Tandis que l'on se hâte lentement à Paris, que l'on déguste cette « tasse de tilleul tiède » qu'est la charte commune selon un modéré, on commence à s'agiter à Alger.

Personne n'a prêté grande attention à la venue du général Salan qui, appelé le 25 avril en consultation par M. Pleven, l'a prévenu que les seules clauses d'un cessez-le-feu acceptables pour l'armée

1. Il a écarté d'entrée de jeu M. Mitterrand dont il se plaît à louer l'intelligence mais qu'il sait barré par la droite, et M. Pflimlin dont il reconnaît le caractère mais qu'il sait, en tant que M.R.P., barré tant par les amis de M. Pinay que par ceux de M. Duchet.

2. Il juge d'autre part « outrageant » d'être appelé en consultation par M. Coty sur la suggestion de M. Pleven que ce dernier aurait dû, selon lui, venir lui-même lui soumettre en son hôtel de la présidence de l'Assemblée.

étaient la simple reddition avec remise des armes, suivie d'une large amnistie. Nul ne s'inquiète outre mesure de la manifestation qui, quoique interdite, a lieu le 26 avril à Alger pour réclamer « la formation d'un gouvernement de salut public, seul capable de sauver l'Algérie française ». Personne n'en connaît l'organisateur, M. Delbecque, dont le ministre résident a demandé en vain le rappel à Paris. Nul n'imaginerait qu'il pût s'agir d'un proche collaborateur du ministre de la Défense nationale, M. Chaban-Delmas, et que, depuis décembre, il a fait vingt-sept voyages à Alger, le dernier après un crochet à Colombey-les-deux-Eglises.

La crise se développe sur deux plans : l'un officiel, l'autre plus clandestin. Le premier est celui des exclusives. M. Pleven veut gouverner avec les modérés et les socialistes. Or, que dit M. Pinay : « Les socialistes ne veulent gouverner ni avec la gauche ni avec la droite. Alors qu'ils nous laissent gouverner. Il n'y a que deux politiques : la leur et la nôtre. Il n'y a que deux couleurs : le noir et le blanc. Nous ne voulons plus de gris », et que dit M. Guy Mollet : « Nous ne pouvons plus nous asseoir à côté d'hommes qui déclarent n'avoir rien de commun avec nous. » M. Pleven renonce [1] et le M.R.P. s'attend que M. Coty appelle enfin M. Pflimlin mais il ne sait pas que la candidature du député alsacien est « barrée »

1. A défaut de celui de M. Mendès-France, on agite pourtant pour convaincre la droite et la S.F.I.O. le spectre de M. Mitterrand devant les regards inquiets d'une partie des modérés et des socialistes, les uns et les autres convaincus que s'il est appelé « cela ira mal dans les rues d'Alger ».

par les Quatre et notamment par M. Duchet, et c'est M. Pleven que le Président de la République rappelle le 5 mai.

Ce même jour M. René Coty dit à un visiteur ses inquiétudes devant la situation politique et l'«évolution des événements et des esprits non seulement en Afrique du Nord mais en Afrique Noire. » Le Président de la République constate que le système est bloqué et que des solutions héroïques devront tôt ou tard être appliquées. « Car, ajoute-t-il, si les groupes parlementaires ne s'entendent pas, ne faudra-t-il pas, un jour appeler le général de Gaulle ? »

Ce propos est rapporté. Mais on ignore, et l'on n'apprendra que beaucoup plus tard, que ce jour-là, le 5 mai, le général Ganeval, secrétaire général militaire de l'Elysée, a demandé à rencontrer le colonel de Bonneval, aide de camp du général de Gaulle, pour connaître les conditions qu'il poserait à son retour au pouvoir.

Le 8 mai, à trois heures du matin, M. Pleven a enfin réussi à constituer un gouvernement qu'il doit présenter le lendemain à l'Assemblée. Mais le ministre de la Défense nationale en est M. André Morice. L'apprenant en se réveillant les trois ministres radicaux, MM. Berthoin, Billères et Maurice Faure, se retirent de la combinaison qui s'écroule. « Je ne voulais pas constituer un gouvernement sans les socialistes ; je veux encore moins en présenter un sans les radicaux », conclut en s'en allant M. Pleven.

Pourquoi, en dépit des conseils réitérés qui lui avaient été donnés, s'était-il décidé à « embarquer » M. André Morice ? Parce que sa présence était de nature à rassurer l'armée. Il sait les menaces qui pèsent depuis la visite que lui a rendue le général Salan.

Ce même 8 mai au matin, le président de la République prend secrètement connaissance des conditions du général de Gaulle ; il bute sur la plus inattendue, la plus insolite et la plus impérative. Le général accepte bien de solliciter l'investiture de l'Assemblée mais il refuse de se rendre devant elle. La procédure serait écrite, la confiance votée en son absence.

Le 8 au soir, M. Coty sollicite M. Pflimlin. Déjà le nom de M. Pleven a réveillé un mauvais souvenir dans la mémoire endolorie de l'armée, un souvenir que l'on s'emploie à raviver, celui de Dien-bien-phu. M. Pflimlin, lui, passe pour l'homme d'une autre et plus récente défaite, celle de M. Bidault ; il est donc classé, et la trompette de la renommée en ferait trembler les murs d'Alger, comme l'adversaire de « l'Algérie française », comme le « détenteur d'un programme qui débouche sur les perspectives mendésistes d'abandon de l'Algérie », écrit M. de Sérigny qui, depuis deux ans, règne à Alger comme à Paris.

« Abandon. » Ce mot propre à mettre le feu aux poudres et aux esprits court dans les rues et les journaux d'Alger. Il se retrouve trois fois dans le télégramme que le général Salan a rédigé avec les généraux Allard, Massu et Jouhaud et qu'il adresse, dans la nuit du 9 au 10, au général Ely afin qu'il en informe le Président de la République.

« L'armée en Algérie est troublée... à l'égard de la population française de l'intérieur qui se sent *abandonnée* et des Français musulmans qui, chaque jour plus nombreux, ont redonné leur confiance à la France, confiants dans nos promesses réitérées de ne jamais les *abandonner.*

« L'armée française, d'une façon unanime, sentirait comme un outrage l'*abandon* de ce patrimoine national. On ne saurait préjuger sa réaction de désespoir. »

Les généraux vont plus loin puisqu'ils prient le général Ely de « vouloir bien appeler l'attention du Président de la République sur notre angoisse, que seul un gouvernement fermement décidé à maintenir notre drapeau en Algérie peut effacer ». Ce télégramme marque l'entrée officielle de l'armée dans la politique.

Comment s'en étonner alors que le pouvoir a plus d'une fois cédé devant elle depuis deux ans, que la France est sans gouvernement depuis près d'un mois et que depuis un peu moins d'un an, à la suite de trois crises, le pouvoir a été vacant pendant quatre-vingt-cinq jours — un sur quatre !

Cependant à cette heure l'armée ou ceux qui parlent en son nom ne veulent pas renverser le régime qu'ils ont le devoir de servir. Ils désirent seulement, ils exigent l'instauration d'un gouvernement d'union nationale ou de salut public à l'image de celui que MM. Duchet, Debré, Soustelle, Morice et Bidault avaient réclamé le 2 mars, bref un gouvernement qui entre dans leurs vues, et n'y va pas, si l'on peut dire, à reculons comme ceux qui se sont succédé depuis 1956.

M. Pflimlin sollicite, le mardi 13 mai, l'investiture de l'Assemblée à 15 heures. Trois heures après, les manifestants occupent avec la complicité des parachutistes l'immeuble du Gouvernement général à Alger. A l'heure où, deux fois suspendu, le débat parlementaire reprend dans la soirée au Palais-Bourbon, la constitution d'un comité de salut public civil et militaire est annoncée à la foule assemblée sur le Forum. Dans la nuit, tandis que les généraux s'interrogent et s'inquiètent et que le général Salan reçoit délégation du pouvoir de M. Gaillard qui en a référé à M. Pflimlin, ce dernier obtient l'investiture de l'Assemblée. Deux pouvoirs s'instaurent : le pouvoir légal à Paris et le pouvoir militaire à Alger. Un troisième, le pouvoir moral, celui du général de Gaulle, est encore à Colombey.

De longue date une poignée de gaullistes n'a vécu que dans l'espérance de son retour au pouvoir ; ils étaient moins nombreux encore à n'avoir aucune part « aux jeux et aux délices » du système et au premier rang de ceux-là se trouvait M. Michel Debré, le seul qui, à chaque crise, se bornait à répéter avec l'obstination rituelle d'un fidèle, ou même d'un dévot : « Il n'y a pas d'autre homme que le général de Gaulle. »

Pour que le général revînt au pouvoir dans la légalité, il fallait deux conditions : une grande peur qui forcerait la décision du Parlement et, compte tenu de sa composition, un ralliement difficile, celui de la S.F.I.O. M. Chaban-Delmas l'avait bien compris et non moins espéré depuis 1956 qui s'était mis en tête de rapprocher un jour le général de Gaulle et M. Guy Mollet.

Il est certain que pour réussir l'entreprise il fallait beaucoup d'autorité, et l'exil de Colombey l'avait rendue au général, et beaucoup de ruse et ceux qui l'ont servi en ces journées de mai étaient à bonne école. Quelques mots de lui-même au bon moment, quelques gestes d'eux au juste endroit ont suffi à orienter les événements.

Le 13 mai n'avait été qu'un grand chahut dans la chaleur d'Alger. Plus décisifs ont été le 15, le 17 et le 27. Le 15, le général se déclare prêt à assumer « les pouvoirs de la République ». Si les généraux balançaient encore entre l'obéissance et la sécession, cette simple phrase qui alarme tant Paris rassure définitivement Alger. C'est d'ailleurs le même jour que, jouant les souffleurs, M. Delbecque fait crier « vive de Gaulle ! » au général Salan.

Le 17, M. Jacques Soustelle arrive enfin à Alger, fort mal reçu par le général Salan qui, souhaitant encore ne pas avoir à choisir entre son avenir et son devoir, presse M. Pflimlin de donner sa démission pour faire place peut-être à de Gaulle mais en tout cas au gouvernement de Salut Public. Mais, pour forcer la main tant d'Alger que de Paris qui hésitent, le général de Gaulle conçoit dès le 18 et va secrètement télécommander le ralliement de la Corse. « L'ordre » arrive à Alger le 21 ; l'opération a lieu le 24 [1]. La menace des parachutistes contre la métropole prend corps, la capitale commence à y croire...

Dans le même temps le général de Gaulle sait que M. Pflimlin et M. Guy Mollet se sont ralliés au fond d'eux-mêmes à son retour au pouvoir. Il le sait alors que le président du Conseil et son

1. Cf. Déposition de l'un des acteurs, M. Pascal Arrighi, au procès Salan (audience du 20 mai 1962).

ministre l'ignorent l'un et l'autre. Un seul homme tient entre ses mains tous les éléments d'appréciation et tous les facteurs de la décision, toutes les clefs : le général de Gaulle.

Le 27, il déclare « avoir entamé le processus régulier nécessaire à l'établissement d'un gouvernement républicain » et il ajoute : « dans ces conditions toute action de quelque côté qu'elle vienne qui met en cause l'ordre public risque d'avoir de graves conséquences. Tout en faisant la part des circonstances, je ne saurais l'approuver ». Le même jour, il aurait reçu à Colombey deux émissaires du général Salan et les aurait conseillés sur les parachutages à effectuer, le cas échéant, sur Paris [1]. Ainsi mène-t-il de front sans qu'il y semble le moins du monde et les manœuvres militaires d'Alger et les manœuvres politiques à Paris.

Le communiqué, connu à la fin de la matinée du 27, est pour cause un chef-d'œuvre d'action. Que le général ait entamé un « processus » (il ne dit pas procédure), cela n'est pas douteux et remonte même au 8 mai, date à laquelle il a posé ses conditions à M. René Coty. Chaque mot, chaque geste est un pas vers le pouvoir. Que ce processus soit « régulier » cela se discute davantage puisqu'il n'a été ni appelé ni pressenti par le Président de la République, mais il est en contact, indirect mais suivi, avec M. Guy Mollet dont il a reçu une lettre le 26 et avec M. Pflimlin qu'il a rencontré la nuit précédente à Saint-Cloud.

1. J. Isorni, *Lui qui les juge*, p. 93.

Le gouvernement qu'il veut établir sera « républicain » et cela signifie que le général ne viendra pas au pouvoir « sur le pavois des parachutistes ». Car s'il se refuse à condamner la « sédition » malgré les exhortations de MM. Guy Mollet et Vincent Auriol et malgré l'insistance de M. Pflimlin — et comment le pourrait-il puisqu'il l'a couverte —, il entend « sauver la République ».
En attendant il désapprouve toute action contre l'ordre public, de « quelque côté qu'elle vienne », et comme il exhorte aussitôt après l'armée d'Algérie à la discipline, il authentifie en même temps qu'il agite la menace qui vient de l'autre côté de la Méditerranée. Ce conseil impératif est d'ailleurs accompagné d'un ordre secret qui ne l'est pas moins. Mieux, le général se comporte déjà comme s'il était le chef des armées. « J'attends, écrit-il, des forces terrestres, navales et aériennes qu'elles restent exemplaires sous les ordres de leurs chefs. »

Ce communiqué dit tout et il est compris de tous — sauf des socialistes. L'opération « Résurrection » qui, à partir d'Alger et des garnisons du Sud-Ouest, doit amener les paras à Paris est décommandée dans l'après-midi du 27. Dans la soirée, le gouvernement donne sa démission alors qu'il vient d'avoir 408 voix contre 165. « Nous ne créerons pas la vacance du pouvoir » venait pourtant de lancer avec un accent de grande fermeté M. Pflimlin. Une voix vite couverte par les clameurs indignées de la majorité lui avait alors infligé du « Tartufe ». Mais cette petite phrase n'était ni de bravoure ni d'hypocrisie. Elle signifiait seulement que la crise ne serait pas ouverte si le président du Conseil n'était sûr qu'elle pût être résolue. Or, il l'était.

Seuls les socialistes ne l'avaient pas compris. Le communiqué fait sur eux l'effet d'une charge de taureau sur un drapeau rouge. Cent douze parlementaires contre trois proclament dans l'après-midi du 27 « qu'ils ne se rallieront en aucun cas à la candidature du général de Gaulle qui, dans la forme même où elle est proposée et les considérants qui l'accompagnent est et *restera* un défi à la légalité républicaine ».

Quatre jours après, quarante-deux députés socialistes voteront l'investiture du général de Gaulle.

Car dans la mesure même où elle est absolue cette opposition procure le moyen de la fléchir. Le général de Gaulle n'a répondu que le 28 à la lettre que M. Vincent Auriol lui a envoyée le 26. « Je me heurte du côté de la représentation nationale à une opposition déterminée. Comme je ne saurais consentir à recevoir le pouvoir d'une autre source que le peuple ou tout au moins ses représentants, je crains que nous n'allions à l'anarchie et à la guerre civile.

« Dans ce cas, ceux qui, par un sectarisme qui m'est incompréhensible, m'auront empêché de tirer encore une fois la République d'affaire quand il en était encore temps porteront une lourde responsabilité. Quant à moi je n'aurais plus — jusqu'à la mort — qu'à rester dans mon chagrin. »

Ce beau texte produit l'effet d'une illumination sur la moitié du groupe socialiste dont le chemin de Damas conduit le général de Gaulle au Palais-Bourbon.

Car il est revenu sur la procédure qu'il avait exigée le 8 mai ; il condescend à recevoir les représentants des partis, non pas individuellement, mais tous ensemble ; il accepte de lire lui-même sa déclaration ministérielle, mais non d'assister au débat d'investiture. Bref, il fait ce qu'il peut sans déchoir pour aider les autres à mourir.

La IVe République pouvait-elle échapper à son destin, qui, les hommes et les circonstances étant autres, n'est guère différent de celui de la IIIe. Au moins sa fin n'a-t-elle pas été sans dignité, à défaut de grandeur. A aucun moment la représentation légale du pays n'a montré les signes de cette panique qu'on lui a prêtée. Elle avait depuis trop longtemps abdiqué en son for intérieur pour ne pas s'attendre au sort qui fut le sien. Elle était dans cet état d'indifférence à elle-même qui est en deçà ou au-delà de la crainte. Elle se savait condamnée.

En trente-cinq ans, le pays a par trois fois envoyé une majorité de gauche au Palais-Bourbon : 1924, 1936, 1956. Or, la Chambre du cartel des gauches a fini dans les formes les plus légales par Poincaré, celle du Front populaire par Pétain et celle du Front républicain par de Gaulle. Dans les trois cas il a suffi de deux ans pour que la coalition constituée dans l'opposition se défasse et s'effondre alors qu'elle détient le pouvoir que lui a confié le pays et pour qu'un homme prenne les traits d'un sauveur aux yeux de ce même pays, une large part de la gauche comprise. Ce phénomène est trop constant depuis la première guerre mondiale pour ne pas traduire une faiblesse chronique de la gauche classique et une force profonde de ses adversaires.

La IVe République est morte de cette maladie à partir de 1956 après avoir été minée par les conflits d'outre-mer depuis 1954. Est-ce parce que l'argent et l'armée, ces deux adversaires de la gauche traditionnelle, s'y trouvent alliés non par affinité mais par force ? Est-ce en raison de l'inaptitude de la gauche contemporaine à affronter les vrais et grands problèmes et de sa facilité à les simplifier à l'excès ? Elle s'insurge devant le gros colon et s'incline devant le petit, pourtant plus colonialiste que le gros.

La faiblesse organique doctrinale de la gauche, quelles qu'en soient les frontières, explique à elle seule l'échec politique des partis de gauche. Mais celui du Front républicain serait incompréhensible si l'on voulait ignorer la part prise dans la politique française par le groupe de pression algérien de 1954 à 1958 ; il a joué et gagné tant au sein du parti radical qu'au sein du Parlement. Mais lorsqu'il a craint de perdre à l'intérieur du régime, il n'a pas hésité à se manifester contre lui, toujours dans la presse et souvent dans la rue. De 1956 à 1958, il y a eu plus d'un 13 mai. Tous ont réussi à infléchir la politique des gouvernements et à broyer leur volonté. Si le dernier a réussi à renverser le régime, c'est que les buts du lobby algérien ont coïncidé avec ceux d'un clan militaire et que l'un et l'autre ont servi d'instruments à l'inquiétude populaire en Algérie.

Il n'est en définitive qu'une question, la seule à laquelle l'histoire puisse encore difficilement répondre. La volonté des hommes est rarement assez forte pour contrarier la logique ou détraquer la mécanique des événements et l'on peut se demander si la IVe République était condamnée ou non à finir le 13 mai ou 1er juin. Et de cette façon-là.

Les trois pouvoirs en jeu — légal, moral et militaire — étaient-ils vraiment destinés à s'entendre puis à se confondre et les trois hommes en cause, M. Pflimlin, le général de Gaulle et le général Salan, ne se sont-ils pas trouvés, fût-ce pendant quelques minutes, sur une arête, et de leur choix n'a-t-il pas dépendu que le sort change de versant ?

Si M. Pflimlin n'avait pas été investi ou s'était démis dans la nuit du 13 au 14 mai, l'Assemblée n'aurait-elle pas fait confiance à ce « ministère de salut public » qui était le rêve des « quatre » de l'Algérie française et des chefs de l'armée de l'Algérie dont le but n'était pas à ce moment-là de mettre fin aux jours de la IVe ? C'est possible, non certain. M. Soustelle, M. Bidault, M. Duchet ou M. Morice aurait-il jamais eu l'appui indispensable de M. Guy Mollet, maître de la S.F.I.O. qui était maîtresse de l'Assemblée ? Avec ou sans l'entêtement de M. Pflimlin, le régime ne pouvait éviter l'épreuve de force si Alger ne capitulait pas.

Si le général Salan ne s'était pas laissé quelque peu suborner par M. Delbecque dans la nuit du 13 au 14 ou s'il avait refoulé M. Soustelle le 17, un compromis n'aurait-il pu intervenir avec Paris et le pont étant jeté d'une rive à l'autre de la Méditerranée le général Salan n'aurait-il pas, comme il l'avait dit, « remonté les Champs-Elysées » sous les acclamations de la foule et le regard présidentiel de M. Coty ? C'est possible, non certain ; les agents gaullistes, peu nombreux mais omniprésents — Delbecque, Neuwirth, Frey — et les rares mais très fidèles généraux gaullistes — Ely, Petit et Massu — auraient accompli leur mission jusqu'au bout qui était de canaliser le torrent pour faire tourner la roue des événements vers de Gaulle.

Si enfin le général de Gaulle s'était obstiné à ne pas vouloir venir à l'Assemblée ou si celle-ci lui avait refusé son investiture, les apprentis sorciers qui avaient inventé l'opération « Résurrection » pour faire peur au Parlement l'auraient-ils lancée alors qu'ils ne pouvaient plus compter sur le général de Gaulle ? C'est possible non certain ; car le risque eût été total et la couverture nulle alors qu'avec le général le risque était d'autant moindre que tout porte à croire que loin d'être victime de l'opération « Intoxication » il en a été à la fois l'auteur, la caution et le bénéficiaire. Mais si de Gaulle n'avait pas été investi, Paris aurait pu ne pas l'être. Le régime aurait alors trouvé en lui-même l'ultime et provisoire ressource de l'Union nationale jusqu'à la crise suivante et l'épreuve de force finale.

Car il est vrai, comme l'a écrit M. Michel Debré, que « s'il n'y avait pas eu le 13 mai, il y aurait eu un 14 juin, un 15 juillet, ou un 16 août ».

Mais il y a eu le 13 mai et c'est ainsi que le 1ᵉʳ juin 1958 celui qui, pour le *Journal officiel,* est M. Charles de Gaulle, président du Conseil désigné, a l'investiture de l'Assemblée par 329 voix contre 224 (dont 147 communistes et progressistes, 49 socialistes et 18 radicaux).

Un communiste crie « Vive la République ! » Personne ne crie « Vive de Gaulle [1] ! »

1. Depuis la publication de la première édition de ce livre, il est paru de nombreux ouvrages sur des hommes, des ministres ou des problèmes de la IVe République. On en trouvera une bibliographie dans *La Vie politique en France depuis 1940,* de Jacques Chapsal, P.U.F. (1966).

On se bornera ici à signaler :

— Alfred GROSSER, *La IVe République et sa politique extérieure,* Armand Colin (1961).

— Georgette ELGEY, *La République des illusions,* Fayard (1965).

— Joseph BARSALOU, *La mal-aimée, histoire de la IVe République,* Plon (1964).

— Jacques JULLIARD, *La IVe République,* Calmann-Lévy (1968).

— Jean FERNIOT, *De Gaulle et le 13 mai,* Plon (1964).

— Pierre ROUANET, *Mendès-France au pouvoir 1954-1955,* Robert Laffont (1964).

— Robert BURON, *La dernière année de la IVe République, Carnets politiques,* Plon (1968).

CHAPITRE VI

LES IDÉES ET LA QUATRIÈME

UN chapitre sur les idées proprement politiques de la IVe République serait vite écrit. Une page blanche suffirait si d'autres formes de la pensée n'avaient laissé quelques lignes, tracé quelques sillons.

Dans aucun parti il n'y a eu vraiment de débat d'idées tout au long de ces douze ou quinze années et, lorsqu'il s'en est produit un, il est demeuré sans suite et sans effet. Les dissidences et les diatribes d'André Marty ou d'Auguste Lecœur, les démêlés doctrinaux de Pierre Hervé n'ont modifié en rien la ligne politique du parti communiste ni intéressé le moins du monde sa clientèle traditionnelle, l'une et l'autre ancrées sur de solides citations tirées des œuvres anciennes de Lénine, de Staline ou de M. Maurice Thorez. Pas davantage les analyses consciencieuses de Léon Blum, Jules Moch ou André Philip n'ont infléchi la politique de la S.F.I.O. Leurs conclusions sont restées lettre morte. Leurs auteurs ont payé leur audace d'un rappel à l'ordre. On représenta à Léon Blum qu'il n'avait pas à distinguer le matérialisme historique et le matérialisme dialectique ; on écarta du comité directeur M. Jules Moch, coupable d'avoir compris que le monde avait changé depuis Marx, et on exclut André Philip. Enfin le parti radical a évacué le mendésisme qui n'était pourtant qu'une méthode vide d'idéologie, qu'une approche des problèmes, tout au plus qu'une morale politique.

Aussi indigente a été la presse politique, aussi inefficace la littérature engagée. Les variations de Sartre, l'humanisme de Camus ou les négations de Merleau-Ponty ont pu fournir un aliment à la réflexion du moment, non à l'action profonde et continue sur la pensée, moins encore sur l'opinion. « Ni l'existentialisme ni le neutralisme ne sont parvenus à constituer une force politique [1] ». La polémique elle-même serait morte s'il n'y avait eu François Mauriac. Lorsqu'on recherche les causes de l'échec de la gauche, sans doute conviendrait-il d'abord de reconnaître sa pauvreté idéologique. Les communistes professent qu'il n'y a pas d'action révolutionnaire sans théorie révolutionnaire, et si la sclérose ne les a pas épargnés eux non plus, comment s'étonner qu'elle ait atteint toutes les formes du socialisme.

Alors que la Libération était passée pour la revanche de la gauche et la victoire de la Résistance, la IVe République n'a offert de vie intellectuelle, d'imagination créatrice que dans les cantons de l'opinion ou de l'activité nationale qui avaient été honorés sous Vichy : le conservatisme libéral, la technocratie, le patronat, l'Eglise. Là encore la IVe a continué plus que contredit la IIIe. Car la pauvreté idéologique des années cinquante

1. *Les Idées politiques*, par Jean Touchard (P.U.F.).

frappe surtout parce qu'elle contraste avec l'abondance d'écrits ou d'initiatives des années trente. Tout ce qui ne participait pas de la gauche officielle n'avait pas, avant guerre, à se bercer de succès électoraux et de mythes garantis. Ce n'était pas seulement le cas de la droite qui, sans l'aventure vichyste, se fût à coup sûr renouvelée dans ses chefs et ses idéaux. C'était aussi le lot de ceux qui, refusant les catégories et analyses classiques, s'efforçaient de dégager de nouvelles formes de pensée et d'action. Aux uns et aux autres il a été beaucoup emprunté après guerre.

Ce que la démocratie chrétienne a conservé de vie, elle le doit à des hommes ou des œuvres d'avant 39 : Marc Sangnier, Jacques Maritain ou Emmanuel Mounier. Mais surtout la nouvelle génération de l'Action catholique et l'effervescence de la pensée catholique française [1] doivent beaucoup au travail d'aînés moins connus et moins compris. La IVe a réservé à leur famille d'esprit un climat plus favorable et un accueil plus ouvert que sous la IIIe. Elle leur a donné droit de cité.

Des courants d'avant guerre, par-dessous la collaboration ou la Résistance, les nouvelles droites sont issues également, soit qu'elles rejettent la démocratie, soit qu'elles cherchent à l'adapter aux conditions et aux rythmes d'un monde en marche. La réflexion politique est paradoxalement moins

1. Si les R.P. Chenu, Congar et Dubarle qui l'illustrent sont d'après guerre, le cardinal Suhard qui rénove l'apostolat et le R.P. Teilhard de Chardin qui bouleverse la philosophie sont de la génération précédente. Tous par surcroît effraient les orthodoxes de Rome et de Paris.

archaïque sur ce versant-là que sur l'autre. Mais des deux côtés elle a fui, sauf une exception le soir et une autre le matin, les écrits quotidiens pour se réfugier dans les hebdomadaires. C'est dans ces derniers et dans *Le Monde* que le chroniqueur et l'historien peuvent encore déceler les soubresauts de la presse d'opinion sous la IVe. Enfin le gaullisme lui-même appartient à une veine qui remonte aussi avant le 18 juin 1940 et où coule à la fois, fluide, le néo-libéralisme, et plus coagulant, l'esprit technocratique.

Princes du libéralisme intelligent — et industriel — MM. Bertrand de Jouvenel et Raymond Aron sont néanmoins inclassables, l'un plus abstrait, l'autre plus éclairant, leur point commun étant d'avoir compris leur temps et combattu les mythes. Rejoignant des esprits comme Jean Fourastié, Alfred Sauvy ou Charles Morazé, ils ont saisi qu'avant de prétendre agir sur les destinées d'un pays, il convenait de se livrer à une froide et lucide analyse de son corps de chair et d'acier. Ils ont contribué à faire de la Quatrième cette République productiviste que n'avait pas été la IIIe.

En quinze ans, dans un monde bouleversé, puis apaisé, dans un pays disponible, puis indifférent, ni la fièvre ni la réflexion n'ont cependant permis l'éclosion d'une école de pensée ou d'une idée force.

Seule l'idée *européenne,* d'une Europe non seulement unie mais intégrée, d'une super-nation européenne au-dessus des nations a représenté une idée force ou même un mythe pour certains cercles politiques ou professionnels. Mais outre qu'elle était par définition moins nationale que supranationale, elle n'a pas atteint les couches profondes de l'opinion. Elle n'a même pas réussi à rassembler les hommes et les partis dont l'idéal « européen » commun n'a pas réussi à effacer les divisions politiques traditionnelles. Religion d'initiés dont le culte a été jalousement entretenu par les états-majors, la doctrine européenne a été peu conquérante. Elle a souffert finalement de l'immobilisme des institutions européennes.

Désertant le terrain des idéologies, le dynamisme intellectuel s'est-il au moins dépensé dans le domaine des lettres, des arts et des techniques sous la IVe République ?

La littérature, l'art et la musique sont étrangers au régime, mais non à l'époque. A tout le moins le pouvoir s'est désintéressé de cette remise en cause de toutes les valeurs qui a marqué l'après-guerre. Le désarroi intellectuel qui en résulte s'est traduit aussi bien par un excès d'abstraction dans l'art qui réimporte ses formes d'outre-atlantique que par un excès de réalisme dans le roman qui tombe doublement victime du cinéma car bien des esprits créateurs qui auraient enrichi la littérature se mettent au service du septième art alors que celui-ci impose son style visuel et « vécu » aux romanciers.

La littérature, l'art comme la musique, se caractérisent plus par la profusion que par la qualité des œuvres. La mode fait et défait les romanciers comme les peintres et « les compositeurs dont l'ambition n'est pas de plaire aux joies les plus quotidiennes du public, ce sont des idéalistes, donc à notre époque des déments », constate Honegger [1].

Comme en réaction contre la socialisation de l'existence, l'individualisme impose sa fantaisie, sa complexité. Les romans se comptent par centaines et il n'est guère d'écrivain qui, tôt ou tard, ne s'essaie à l'essai. Il s'engage. Mais il est seul. Beaucoup d'analyses et pas de synthèses. Beaucoup d'individus et pas d'écoles. Telle est bien la marque de l'après-guerre qui connaît aussi « l'entrain et sans doute la précipitation d'une foule de jeunes artistes [2] ».

L'Etat limite son intervention à la distribution de maigres ressources. Son influence s'arrête là et le ministère de l'Education nationale reste d'abord celui de l'Instruction publique [3]. Le niveau culturel s'est peu élevé bien que l'horizon de la masse se soit élargi. La décentralisation artistique a d'abord échoué faute d'un financement suffisant, puis l'effort a été repris avec plus de succès à partir de 1954.

Faut-il enfin faire une place à part à l'architecture ? La France a été un vaste chantier sous la IVe. La reconstruction a donné des moyens importants qui avaient fait défaut avant guerre. Mais pour un Le Corbusier si peu suivi et un

1. Cité par J. Combarie et R. Dumesnil, *Histoire de la musique,* (Colin).
2. André Chastel.
3. La part des arts et des lettres qui représentait (en 1950) 0,17 % du budget général était en 1954 inférieure à 0,10 %, c'est-à-dire que lorsqu'il dépense 1 000 francs, l'Etat ne consacre même pas un franc à la musique, au théâtre, aux arts plastiques, à l'enseignement artistique, à ses musées et à ses manufactures » (Jeanne Laurent, *La République et les Beaux-arts* (Julliard, 1955).

Perret si contesté, le classicisme l'a emporté ; les hardiesses n'appasaissent qu'au point de rencontre de l'architecture et de la technique : les travaux d'art, les usines, enfin le « Centre national des Industries et des Techniques » au Rond-Point de la Défense qui, par une dernière ironie du sort, aurait pu être le couronnement de la IVe et parut au contraire marquer l'avènement de la Ve.

C'est finalement dans l'ordre économique et technique que le bilan du régime est le moins contestable. Non seulement en raison des résultats acquis, des réalisations accomplies, des records battus, mais des moyens matériels et intellectuels mis au service du pays. La IVe République a su, à force d'imagination et d'obstination, tourner le dos à la stagnation économique, à l'insuffisance technique et au déclin démographique, bref au malthusianisme. Elle a d'abord aidé au développement d'un état d'esprit favorable à une notion qui paraît simple tant elle est devenue familière mais qui n'est pas si facilement entrée dans la tête de tous les parlementaires et de tous les producteurs : celle d'investissements. Si les dirigeants des grandes entreprises publiques et privées comme ceux des grands partis d'après la Libération s'y sont ralliés sans difficulté, il a fallu convaincre et même vaincre tous ceux qui, dans la politique ou le patronat, s'obstinaient à voir et à penser petit. La reconstitution et la modernisation des transports et des industries de base, puis le développement continu de la production et plus encore de la productivité sont à l'actif du régime parce qu'en dépit de l'instabilité ministérielle, il s'est trouvé dans les gouvernements, les partis, les administrations, les bureaux de recherches ou d'études et les organisations patronales, des hommes voyant loin et grand. Pour ne parler que de la métropole, leurs efforts et leurs succès sont inscrits dans les chiffres et portent des noms qui sonnent un peu comme ceux de victoires effaçant bien des défaites : Lacq, Donzère, Carling, Marcoule, Flins...

Une mentalité nouvelle tournée vers l'avenir a été créée qui s'est répandue dans toute l'industrie et plus tardivement dans l'agriculture et, enfin, dans l'enseignement. Elle a progressivement transformé l'état d'esprit de tous ceux qui participent activement au progrès de la nation et jusqu'à celui du milieu ouvrier. Une sorte de fierté pour l'œuvre accomplie ou projetée anime tous ceux qui concourent à la production tandis qu'une différenciation croissante entre les activités économiques diversifie l'action syndicale, substitue dans une certaine mesure l'esprit d'entreprise à l'esprit de classe.

S'agissant d'une République, il est, certes, convenu d'attribuer le passif au régime et l'actif à la France. Ce sont, dit-on, les ministres qui perdent les guerres et les militaires qui les gagnent, les politiciens qui ruinent l'économie et les producteurs qui la redressent. Lorsqu'elle réussit à se mettre d'accord avec elle-même, l'Histoire établit assez vite un partage plus équitable des responsabilités. En attendant qu'elle juge définitivement la IVe République, il est permis pour sa défense de conclure que si, tantôt par inertie, tantôt par précipitation, elle a compromis bien des chances outre-mer, elle les a laissées intactes en métropole ; mieux, après avoir rattrapé les retards de l'entre-deux-guerres et réparé les ruines de la dernière, elle a remis en marche le pays au rythme d'un grand pays du xxe siècle.

Septembre 1958-septembre 1959.

ANNEXE I

La lettre de démission de M. Mendès-France ministre de l'Economie nationale [1]

M. Mendès-France rappelle qu'à Alger et depuis la Libération, le gouvernement avait approuvé « après de longs et rudes débats » ses propositions qui s'attaquaient « à la pléthore monétaire ». L'augmentation des salaires décidée en septembre et octobre ayant été plus élevée qu'il était prévu, il était nécessaire de rendre « plus sévères encore les mesures de contraction monétaire ». Or, deux mesures seulement ont été prises pour réduire la circulation monétaire : l'emprunt et la confiscation des produits illicites. La première n'a été qu'un « succès de prestige » et la seconde aurait dû être précédée « d'un recensement des avoirs immobiliers ».

1. Envoyée le 18 janvier 1945, cette lettre avait été reprise à la demande du général de Gaulle. Mais elle avait été confirmée lorsque le ministre avait donné une démission cette fois défintive le 6 avril 1945.

Le ministre de l'Economie nationale ne critique pas seulement les modalités inapplicables et inopérantes » des mesures prévues par son collègue des Finances, et notamment l'absence de blocage « sauf dans une mesure insignifiante ». Sa critique « touche le principe même et le but de toute la politique monétaire » ; il ajoute :

« Le pays reconnaîtra les errements, hélas ! trop longtemps pratiqués, qui ont caractérisé dans le passé la politique dite de la confiance. Après l'emprunt, on nous a proposé : la réévaluation du stock d'or de la Banque de France ; on nous a saisis d'un budget dont les dépenses sont trois fois et demie plus élevées que les recettes, sans qu'aucun effort de compression, de classification des urgences ait été opéré ; on annonce l'amnistie pour ceux qui déclareront, avec quelque retard, leurs avoirs à l'étranger ; on nous fait prévoir l'emprunt à jet continu ; il ne manque même pas les douzièmes provisoires à cette série bien connue d'un pays qui réclame du « neuf ». Tout cela a été fait et refait vingt fois dans les années d'avant-guerre avec les résultats que l'on connaît. Le manque de courage et d'imagination dans les finances publiques a été, tout autant que les erreurs dans les doctrines militaires, une cause essentielle de la défaite de 1940.

« Politique de confiance, c'est-à-dire politique de facilité ; cette facilité porte un nom qui est l'inflation, l'inflation sans contrepartie ni contre-mesure.

« Seule l'inflation permet à la fois de satisfaire les demandes d'augmentation de salaires, d'accorder des accroissements de tarifs ou de prix (au marché officiel ou au marché noir) et, même des dégrèvements fiscaux (car il en figure de substantiels dans la dernière loi des finances), le tout sans inquiéter sérieusement ceux qui ont accumulé des avoirs considérables et cachés, et sur qui l'on compte au fond pour souscrire aux futurs emprunts ; en même temps, l'inflation gorge les spéculateurs d'une hausse constante et assurée, enrichit automatiquement (je sais bien que l'on n'entend pas les favoriser ; je crois même que l'on veut sincèrement les traquer) ; mais ne voit-on pas qu'ils sont les seuls bénéficiaires et les principaux soutiens de la politique de faiblesse à laquelle on reste malheureusement attaché...

« Or, j'y reviens, distribuer de l'argent à tout le monde sans *en reprendre à personne, c'est entretenir un mirage,* un mirage qui autorise chacun à croire qu'il va vivre aussi bien, et faire autant de bénéfices qu'avant la guerre ; alors que les dévastations, les spoliations, l'usure du matériel et des hommes ont fait de la France un pays pauvre, alors que la production nationale est tombée à la moitié du niveau d'avant-guerre.

« C'est la solution commode immédiatement. Il est plus facile de consentir des satisfactions *nominales* que d'accorder des satisfactions *réelles,* plus facile de profiter de l'illusion des gens qui réclament des billets, dans le vain espoir d'accéder, eux aussi, au marché noir, et de s'y procurer du beurre avec leur surcroît de papier-monnaie. Mais, plus on accorde de satisfactions nominales, moins on peut donner de satisfactions réelles. Car plus on fait fleurir le marché noir par l'inflation, plus on y fait monter les prix et plus se dérobe le mirage d'un « marché noir pour tous », plus on augmente l'écart entre prix illicites et prix taxés et moins il vient de produits sur le marché régulier, plus se confirme le privilège des riches et se détériore la condition des pauvres.

« Combien de temps ce jeu peut-il durer et où mène-t-il ? Faut-il rappeler qu'aucun des pays belligérants — ni l'Allemagne, ni l'U.R.S.S., ni l'Angleterre, ni les Etats-Unis [1] — n'a cru possible de faire la guerre en pratiquant une telle politique ? Tous, quel que soit leur régime politique ou social, ont pris une voie diamétralement opposée. Avons-nous la prétention de penser que la France, seule, pourrait faire exception ?

1. J'oubliais la Chine.

★

« Ne croyez pas, mon Général, que je pousse le tableau au noir. Il n'est que d'ouvrir les yeux pour voir se développer le processus inflationniste auquel tant de pays ont succombé après l'autre guerre. Déjà la sensation d'insécurité monétaire provoque partout de nouvelles demandes de hausse de traitements et de salaires. Le gouvernement vient de réaliser une seconde augmentation des traitements qui a aussitôt déclenché une vague de hausse de salaires... toujours sans aucune contre-partie dans l'approvisionnement du marché. Il a adopté sans qu'une urgence la justifiât une hausse des tarifs de la S.N.C.F. Il a fallu toute mon insistance pour qu'on limitât le relèvement du prix des abonnements ouvriers ; mais déjà voici qu'on nous annonce la hausse des tarifs du métropolitain, voici qu'on demande l'augmentation du prix du gaz et de l'électricité.

« Il serait vain de croire que le niveau des prix supportera une pareille pression. L'équilibre est d'ores et déjà rompu. Les fonctions que vous m'avez confiées me mettent en rapport quotidien avec les milieux de producteurs. Je connais la limite à partir de laquelle ils s'abandonneront a la démoralisation et aux tentations du marché noir et cette limite est atteinte, sinon dépassée. Aussi les prix agricoles comme les prix industriels devront-ils être revisés sans retard. Mais la seule annonce de ces hausses stimule de nouveau les réclamations des salariés, des retraités, des pensionnés. La course sans fin ne peut être stoppée que si le gouvernement, par des décisions courageuses et qui frappent l'opinion, témoigne enfin de sa volonté de briser le circuit inflationniste...

« J'ai peur, mon Général, que par un souci très compréhensible d'arbitrage, vous n'incliniez à faciliter, ou tout au moins à admettre les compromis. Mais il est des matières où *la demi-mesure est une contre-mesure ;* qui ne le sait mieux que vous ?

« J'éprouve, quant à moi, un sentiment de tristesse et d'anxiété, lorsque je n'arrive pas à faire comprendre que les moyens de l'assainissement indispensable au salut du pays ne sont pas ceux qu'on peut diluer et dont on peut à la fois et prendre et laisser.

« Me plaçant ici sur le seul plan technique, j'ai la conviction que les mesures monétaires et financières que je préconise constituent un minimum, sans quoi l'inflation ne recevra pas le coup d'arrêt qui s'impose pour que nous ne soyons pas emportés très vite dans le vertige de sa course accélérée.

« Ce coup d'arrêt est indispensable parce nous sommes déjà dans la phase où les intervalles entre chaque demande d'augmentation ou de hausse se rapprochent dangereusement parce qu'il commence déjà d'exister dans la classe ouvrière, chez les paysans, chez les industriels une sorte de fatalisme de l'inflation — j'entends par là, un consentement donné d'avance à la chute indéfinie de la monnaie, consentement qui, en poussant chacun à anticiper sur la dépréciation dans ses actes et ses calculs quotidiens comme dans ses revendications, précipite effectivement cette chute.

« Nous sommes engagés dans la spirale ; la différence entre mes contradicteurs et moi, c'est que, consciemment ou non, ils escomptent l'équilibre réalisé en hausse plus ou moins automatiquement sans intervention, c'est-à-dire un miracle. Malheureusement, il n'existe dans le passé aucun précédent connu d'un miracle de ce genre. Il faut bien le dire tout net : le choix est entre le coup d'arrêt volontairement donné et l'acceptation de dévaluation indéfinie du franc. »

MENDÈS-FRANCE.

ANNEXE II

La lettre de M. Edgar Faure
au président Vincent Auriol
après la déposition du sultan en 1953.

Paris, le 26 août 1953.

Monsieur le Président,

Je considère comme un devoir de conscience et de fonction de m'adresser à vous en vos qualités de Président de la République et de Président de l'Union Française, représentant la permanence de nos institutions et assurant ainsi un élément de continuité à l'action des différents gouvernements dont vous présidez les débats. L'objet de la présente communication est de confirmer de la façon la plus expresse et la plus solennelle qui me paraisse compatible avec les exigences de la conjoncture présente et avec la règle de la solidarité gouvernementale, les graves préoccupations et les réserves complètes que m'inspirent les récentes décisions concernant la situation du Maroc.

J'estime en premier lieu, que la déposition du Sultan constitue une lourde erreur dont les conséquences ne pourront être pleinement pesées qu'après certains délais. Le principe de la légitimité représenté par le Sultan actuellement déchu, était sans doute des plus ténus ; il existait cependant et il n'était ni conforme à notre intérêt ni sans doute pleinement conforme à notre position internationale de le rompre de nos propres mains.

Si l'attitude de ce souverain a pu paraître en certaines circonstances contraire aux intérêts français, il faut cependant observer que, par ses fluctuations mêmes, cette attitude ne le faisait pas apparaître comme un ennemi irréductible, ni même comme une autorité avec laquelle toute collaboration fût impossible.

Le préjugé favorable qu'il avait accordé aux mouvements nationalistes, si regrettables qu'en eussent été certaines manifestations, avait cependant comme résultat de lui conserver un certain crédit auprès des catégories de la population marocaine que ces mouvements s'efforcent de travailler.

Je pense qu'une politique plus habile et plus constante eût dû nous permettre de nous assurer de la part de ce souverain, un concours raisonné et, par cette voie, d'obtenir que la présence française, dans le cadre d'un ensemble de réformes, obtienne l'adhésion de certains éléments que nos décisions les plus récentes risquent de nous faire perdre sans retour.

On peut considérer en effet, d'une façon simplifiée, que la population du Maroc, se répartit en trois masses principales, d'importance inégale, mais dont la valeur qualificative ne se confond pas toujours avec l'effectif numérique ; il y a une partie de la population très arriérée, incapable de se former une opinion quelconque, et qui suit aveuglément les consignes qui lui sont données par ses guides féodaux ; une autre partie de la population, comprenant à la fois des éléments du prolétariat urbain, des intellectuels et des bourgeois, nous est complètement hostile et irréductible. Mais il y a enfin un ensemble d'éléments, également urbains et intellectuels et bourgeois, d'inspiration nationaliste, mais dont les sentiments ne sont pas antifrançais et qui reconnaissent raisonnablement les bienfaits que le Maroc a reçus et peut encore recevoir de la France, auxquels on peut faire comprendre la nécessité d'une collaboration avec nous, et dont la confiance pourrait être conservée ou plus exactement, réacquise, si nous lui donnions la conviction que la France restera fidèle à la mission inscrite dans la Constitution, qu'elle assurera une évolution du Maroc ; qu'elle lui donnera une autonomie plus large ; que principalement elle accordera un plus large emploi aux Marocains évolués soit dans la gestion de leurs affaires soit aussi et surtout dans les cadres de l'Administration et de l'économie.

Si je déplore donc pour des raisons de fond la décision qui a été prise par le Gouvernement à la fin de la semaine dernière je la déplore également de façon très vive en raison des circonstances dans lesquelles cette décision a été prise ou, plus exactement, nous a été imposée. Nul n'ignore que la crise franco-marocaine était ouverte depuis des années et s'aggravait sensiblement depuis plusieurs mois. L'exemple de la Tunisie, après celui de l'Indochine, devait nous faire apercevoir la nécessité d'appliquer à nos relations avec ce pays une conception intelligente, claire et continue, et de faire entrer cette conception dans les faits.

Nous avions la chance de constater que la situation n'était pas aussi grave au Maroc qu'en Tunisie ; que l'ordre public était beaucoup moins troublé ; que l'attitude du souverain, sans être, comme je l'ai dit ci-dessus, parfaitement et constamment agréable à notre endroit, n'était en rien comparable à l'obstination discourtoise du Bey de Tunis.

Or, aucun Conseil des ministres, depuis la formation du Gouvernement, présidé par M. Laniel, n'a été saisi d'une communication de M. le Ministre des Affaires étrangères sur la situation au Maroc. Nous pouvions croire, dans ces conditions, qu'il n'y avait pas une urgence absolue et que le problème serait abordé dès que le Gouvernement serait délivré de ses soucis les plus immédiats.

C'est dans ces conditions, cependant, que plusieurs d'entre nous apprenaient, au début de la semaine du 10 au 17 août, que la campagne entreprise par le pacha de Marrakech faisait prévoir l'éventualité d'un coup de force.

J'avais eu moi-même l'occasion de recevoir le général Guillaume, dans le courant du mois de juillet, qui m'avait fait part de la volonté de certains milieux français d'obtenir la déposition du Sultan. Il m'avait indiqué que ces éléments avaient fait pression sur lui pour qu'il réalise cette opération pendant l'intervalle propice de la crise ministérielle, mais qu'il s'y était refusé. La volonté qu'il avait ainsi manifestée de se comporter en agent discipliné des instructions gouvernementales, le fait qu'il était en vacances, étaient de nature à me faire penser que les appréhensions dont je recevais l'écho étaient excessives et prématurées. Cependant, j'en ai fait part à M. le Président Laniel. M. le Président Laniel m'a reçu le jeudi 13 août dans la soirée, alors qu'il venait justement de recevoir le Résident général. Il m'a indiqué que le Résident général allait regagner son poste après avoir reçu les instructions du Président du Conseil et du ministres des Affaires étrangères.

Ces instructions étaient qu'il n'y avait pas lieu de déposer le Sultan, mais par contre de prévoir les mesures nécessaires pour limiter son autorité dans un sens plus démocratique. Plusieurs jours se passèrent et au début de la semaine suivante, il fut question d'envoyer sur place un membre du Gouvernement qui aurait pu être M. July, secrétaire d'Etat à la Présidence du Conseil. Cependant aucune décision de ce genre ne fut prise et c'est ainsi que s'ouvrit le Conseil des ministres du mercredi 19 août, où les membres du Gouvernement se sont trouvés en présence d'une sorte d'ultimatum.

Aucun d'entre nous, à ce moment, n'a estimé pouvoir contredire la proposition formulée par le ministre des Affaires étrangères et selon laquelle il n'était pas possible de faire ouvrir le feu contre les éléments berbères qui menaçaient d'investir Rabat et dont l'agitation se réclamait de l'attachement à notre pays. Par contre, aucune personne tant soit peu informée des choses du Maroc ne peut supposer que la Résidence générale et l'Administration locale ne pouvaient pas disposer des moyens nécessaires pour éviter cette manifestation de force et pour éluder en conséquence le dilemme dans lequel nous nous sommes trouvés enfermés.

Il fut décidé au cours de ce Conseil des ministres, qu'une nouvelle tentative de conciliation serait reprise par le Résident général, qui allait repartir à cet effet pour le Maroc, muni de toutes dernières instructions gouvernementales.

J'ai fait, ainsi que vous vous en souvenez, une tentative pour obtenir du Gouvernement qu'il envoie sur place le ministre des Affaires étrangères ou un autre de ses membres pour s'assurer d'abord de l'exacte exécution de nos instructions, ensuite pour prendre, s'il le fallait, ses décisions sur place en connaissance des événements et de la réalité des différents périls que l'on ne pouvait qu'entrevoir. Cette suggestion n'a pas été acceptée.

Le lendemain jeudi 20 août, nous fûmes informés de l'échec de la dernière mission du général Guillaume et je pense qu'il apparaissait dès lors clairement que cette mission n'était en réalité qu'une sorte de précaution à l'usage des membres du Gouvernement français. Nous étions en présence d'une machine bien montée, parvenue à la dernière phase de son fonctionnement et que dès lors personne n'était plus en mesure d'arrêter.

Je posai au ministre des Affaires étrangères la question de savoir s'il connaissait ou non la personnalité du Sultan qui serait probablement désignée l'après-midi. Une semblable question lui fut d'ailleurs posée par plusieurs de ses collègues. Il répondit qu'il n'en savait rien et, après une hésitation, qu'il y avait lieu de supposer que ce serait probablement celui qui avait déjà reçu le titre d'iman des croyants au cours des cérémonies de Marrakech.

Au cours d'un second Conseil du même jour en fin d'après-midi nous avons appris que le Sultan avait été déposé et qu'il était d'ores et déjà en route pour la Corse. Ainsi le Conseil n'a pas été appelé à prendre dans cette affaire une décision libre et une véritable initiative.

Le ministre responsable nous a indiqué qu'il n'était pas possible de modifier le cours des circonstances à moins de donner des ordres de fusillade qui d'ailleurs, a-t-il précisé, ne seraient ni transmis ni suivis. L'autorité de l'Etat s'est trouvée, dans ces conditions, réduite à néant et le Gouvernement n'a eu qu'à entériner, dans des conditions dérisoires, l'exécution d'un plan arrêté sans doute dans ses moindres détails et appliqué avec une véritable perfection technique par des personnalités irresponsables ou par des agents insubordonnés.

Une décision consciente du Gouvernement, aboutissant à la situation actuelle, eût attiré de ma part une contestation normale mais cette faculté même m'a été, en fait, refusée ainsi qu'à ceux de mes collègues qui partageaient mon sentiment.

Si, d'autre part, je me suis toujours incliné loyalement devant les solutions adoptées par la majorité de mes collègues ou arbitrées par le Président du Gouvernement, c'est avec une profonde peine que je constate que dans la circonstance, ce n'est pas devant ces instances que je suis contraint de m'incliner.

Aux considérations qui précèdent, il serait normal que je trace comme conclusion mon propre retrait du Gouvernement. Je ne puis le faire dans les circonstances actuelles car il m'est impossible d'abandonner les responsabilités du département des Finances qui peut m'appeler à tout instant, soit à justifier ma propre action des semaines passées, soit à en assurer la poursuite. Ma décision pourrait être de nature à causer un réel préjudice aux intérêts du pays et elle pourrait, d'autre part, apparaître comme un désaveu à l'égard de M. le Président du Conseil que je ne songe nullement à incriminer.

J'entends, d'autre part, me conformer à l'appel que vous nous avez adressé en termes très nobles en vue d'assurer la solidarité gouvernementale, mais, ayant eu l'honneur de collaborer avec vous pendant plusieurs années, au cours de différents gouvernements et même, dans une brève période, en tant que Président du Conseil, j'ai tenu à vous faire part directement des opinions dans lesquelles je persévère et des sentiments qui m'animent et dont je suis assuré que nul ne les comprendra mieux que vous.

Veuillez agréer, Monsieur le Président, les assurances de ma très haute considération et de mon entier dévouement.

Edgar FAURE.

La réponse du Président de la République.

Paris, le 29 août 1953.

Mon cher Président,

Je vous accuse réception de votre lettre du 26 août et vous donne acte de vos réserves, protestation et opinions relatives à la déposition du Sultan du Maroc, et surtout aux conditions et circonstances dans lesquelles s'est faite cette déposition.

Je comprends « mieux que personne » en effet — et vous savez pourquoi — votre douloureuse crise de conscience.

La noblesse de vos sentiments et de votre attitude, votre haute conception du devoir, votre abnégation, la confiance, enfin, que vous me manifestez, me touchent profondément et m'émeuvent.

Croyez, cher Président, à mon affectueuse estime et à ma fidèle amitié.

Signé : Vincent AURIOL.

P.-S. — Je joins votre lettre et copie de la présente au procès-verbal officiel de la séance du 20 août.

ANNEXE III

Les vingt-cinq gouvernements de la IVᵉ République

Vingt-cinq gouvernements se sont succédé de l'élection de la première Assemblée Constituante le 21 octobre 1945 à la disparition légale de la dernière Assemblée Nationale de la IVᵉ République le 9 décembre 1958.

Si l'on ne tient compte ni des deuxièmes gouvernements Schuman et Queuille qui ont été renversés le jour même de leur présentation devant l'Assemblée, ni des deux gouvernements de Gaulle, le dernier ministère de la IVᵉ République, celui de M. Pflimlin, était le 21ᵉ en douze ans et cinq mois.

Assemblée Constituante

de Gaulle	21 novemb. 1945	20 janvier 1946
Félix Gouin	26 janvier 1946	11 juin 1946
Georges Bidault	25 juin 1946	28 novemb. 1946

Assemblée Nationale élue le 10 *novembre* 1946

Léon Blum	18 décemb. 1946	16 janvier 1947
Paul Ramadier	22 janvier 1947	19 novemb. 1947
Robert Schuman	24 novemb. 1947	19 juillet 1948
André Marie	26 juillet 1948	28 août 1948
Robert Schuman	5 septemb. 1948	7 septemb. 1948
Henri Queuille	11 septemb. 1948	6 octobre 1949
Georges Bidault	28 octobre 1949	24 juin 1950
Henri Queuille	3 juillet 1950	4 juillet 1950
René Pleven	13 juillet 1950	28 février 1951
Henri Queuille	10 mars 1951	11 juillet 1951

Assemblée Nationale élue le 17 *juin* 1951

René Pleven	11 août 1951	7 janvier 1952
Edgar Faure	20 janvier 1952	28 février 1952
Antoine Pinay	8 mars 1952	23 décemb. 1952
René Mayer	8 janvier 1953	21 mai 1953
Joseph Laniel	28 juin 1953	12 juin 1954
Pierre Mendès-France	19 juin 1954	5 février 1955
Edgar Faure	23 février 1955	23 janvier 1956

Assemblée Nationale élue le 2 *janvier* 1956

Guy Mollet	2 février 1956	21 mai 1957
Maurice Bourgès-Maunoury	13 juin 1957	30 septemb. 1957
Félix Gaillard	6 novemb. 1957	15 avril 1958
Pierre Pflimlin	13 mai 1958	28 mai 1958
de Gaulle	1er juin 1958	8 janvier 1959

ANNEXE IV

LES POURCENTAGES DE VOIX AUX ÉLECTIONS DE 1945 A 1956

(par rapport aux suffrages exprimés)

PARTIS	Oct. 1945	Juin 1946	Nov. 1946	Juin 1951	Janv. 1956
Communistes et progr.	26	26,2	28,6	25,9	25,9
S. F. I. O.	23,8	21,1	17,9	14,9	14,9
Divers gauche	—	—	—	0,1	2,1
Radicaux et U.D.S.R.	11,1	11,5	12,4	11,2	13,5
M. R. P.	24,9	28,1	26,4	12,8	11,1
Modérés	13,3	12,8	12,8	12,3	14,4
Un. Gaul., R.P.F. ou Rép. Soc.	—	—	1,6	20,4	4,4
Poujadistes	—	—	—	—	11,5
Divers	0,9	0,3	0,3	2,4	2,2

POSTFACE

La guerre d'Algérie, dont est morte la IVe République, a duré plus longtemps sous la Ve. Pourtant, le nouveau régime ne manquait pas de ce qui avait fait si gravement défaut au précédent : l'autorité et la stabilité. L'adversaire avait l'assurance que les promesses du gouvernement ne seraient pas reniées par le suivant ; il n'avait pas non plus l'espoir d'obtenir davantage du successeur. Enfin, le Parlement, réduit en fait et en droit au rôle d'une Chambre d'enregistrement, n'avait plus ni le goût ni le moyen de harceler sans cesse le pouvoir exécutif. Très vite, le général de Gaulle avait signifié que l'affaire algérienne relevait de son domaine réservé et son autorité ne fut longtemps contestée ni d'un côté ni de l'autre de la Méditerranée.

Le nouveau régime a longtemps souffert, il est vrai, d'une faiblesse congénitale, mieux d'un péché originel. Né du 13 mai, il fut dès le début exposé aux pressions, aux menaces et finalement aux coups de force de ceux qui l'avaient appelé et porté sur le pavois à Alger. Consciente du rôle qu'elle avait joué, convaincue de la justesse de sa cause et de la valeur de ses sacrifices, l'armée ou du moins, l'une de ses fractions s'estimait en droit d'imposer sa politique au pouvoir, celle de l'Algérie française. Des révoltes, la IVe République en avait connu, de sourdes et de menaçantes avant de succomber. Pour vivre, la Ve République dut en surmonter de violentes et de redoutables le 24 janvier 1960 et le 22 avril 1961. Puis en permanence celle de l'O.A.S. (l'organisation armée secrète) en Algérie jusqu'au 1er juillet 1962, et en métropole jusqu'à l'extrême péril de l'attentat manqué du Petit-Clamart, le 9 septembre.

La IVe République n'avait à faire qu'au déchirement de deux communautés ; la Ve dut faire face au drame d'une troisième : l'armée. Passé de deux à trois dimensions, le problème parut plus insoluble encore. Que deux Républiques de nature fort peu semblable, trois assemblées de composition politique très différente, huit gouvernements d'autorité et de taille fort inégales n'en soient pas venus à bout depuis 1954, voilà qui rend en tout cas moins sévère après coup pour la IVe. Avec la Ve, elle partage en outre le mérite de la décolonisation de l'Afrique Noire, amorcée en profondeur dès 1956.

Le 13 mai avait été fait pour sauver l'Algérie française et, s'ils avaient eu le choix, ses auteurs n'auraient pas fait appel au général de Gaulle. S'il leur a volé leur victoire, comme beaucoup l'en accusent, ils peuvent surtout se reprocher de l'avoir introduit dans la place. Lui-même n'est pas homme à se laisser dicter une politique. Empirique, il adapte la sienne aux circonstances. Dès lors, le seul but de la fronde militaire fut de l'obliger à en changer. En vain.

Mais l'ironie du sort veut que l'on trouve les régimes là où on ne les attend pas. On pensait le général de Gaulle capable, grâce à son immense prestige, de dénouer le drame politique et militaire commencé en Indochine, poursuivi en Tunisie puis au Maroc ; enfin en Algérie. On le savait désireux de pratiquer une politique étrangère plus indépendante que celle de la IVe République ; on lui connaissait ce goût de la grandeur et cet art de la ruse qui font les grands politiques ; sa prédestination à sauver la France. On ne soupçonnait pas que son premier titre serait de sauver le franc. La IVe République avait manqué toutes ses dévaluations ; la Ve a réussi la sienne ; il est vrai qu'elle avait hérité, pour peu de temps, de l'« homme miracle » du régime précédent, M. Antoine Pinay. Et d'un premier coup d'arrêt donné à l'inflation par l'avant-dernier gouvernement de la IVe République.

Enfin, la politique européenne, si violemment attaquée par l'opposition gaulliste sous la IVe, est devenue l'un des fleurons de la Ve.

Ainsi d'un régime à l'autre y a-t-il eu peut-être moins rupture que continuité : dans les hommes au début, dans les difficultés par la suite, les crises enfin, les coups de force politico-militaires ayant pris en somme la relève des coups de théâtre parlementaires. C'est de Gaulle, ce philosophe, qui a raison : « Ce Français qui met dans son esprit tant d'ordre et si peu dans ses actes », et c'est aussi cet historien, Pierre Gaxotte : « Avec tous ses défauts, crédulité, turbulence, bavardage, instabilité d'humeur et de résolutions, le Gaulois portait en lui le stimulant le plus énergique du progrès, le sentiment et l'orgueil de sa personnalité ». Car, si les régimes passent,... les peuples demeurent.

Mars 1962.

INDEX ALPHABÉTIQUE

A

B

C

N

TABLE

DEUXIEME PARTIE

LA QUATRIEME SE TROUVE
(1947 - 1952)

TROISIEME PARTIE

LA QUATRIEME SE PERD
(1952 - 1958)

IMPRIMÉ EN FRANCE PAR BRODARD ET TAUPIN
6, place d'Alleray - Paris.
Usine de La Flèche, le 16-09-1971.
1970-5 - Dépôt légal n° 901, 3e trimestre 1971.
LE LIVRE DE POCHE - 22, avenue Pierre 1er de Serbie - Paris.
30 - 36 - 3213 - 01